Cocina *Tradicional* Española

Cocina *Tradicional* Española

LIBSA

C/ San Rafael, 4
28108 Alcobendas (Madrid)
Tel.: (34) 91 657 25 80
Fax: (34) 91 657 25 83
e-mail: libsa@libsa.es
www.libsa.es

Edición: Equipo Editorial LIBSA

ISBN: 84-662-0170-X
Depósito Legal: M-11554-01

Impreso en España/*Printed in Spain*

Introducción

La gastronomía española es conocida internacionalmente por la riqueza de sus productos: sanos, nutritivos y de excelente calidad, y por la gran variedad de sus recetas, tan diversas como las diferentes regiones que componen su geografía. Desde las zonas más frías del norte y del oeste, que han creado platos más fuertes y consistentes con los que combatir la dura climatología del invierno, a las cálidas regiones que bordean el mar Mediterráneo que, para mitigar el sofoco veraniego, han desarrollado platos más ligeros, aunque no por ello menos nutritivos. Estos últimos han dado nombre a la ya famosa dieta mediterránea, una de las más saludables y completas del mundo.

Pero esta riqueza y variedad de nuestra cocina es también deudora de las culturas que en momentos puntuales de la historia tuvieron gran influencia en nuestro territorio, bien por su asentamiento, como fueron la cultura árabe o la judía, bien por la importación de sus productos y especias, como la realizada a partir del descubrimiento de América. Un claro ejemplo de ello lo podemos encontrar en nuestro tradicional turrón, de marcada influencia árabe; o en el cultivo de la patata, el tomate y el pimiento, productos importados de los pueblos americanos que hoy forman parte de muchísimas recetas españolas.

En este libro de COCINA TRADICIONAL ESPAÑOLA hemos realizado un amplio recorrido por la gastronomía de todas las regiones españolas, incluyendo desde platos tan populares como el caldo gallego, el gazpacho andaluz o la paella valenciana, hasta recetas más sofisticadas y complicadas en su elaboración, como pueden ser el mojo de cerdo al estilo de Canarias, el morteruelo castellano o las perdices con coles del Ampurdán.

La obra ha sido organizada por orden alfabético, alternando primeros y segundos platos con deliciosos postres, algunos de ellos inspirados en antiguas recetas monacales.

Para facilitar la información al lector, hemos incluido al final del libro dos índices: uno alfabético y otro en función de los elementos principales que componen las recetas: carnes, pescados, etc.

La COCINA TRADICIONAL ESPAÑOLA está dirigida tanto al profesional que debe preparar menús continuos y variados, como a todas aquellas personas que se acercan a nuestras páginas en busca de un plato tradicionalmente español con el que sorprender a amigos y familiares.

Acelgas a la manchega

Tiempo 60 minutos
Comensales 4 personas
Dificultad media

INGREDIENTES

1 kg de acelgas
1/2 kg de patatas, 2 huevos
3 dientes de ajo
1 cucharada de vinagre
pimentón, aceite para freír, sal

ELABORACIÓN

- Se limpian las acelgas y se cortan en forma de dados.
- Se cuecen en abundante agua hirviendo con sal.
- Una vez cocidas, se escurren y se reservan.
- Se pelan las patatas, se cortan en dados pequeños y se salan.
- Se fríen en aceite hirviendo hasta que estén doradas.
- Se escurren y se reservan.
- Se pelan los ajos, se trocean y se doran en parte del aceite de freír las patatas.
- Cuando estén dorados, se retiran, se aparta la sartén del fuego y se añade el pimentón, removiendo con una cuchara de madera para que no se queme; seguidamente, se vierte el vinagre.
- Se vuelve a colocar la sartén al fuego, se añaden las acelgas y las patatas fritas, y se rehogan durante unos minutos.
- Se coloca todo en una fuente de horno y se agregan los huevos batidos.
- Se mantiene a temperatura suave hasta que se cuajen los huevos.
- Se puede servir en la misma cazuela o en una fuente de barro.

Ajiaceite de alubias con patatas

Tiempo 3 horas
Comensales 6 personas
Dificultad media

INGREDIENTES

1/2 kg de alubias blancas
2 manitas de cerdo
4 patatas medianas crudas
aceite de oliva, sal
Ajiaceite:
1 patata cocida
1 yema de huevo
2 dientes de ajo
perejil picado, sal

PREPARACIÓN

- Se ponen las alubias blancas en remojo con agua la noche anterior.
- En una olla de barro se ponen las

alubias blancas remojadas y las manitas de cerdo, y se cuecen con abundante agua y sal.

- Cuando estén casi cocidas, se añaden las patatas crudas, peladas y cortadas en rodajas, y se dejan a fuego lento para que el caldo vaya espesando.
- Mientras, se prepara el ajiaceite.
- Se machacan los dos dientes de ajo pelados con un poco de sal y la patata cocida.
- Se añade la yema de huevo y se mezcla bien sin dejar de dar vueltas con la mano del mortero siempre en el mismo sentido.
- Se va agregando, poco a poco, aceite crudo hasta que quede una pasta dura.
- Se reserva.
- Un momento antes de servir, se deslíen cinco cucharadas grandes de ajiaceite con unas cucharadas de caldo del puchero.
- Se vuelve a echar todo junto a la olla y se remueve para que no se corte.
- Se sirve inmediatamente para que no se enfríe, espolvoreando antes un poco de perejil picado por encima.

Ajoarriero

Tiempo 30 minutos
Comensales La cantidad de los ingredientes será proporcional al número de comensales
Dificultad media

Ingredientes

bacalao, gambas
pimiento verde y pimiento rojo
tomate natural, patata, cebolla
ajo, perejil, aceite, brandy

Preparación

- Bien desalado el bacalao, se corta en trozos pequeños o se desmiga, según guste más.
- Se calienta aceite en una sartén y se rehogan la cebolla, el ajo, el perejil y los pimientos, todos limpios y troceados. Cuando estén blanditos, se agrega el bacalao y, poco después, el tomate natural.
- Finalmente, se incorporan las gambas y la patata cortada en dados pequeños.
- Se deja a fuego lento para que se haga todo poco a poco y, en el último momento, se moja con un chorrito de brandy.
- Antes de servir, se rectifica de sal si es necesario.

Ajoblanco malagueño

Tiempo 60 minutos
Comensales 4 personas
Dificultad media

Ingredientes

100 g de almendras crudas peladas
1/4 kg de uvas
3 dientes de ajo
300 g de miga de pan
1/4 l de aceite de oliva refinado
vinagre
sal

Preparación

- La miga de pan se pone en remojo con agua unas horas antes.
- En un mortero se majan las almendras, los ajos pelados y picados, el aceite, un poco de vinagre y sal.
- Se mezcla muy bien hasta conseguir una pasta homogénea.
- Poco a poco, se va añadiendo agua fría y la miga de pan escurrida.
- Tiene que quedar como una crema fina y clara.
- Se deja enfriar en el frigorífico.
- Se sirve en tazas de consomé o cuencos de barro, acompañado de las uvas en una fuente aparte.

Ajocaliente gaditano

Tiempo 60 minutos
Comensales 6 personas
Dificultad media

Ingredientes

1 pimiento verde, 1/4 kg de pan sentado, 1/4 kg de tomate
2 o 3 dientes de ajo
1 cucharada de pimentón
6 cucharadas de aceite, sal

Preparación

- Se majan en el almirez los dientes de ajo, una pizca de sal, el pimiento verde cortado en trocitos muy pequeños, el pimentón, los tomates, que previamente se habrán hervido, y un poco de aceite; una vez majados, se agrega parte del pan cortado y unas cucharadas de agua hirviendo, de la que se usó para cocer los tomates.
- Todo ello se bate y machaca en el almirez, agregándole a continuación un poco más de agua y pan.
- Se continúa majando, más suavemente, y en veces sucesivas se añade agua hirviendo y pan, en tal proporción, que el plato quede jugoso, pero sin caldo, y el pan resulte empapado y casi desmenuzado durante el primer batido.
- Así preparado, se sirve.

Albóndigas al estilo de Montefrío (Granada)

Tiempo 2 horas y 15 minutos
Comensales 6 personas
Dificultad media

Ingredientes

1/4 kg de pechugas de ave con sus huesos
1/4 kg de jamón graso
4 huevos enteros
1 yema de huevo
200 g de pan rallado
1/4 l de aceite
zumo de 1/2 limón, ajos
perejil, azafrán, pimienta, sal

Preparación

- Se pican muy menudo la carne de ave y el jamón.
- En una fuente se mezcla este picadillo con el pan rallado, el perejil y unos ajos picados, la pimienta machacada, una pizca de azafrán y la sal necesaria.
- Cuando se haya conseguido una mezcla perfecta se le agregan el zumo de limón y los huevos ligeramente batidos, obteniendo así una masa con la que se hacen las albóndigas, añadiendo, si fuera necesario, un poco más de pan.
- Las albóndigas se fríen en aceite bien caliente hasta que estén doradas y se reservan.
- En una cacerola se ponen litro y medio de agua con los huesos sacados de la pechugas y un poco de jamón que tenga algo de grasa, agregando además tres cucharadas del aceite que ha quedado de freír las albóndigas.
- Se añaden éstas a la cacerola y se cuece todo junto a fuego muy suave durante un par de horas.
- Se bate la yema y se va añadiendo, poco a poco, al caldo de cocer las albóndigas, se retiran los huesos, se pica el jamón en trocitos y se sirve en una fuente honda.

Albondiguillas a la cordobesa

Tiempo 2 horas
Comensales 4 personas
Dificultad media

Ingredientes

200 g de carne de ternera
200 g de carne de cerdo
100 g de jamón, 1 hueso de jamón
50 g de tocino, 3 huevos
50 g de pan rallado, 1 diente de ajo
1 rama de perejil, 100 ml de aceite
pimienta, sal

PREPARACIÓN

- Se pican muy menudo las carnes, el jamón y el tocino, se agrega el ajo y el perejil, ambos bien trinchados, y una pizca de pimienta y sal.
- Se amasa todo ello hasta hacer una pasta, se le incorporan dos huevos batidos y pan rallado y se moldean las albondiguillas, que se reservan.
- Separadamente se prepara un buen caldo con el hueso de jamón, o bien se puede aprovechar, si se tuviera, caldo de carne o del cocido.
- Por otro lado, se hace una mahonesa con el huevo restante y el aceite; luego, con mucho cuidado para que no se corte, se van mezclando en un recipiente hondo, cucharada a cucharada, la mahonesa y el caldo, para obtener una salsa clara y muy ligada.
- En una cacerola pequeña se ponen a cocer las albondiguillas en la citada salsa durante 15 minutos, a fuego muy suave; luego se sirven.

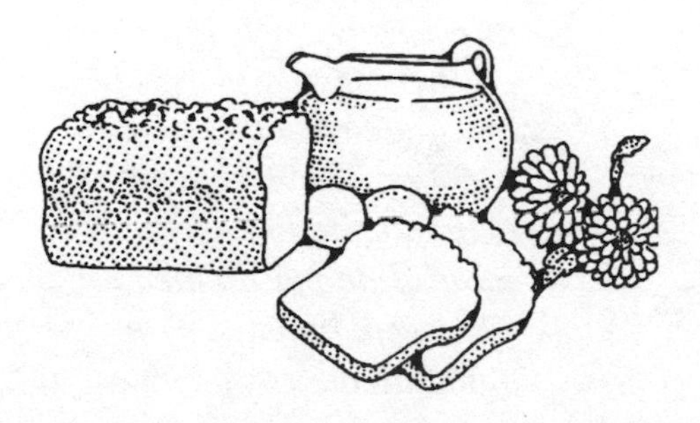

Alcachofas a la española

Tiempo 60 minutos
Comensales 4 personas
Dificultad media

INGREDIENTES

8 alcachofas
1 cebolla, 2 cucharadas de harina
1 vaso de vino blanco
aceite de oliva
1 vaso de caldo vegetal
pimienta, sal, limón

PREPARACIÓN

- Se limpian las alcachofas retirando el tallo, las hojas externas y las puntas, y se frotan con un limón para evitar que se ennegrezcan.
- Se ponen a cocer en una cacerola con agua y sal, y una vez tiernas se escurren y se reservan.
- Mientras tanto, en una cazuela con aceite se rehoga la cebolla hasta que esté blanda y se añade la harina.
- Se remueve todo muy bien y se incorporan las alcachofas, el vino y el caldo vegetal; se sazona con sal y pimienta.
- Se mantiene la cocción a fuego lento hasta que la salsa quede espesa.

Alcachofas rellenas

Tiempo 2 horas
Comensales 4 personas
Dificultad media

Ingredientes

8 alcachofas medianas
100 g de jamón serrano
1 cucharada de vino blanco
1 pastilla de caldo de pollo
1 diente de ajo
1 limón
2 cucharadas de aceite
pan rallado
perejil picado, sal

Preparación

- Se limpian las alcachofas, desechando los tallos, y se quitan las hojas de fuera más duras.
- Se cortan las hojas a media altura, se vacía un poco el interior y se frotan con medio limón para que no se ennegrezcan.
- Se ponen en un recipiente con agua fría y con el zumo del medio limón restante.
- Por otra parte, se pica muy fino el jamón, se mezcla con el pan rallado, el vino blanco, el perejil y el ajo, pelado y picado.
- Se escurren las alcachofas y se rellenan con la masa.
- Se ponen en una cacerola y se cubren con agua fría.
- Se añade la pastilla de caldo concentrado, deshecha previamente con un poco de agua y después, una cucharada de pan rallado y el aceite.
- Se cuecen las alcachofas tapadas, primero a fuego fuerte y, cuando rompa a hervir el agua, a fuego lento.
- Tras cocer media hora, se prueban y, si hiciera falta, se agrega sal.
- Una hora más tarde estarán listas para servir, cuando se haya consumido la mayor parte del caldo.

Almejas a la marinera

Tiempo 60 minutos
Comensales 6 personas
Dificultad media

Ingredientes

1 kg de almejas, 1 cebolla
2 dientes de ajo
1/2 vaso de vino blanco
100 ml de aceite
miga de pan rallado sin tostar
2 cucharadas de perejil picado
laurel, limón
pimienta negra, sal

Preparación

- Se lavan las almejas y se ponen en una sartén con un poco de agua fría.
- Cuando se abran, se sacan y se cuela el agua por una servilleta.
- Se calienta el aceite en una cazuela y se estofa lentamente la cebolla partida muy fina y los ajos picados.
- Se añade la miga y se rehoga.
- Se moja con el caldo colado de las almejas y el vino, se añade la hoja de laurel, el zumo de limón, la pimienta, una cucharada de perejil y la sal.
- Se echan las almejas con una concha y se hierven durante 10 minutos.
- Se espolvorea el resto del perejil picado y se sirven.

Almejas a la pescadora al modo de Almería

Tiempo 45 minutos
Comensales 6 personas
Dificultad media

Ingredientes

1 kg de almejas, 1/4 kg de cebollas
1 diente de ajo
1 vaso de vino blanco
2 cucharadas de harina
4 cucharadas de aceite, limón
laurel, nuez moscada
pimienta, sal

Preparación

- Después de bien limpias, se rehogan las almejas con la mitad del aceite y se ponen en una cacerola con tres rodajas de limón y una hoja de laurel.
- En una sartén se vierten las otras dos cucharadas de aceite y, cuando esté bien caliente, se rehogan en él las cebollas muy picadas; cuando comiencen a dorarse, se agrega la harina, una pizca de pimienta, nuez moscada y el ajo.
- Cuando esté todo bien tostado, se moja con un cacillo de agua y el vino blanco, y se vierte este conjunto en la cacerola donde están las almejas.
- Se deja cocer a fuego lento para que se espese la salsa y, cuando esté en su punto, se sirve el guiso procurando que esté bien caliente.

Almejas al estilo de Pontevedra

Tiempo 60 minutos
Comensales 6 personas
Dificultad media

Ingredientes

6 docenas de almejas
1/2 kg de cebollas
un trozo
de miga de pan
1/2 cucharada
de pimentón
vinagre
perejil, sal

Preparación

- Se pone una cazuela al fuego y se colocan en ella las almejas para que se abran y suelten su jugo.
- Conseguido esto, se sacan de sus valvas y se dejan enfriar.
- Entretanto se prepara un picadillo con la cebolla y el perejil y se pone a cocer en el agua que soltaron las almejas.
- Se agrega un poco de miga de pan desmenuzada, un chorro de vinagre, media cucharada de pimentón y la sal necesaria.
- Una vez cocida esta salsa, se tamiza y se hierve en ella las almejas durante 10 minutos, pasados los cuales el plato puede servirse.

Almejas en su ambiente

Tiempo 1 hora y 30 minutos
Comensales 4 personas
Dificultad media

Ingredientes

1 kg de almejas, 1 cebolla entera
2 cucharadas de cebolla picada
1 zanahoria, 1 puerro, 1 rama de apio, 1/4 l de vino blanco
2 cucharadas de harina
3 cucharadas de mantequilla
1 limón, perejil, sal

Preparación

- Después de lavar, picar y salar las verduras, se cuecen de modo que resulte litro y medio de caldo. Se reserva.
- Se lavan las almejas al chorro de agua fría, se ponen en una cacerola a fuego lento hasta que se abran y entonces, sin quitar el caldo que han soltado, se añade una cucharada de mantequilla y un chorro de zumo de limón; se tapa la cacerola y se deja rehogar unos minutos.
- Aparte, se derrite el resto de la mantequilla, se doran en ella dos cucharadas de cebolla picadita, se agrega la harina y se riega con el vino blan-

co y el caldo de cocer las verduras. Se mantiene al fuego durante 10 minutos.

- Se colocan las almejas en la sopera y, en el momento de servir, se vuelca el caldo sobre ellas, se espolvorea de perejil y se sacan a la mesa después de comprobar la sal.
- El caldo que sueltan las almejas conviene pasarlo por una estameña para evitar que pase la arenilla.

Almendrados a la canela

Tiempo 60 minutos
Comensales 4 personas
Dificultad media

Ingredientes

375 g de almendras peladas
10 g de canela
4 huevos, más otro para pintar
250 g de azúcar
625 g de harina
10 g de levadura en polvo
1/4 l de agua
15 g de ralladura de limón
1 taza de aceite, mantequilla

Preparación

- Se mezclan en un bol la harina con la levadura, el azúcar, las almendras, el agua, los huevos, la canela, la ralladura de limón y el aceite.
- Se trabaja la masa hasta que quede completamente compacta; es importante trabajarla mucho.
- Con esta masa se moldean tiras de unos 4 cm de grueso y 10 cm de largo y se pasan a una fuente de horno debidamente untada de mantequilla.
- Se pintan con huevo batido y se meten al horno a 160 ºC durante 30 minutos.

Alubias blancas a la madrileña

Tiempo 2 horas y 15 minutos
Comensales 6 personas
Dificultad media

Ingredientes

1/2 kg de alubias blancas
100 g de tocino
100 g de chorizo
1 cucharada de cebolla picada
1 diente de ajo
1 cucharadita de pimentón
1 cucharada de harina
5 cucharadas de aceite
laurel, sal

Preparación

- Poner a remojar las alubias la víspera.
- Se colocan en la olla exprés (con la rejilla) las alubias escurridas, el

chorizo, el tocino, una hoja de laurel y un poco de sal.

- Se pone el aceite en una sartén pequeña y se fríen la cebolla y el ajo.
- Ya dorados, se agrega la harina, se rehoga y se separa la sartén del fuego para echar el pimentón.
- Este refrito se vierte sobre las alubias, más dos tazas de agua.
- Se tapa la olla y se pone al fuego, dejándolas cocer a presión 25 minutos.
- Se retira, se enfría y se abre la olla.
- Dejar reposar un poco y servir con el tocino y el chorizo trinchados encima.

Alubias blancas con almejas

Tiempo 3 horas
Comensales 8 personas
Dificultad media

Ingredientes

1/2 kg de alubias blancas
1/2 kg de almejas (chochas o chirlas)
2 dientes de ajo
1/4 kg de cebollas
1 cucharadita de pimentón
100 ml de aceite, laurel, perejil tomillo, pimienta en grano, sal

Preparación

- Se dejan las alubias a remojo con agua templada la víspera.
- Se escurren y se colocan en una cazuela cubiertas de agua fría.
- Se acercan al fuego y, cuando rompa el hervor, se «asusta» con agua fría y se deja que vuelvan a hervir.
- Se añaden las hierbas y los granos de pimienta y se deja cocer hasta que estén tiernas.
- Tardarán entre una hora y media y dos horas, según la calidad de las alubias.
- Se procura que durante la cocción estén cubiertas de agua, pero que no sobre.
- Se ponen las almejas en agua salada durante una hora para que escupan la arenilla (si es posible, como mejor resulta es con agua de mar).
- Se lavan por fuera.
- Se pica la cebolla y los ajos muy finos y se estofan en el aceite a fuego suave.
- Antes de que tomen color, se añaden las almejas y un cucharón del agua de cocer las alubias, se tapan y se espera que se abran.
- Se espolvorea de pimentón y, con cuidado de que no se queme, se da unas vueltas sobre el fuego.
- Si se quiere, se suprime una de las conchas de las almejas y se une todo con las alubias, a las que se habrá

añadido la sal poco antes de terminar la cocción.

- Se da un hervor al conjunto, moviendo la cazuela para que engorde la salsa.
- Si fuera necesario, se machacan o pasan en puré unas cuantas alubias y se añaden para que el guiso tenga el punto adecuado.
- Se rectifica el punto de sazón y se sirve.

Alubias blancas con arroz (Albacete)

Tiempo 1 hora y 30 minutos
Comensales 4 personas
Dificultad media

Ingredientes

400 g de alubias blancas
1 tacita de arroz
2 dientes de ajo
100 ml de aceite de oliva
1 cucharada de pimentón
laurel
sal

Preparación

- Se dejan las alubias a remojo con agua templada durante 12 horas y se ponen a cocer con sal y una hoja de laurel.
- Cuando rompa el hervor, se «asusta» con un chorreón de agua fría; mantener a fuego lento durante una hora y media.
- Mientras tanto, se pican los dos dientes de ajo y se doran en la sartén con el aceite; se añade el pimentón.
- Cuando ya tenga buen color se aparta del fuego y se deja que se haga unos minutos sin dejar de mover para que no se queme.
- Se añade el sofrito al guiso y se deja que termine de hacerse con el fuego flojo y moviendo la cazuela para que no se deshagan las alubias con la cuchara.
- Veinte minutos antes de servirlas, se añade el arroz y, cuando haya roto el hervor de nuevo, se prueba para rectificar el punto de sal. Se sirve todo junto.

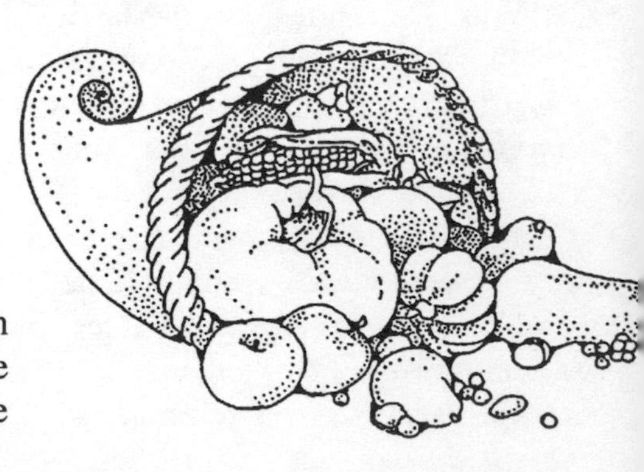

Alubias blancas con manos de cordero

Tiempo 3 horas
Comensales 6 personas
Dificultad media

Ingredientes

1/2 kg de alubias blancas
1 kg de manos de cordero
2 higaditos de pollo
50 g de almendras
1 huevo cocido
1 vaso de vino blanco
3 dientes de ajo
2 cucharadas de cebolla picada
1 rebanada de pan
100 ml de aceite, azafrán, pimienta
laurel, perejil, pimentón
cominos, sal

Preparación

- Las alubias, después de tenerlas a remojo en agua templada durante unas 12 horas, se ponen a cocer en agua fría con una hoja de laurel, durante dos horas y media.
- Mientras tanto, se limpian y cuecen con un diente de ajo y una hoja de laurel las manitas de cordero abiertas a la mitad.
- Antes de terminar la cocción de las alubias, se salan.
- Para preparar la pepitoria se doran en el aceite caliente la rebanada de pan y las almendras, se añade un diente de ajo y, cuando todo esté de buen color, se saca para machacarla en el mortero con unas hebras de azafrán y unos cominos.
- A continuación, en el aceite sobrante se fríe la cebolla, el diente de ajo restante y un ramito de perejil picados y, en cuanto estén, y antes de que tomen color, se saltean los higaditos, después de limpios y cortados en trocitos.
- Se añade el majado del mortero y la yema deshecha a las manitas cocidas y escurridas y se vierte encima un vaso de vino blanco y otro del caldo de cocerlas.
- Se da un hervor y se incorporan la cebolla y los higaditos.
- Se mezcla este guiso de manitas en pepitoria con las alubias cocidas y escurridas y se añade el caldo de cocerlas; esto es necesario para que queden como para tomar con cuchara, pero de salsa trabada.
- Si se quiere se puede añadir un poco de pimentón rehogado encima de la cebolla y el ajo, pero hay quien las prefiere con el color amarillo que proporciona el azafrán y la yema de huevo duro.
- Se sirven muy calientes y salpicadas por encima con la yema de huevo duro picada.

Alubias blancas con nabos y arroz

Tiempo 2 horas y 15 minutos
Comensales 6 personas
Dificultad media

Ingredientes

400 g de alubias blancas
300 g de jarrete de cerdo
150 g de oreja de cerdo
1/2 kg de manitas de cerdo
200 g de tocino, 3 morcillas negras
3 morcillas blancas
1/2 kg de nabos pequeños
1/4 kg de arroz, azafrán, sal

Preparación

- En una olla o puchero con 3 litros de agua y un poco de sal se ponen a cocer las judías blancas, el jarrete, la mano y la oreja de cerdo, el tocino, las morcillas blancas y negras y los nabos (pequeños) cortados en pedacitos.
- Se deja cocer todo a fuego suave el tiempo necesario, espumándolo de cuando en cuando.
- Cuando todo esté en su punto se rectifica de sal, se añade un poco de azafrán y se agrega el arroz, calculando bien el caldo para que el arroz pueda cocerse sin que quede seco, por espacio aproximado de unos 20 minutos.
- Pasado este tiempo se sirve; tener en cuenta que el arroz debe quedar caldoso.

Alubias blancas con perdiz

Tiempo 3 horas
Comensales 4 personas
Dificultad media

Ingredientes

1/2 kg de alubias blancas
4 perdices, 1 col pequeña
1/2 kg de patatas
100 g de tocino magro
100 g de chorizo de lomo
1 hueso de jamón
12 dientes de ajo
1 cebolla, 2 tomates
2 guindillas, 100 ml de aceite
4 clavos, 12 granos de pimienta
4 hojas de laurel, sal

Preparación

- En una cacerola con 4 litros de agua fría se ponen las perdices, el hueso de jamón, las alubias, la col (sólo las hojas blancas), la pimienta, el clavo, el laurel, los ajos, las guindillas y un poco de sal.
- Cuando lleve media hora cociendo se agrega 1/2 litro de agua fría.

- Después de otra media hora más de cocción, se incorporan las patatas en trozos y el tocino en dados.
- A los 20 minutos se sacan las perdices, se deshuesan procurando sacar los cuatro cuartos lo más enteros posibles, echando las mollas nuevamente en la olla.
- Los huesos se trituran en el mortero, se pasan por el colador chino y se reservan.
- En una sartén aparte se pone el aceite con la cebolla fileteada muy fina, se deja freír a fuego muy lento 10 minutos y se agrega el tomate picado.
- Se deja 5 minutos más, se añade el chorizo en trozos y, después de dar unas vueltas, se moja con un poco de caldo de la olla.
- Se deja cocer unos minutos más y se vuelca todo en la olla.
- Se añade también el jugo de los huesos, se deja cocer a fuego muy lento 15 minutos más, se rectifica el punto de sal y se deja reposar 15 minutos antes de servir.

Alubias blancas en casolet

Tiempo 2 horas y 30 minutos
Comensales 6 personas
Dificultad media

Ingredientes

1/2 kg de alubias blancas
1/2 kg de espaldilla de cordero deshuesada
1/4 kg de lomo de cerdo
1/4 kg de salchichas
100 g de tocino
100 g de manteca
1 zanahoria, 2 cebollas
2 dientes de ajo
1 cucharada de salsa de tomate
3 cucharadas de pan rallado
perejil, sal

Preparación

- Se hacen primero las alubias, que deben estar puestas en remojo la víspera.
- En la olla con agua y con la rejilla puesta, se echan las alubias, una zanahoria, una cebolla y la corteza del tocino.
- Se tapa y se acerca al fuego, cociendo a presión 20 minutos.
- Se retira, se enfría, se sacan las alubias y, pasadas por un colador, se ponen en una cazuela de horno bastante holgada, reservando el caldo de cocerlas.
- En la cacerola destapada se derrite la manteca y se rehoga el tocino cortado en trocitos.
- Se añade el cordero y el lomo cortado en pedazos y se deja rehogar despacio hasta que esté bien dorado; se

echan la otra cebolla y el ajo muy picados, la salsa de tomate y una taza de caldo de cocer las alubias.

- Se colocan encima las salchichas y se tapa la olla, dejando cocer a presión 20 minutos.
- Se retira, se enfría y se abre la olla, se saca el guisado mezclándolo con las alubias, con cuidado de no deshacerlas y quitando antes la zanahoria y la cebolla.
- Se espolvorea con el pan rallado y se mete a horno fuerte para que se dore por encima.
- Se sirve en la misma cazuela.

Alubias de Tolosa

Tiempo 1 hora y 30 minutos
Comensales 4 personas
Dificultad media

Ingredientes

1/4 kg de alubias de Tolosa
2 kg de repollo de berza
200 g de tocino
4 morcillas, 2 chorizos
1 cebolla, 1 diente de ajo
4 cucharadas de aceite, sal

Preparación

- Se ponen las alubias en remojo durante unas ocho horas.
- Se escurren y se colocan en un puchero cubiertas con agua fría.
- Se añade media cebolla picada, un chorreón de aceite y el tocino.
- Se acerca al fuego y se hace hervir a fuego lento, añadiendo agua fría para que siempre las cubra y moviendo la cazuela para que espese la salsa.
- A mitad de cocción se añade el chorizo y la sal.
- Se pica el resto de la cebolla muy fina y se estofa en el aceite.
- Se añade a las alubias.
- Se deja cocer lentamente hasta que estén tiernas (una hora y media aproximadamente).
- Se lava y se pica el repollo y se cuece en agua hirviendo con sal durante 30 minutos; a mitad de cocción, se añade la morcilla y se deja que se haga, procurando que la cantidad de agua sea la mínima.
- Se escurre, se riega con un chorreón del aceite en el que se habrá frito un diente de ajo cortado en láminas.
- Se sirve en una fuente con la morcilla por encima.
- Las alubias se sirven en legumbrera, con el chorizo y el tocino.

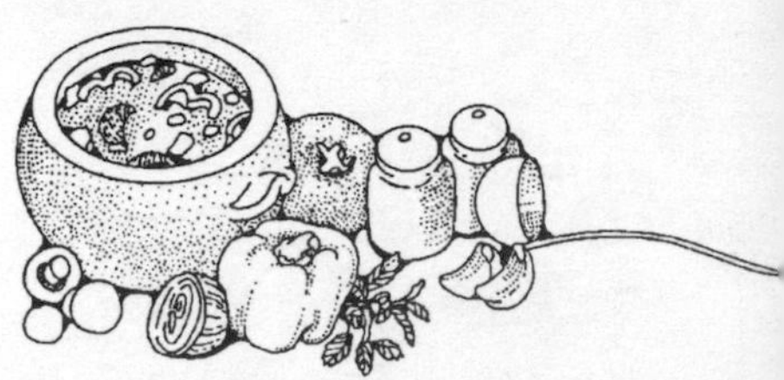

Alubias rojas de Éibar (Guipúzcoa)

Tiempo 2 horas
Comensales 6 personas
Dificultad media

Ingredientes

1 kg de alubias rojas
200 g de tocino, 1 morcilla
1 chorizo, 300 g de patatas
1/2 kg de tomates
1 cebolla, sal

Preparación

- Se ponen las alubias en remojo el día anterior y se cuecen con agua fría, agregándoles la cebolla picada y el tocino.
- Cuando estén a media cocción se añaden las patatas cortadas en trozos regulares, la morcilla y el chorizo.
- Se sazonan con sal y se dejan cocer hasta que estén en su punto.
- Se sirven acompañadas de una salsa preparada con los tomates.

Amanida de escarola a la catalana

Tiempo 45 minutos
Comensales 6 personas
Dificultad media

Ingredientes

2 escarolas
12 cebollitas
3 tallos de apio
12 filetes de anchoa
100 g de jamón
100 g de butifarra blanca
1 huevo cocido
100 ml de salsa alioli con huevo
vinagre
sal (si fuese necesario)

Preparación

- Se prepara la escarola, bien blanca y limpia, en una ensaladera, después de haberla cortado convenientemente.
- Se le agregan los tallos de apio cortados en trocitos, las cebollitas, que deben ser muy tiernas, los filetes de anchoa y el jamón cortado en pequeños tacos.
- Preparado todo y colocado lo más artísticamente posible, se cubre con el alioli, al que se agrega un poco de vinagre.

- Se adorna por encima con el huevo duro cortado en rodajas y la butifarra blanca, también en rodajas.

Ancas de rana fritas

Tiempo 1 hora y 30 minutos
Comensales 6 personas
Dificultad media

Ingredientes

3 docenas de ancas de rana
1/4 l de leche
2 dientes de ajo
1/4 kg de harina
2 limones, 4 huevos
1/4 l de aceite de oliva
pimienta blanca
perejil, sal

Preparación

- Una vez limpias las ancas de rana y después de haberles cortado bien las garras, se ponen en remojo durante una hora en una mezcla de agua y leche (para 2 litros de agua se precisa 1/4 litro de leche).
- Pasado el tiempo se escurren y se ponen en adobo con aceite, zumo de limón, ajo picado, sal y los dos ingredientes más característicos para la preparación de las ancas de rana: el perejil y la pimienta blanca.
- Se voltean de cuando en cuando para que cojan bien el sabor.
- Pasadas unas horas, se sacan del adobo y se secan bien.
- Se pasan por harina y huevo batido y se fríen en abundante aceite caliente.
- Se sirven recién fritas.

Andrajos con liebre al modo de Puebla de Don Fadrique (Granada)

Tiempo 2 horas y 30 minutos
Comensales 6 personas
Dificultad media

Ingredientes

1 pieza de liebre
1/4 kg de tomates
1 cebolla grande
1 diente de ajo
1/4 kg de harina
125 ml de aceite, pimienta molida
clavo, azafrán, pimentón
hierbabuena, sal

Preparación

- Después de limpia, se trocea la liebre y se pone a cocer en un par de litros de agua, añadiéndole un poco de sal.

- Cuando la liebre esté tierna y permita ser deshuesada con facilidad, se le quita el caldo, que se reserva, y se desmiga la carne despojándola de todos sus huesos.
- Se pone el aceite en una sartén y se calienta, echando en él un diente de ajo picado, la cebolla, también picada, y el tomate, pelado y picado.
- Cuando todo se haya rehogado, se agrega el pimentón, que se deja freír un poco, y se vuelca el contenido de la sartén en una cazuela a la que se incorpora el caldo que había quedado de cocer la liebre, añadiendo además la cantidad de agua necesaria para completar un par de litros.
- Se sazona con pimienta, azafrán, sal y clavo, todo muy machacado.
- Se remueve para que se mezcle todo bien y se acerca la cazuela al fuego.
- Cuando se inicie la ebullición, se comienza a mover con una cuchara de madera y con la mano izquierda, sin cesar de remover, se va espolvoreando la harina hasta echarla toda.
- Se continúa moviendo un rato y se agrega la carne de la liebre, dejando que cueza todo junto durante 10 minutos.
- Pasado este tiempo se le echa por encima un poco de hierbabuena seca y pulverizada, y se sirve caliente.

Anguila al estilo de Jerez de los Caballeros (Badajoz)

Tiempo 60 minutos
Comensales 6 personas
Dificultad media

Ingredientes

2 anguilas de 1/2 kg cada una
2 huevos
100 ml de vino blanco o tinto
50 g de pan rallado, sal

Preparación

- Después de limpias se trocean las anguilas y se ponen a cocer en una mezcla, mitad por mitad, de agua y vino, que puede ser blanco o tinto, según se desee que el caldo sea claro u oscuro.
- Se sala.
- Antes de que las anguilas estén cocidas por completo se retiran los trozos de la cazuela, se escurren y se secan con un paño.
- Después de secos, se pasan por huevo batido y luego por pan rallado y se termina por asar a la parrilla estos trozos ya rebozados.

Angulas en cazuela

Tiempo 15 minutos
Comensales 4 personas
Dificultad media

Ingredientes

400 g de angulas
8 dientes de ajo
1 guindilla, aceite

Preparación

- Este plato se cocina en cazuelas individuales.
- En cada una se pone una cucharada sopera de aceite y se doran dos dientes de ajo, previamente pelados y picados.
- Se retira la cazuela del fuego para enfriar un poco el aceite y se añaden entonces las angulas junto con unas rodajitas de guindilla.
- Se vuelve a poner la cazuela al fuego y se remueve el contenido con un tenedor de madera.
- Cuando rompa a hervir, se retira y se sirve enseguida.
- Nunca se deben recalentar, pues toman un sabor bastante desagradable.

Arroz a la campesina

Tiempo 1 hora y 30 minutos
Comensales 4 personas
Dificultad media

Ingredientes

2 vasos rasos de arroz
200 g de oreja de cerdo
1 manita (pata) de cerdo
100 g de jamón curado
80 g de tocino en lonchas
5 nabos, 1 cebolla
2 pimientos morrones
2 dientes de ajo
50 g de manteca de cerdo
1 cucharadita de pimentón
orégano, laurel, sal

Preparación

- Se escaldan la mano (o pata) y la oreja de cerdo.
- Después, se cuecen en un puchero con agua, sal, laurel y orégano, hasta que la oreja esté tierna y se pueda deshuesar la mano.
- Se reservan.
- A continuación, en una cazuela de barro se derrite la manteca de cerdo y, cuando esté a punto, se añaden la cebolla bien picada y el jamón troceado, y se rehogan hasta que empiecen a tomar color.

- Se agregan los ajos picados, el pimentón y los nabos, pelados y cortados.
- Se revuelve todo y, a continuación, se añaden la oreja y la mano de cerdo, también troceadas, así como litro y medio del caldo de haberlas cocido y se dejan al fuego durante tres cuartos de hora.
- En ese preciso momento, se ponen el arroz y los pimientos morrones troceados.
- Pasados unos 10 minutos, se cubre el arroz con las tiras de tocino y se mete todo en el horno otros 10 minutos más, para que quede bien doradito.
- Dejar reposar y servir.

Arroz a la gallega

Tiempo 60 minutos
Comensales 4 personas
Dificultad media

Ingredientes

400 g de arroz
250 g de bacalao desalado
2 huevos duros
pimentón
2 dientes de ajo
aceite de oliva
sal

Preparación

- En una cazuela con aceite se sofríen los ajos picados, añadiendo seguidamente el arroz y el bacalao troceado menudo.
- Se saltea el conjunto durante unos minutos, se añade una cucharadita de pimentón y se agrega el agua necesaria (doble volumen que de arroz).
- Se rectifica de sal y, a media cocción, se cortan los huevos en rodajas y se disponen por encima del arroz, terminándolo de cocer en el horno.

Arroz a la marinera

Tiempo 60 minutos
Comensales 4 personas
Dificultad media

Ingredientes

400 g de arroz
200 g de rape
200 g de congrio
1 calamar mediano
1/4 kg de almejas
1/2 kg de mejillones
4 langostinos, 2 tomates
1/2 taza de guisantes
1 diente de ajo, aceite de oliva
azafrán, 1 cebolla
perejil, sal

Preparación

- En una cazuela, preferiblemente de barro, se vierte aceite y se hace un sofrito con el calamar limpio y cortado en arandelas, la cebolla y el ajo picados, y los tomates pelados y troceados.
- A continuación, se añaden el rape y el congrio limpios y troceados, las almejas lavadas y los langostinos.
- Se rehogan.
- Seguidamente, se incorpora el arroz, se le da unas vueltas y se moja con agua caliente (doble volumen que de arroz).
- Se añaden los guisantes, una pizca de azafrán y sal.
- Se deja cocer hasta que el arroz esté blando.
- Entonces, se espolvorea con perejil picado, se deja reposar 5 minutos y se sirve.

Arroz a la zamorana

Tiempo 1 hora y 30 minutos
Comensales 4 personas
Dificultad media

Ingredientes

400 g de arroz
250 g de jamón serrano
1 oreja de cerdo
1 mano de cerdo
8 puntas de costillas de cerdo
1 cebolla grande, 3 nabos
1 diente de ajo
1 pimiento grande
aceite de oliva, perejil, sal

Preparación

- En una cazuela (preferiblemente de barro) con aceite se rehoga la cebolla picada, los nabos cortados, el pimiento troceado, el ajo y un poco de perejil picados.
- Cuando empiecen a tomar color, se añaden la mano de cerdo, la oreja, las costillas y el jamón, todo ello cortado en trocitos.
- Después se echan dos litros de agua y se deja cocer a fuego lento hasta que las carnes estén blandas.
- Finalmente, se añade el arroz y se deja hervir, a fuego vivo al principio y después disminuyéndolo, hasta que el arroz quede seco.

Arroz a banda

Tiempo 2 horas y 15 minutos
Comensales 4 personas
Dificultad media

Ingredientes

400 g de arroz
250 g de rape
1 docena de almejas frescas
1 kg de pescado variado
250 g de langostinos
250 g de gambas
4 tomates, 1 cebolla
2 tazas de aceite
mahonesa o alioli
tomillo, laurel
perejil
azafrán
2 dientes de ajo
pimienta blanca
sal

Preparación

- En una cazuela grande se calienta la mitad del aceite y se fríe la mitad de la cebolla muy picadita; cuando esté dorada, se agregan dos tomates pelados, cortados y sin semillas.
- Cuando estén fritos, se cubren con litro y medio de agua y se condimenta con tomillo, laurel y perejil (se pueden poner los tres en un ramito).
- Se sazona con sal y pimienta y se añaden los despojos del pescado, una vez limpios; se deja cociendo durante media hora.
- Una vez pasado ese tiempo, se cuela el caldo de la cazuela.
- En una olla aparte se pone el pescado limpio troceado, el rape, las gambas, los langostinos y las almejas lavadas y abiertas, y se cubre todo con el caldo obtenido anteriormente.
- Se sazona y condimenta con azafrán y se deja cocer durante 15 minutos.
- En una paella (o cazuela) se fríe el resto de la cebolla, los ajos picados y los otros dos tomates pelados y troceados, y se rehoga muy bien.
- Después se agrega el arroz.
- Se cuela el caldo de la olla donde se ha cocido el pescado limpio y se añade ese caldo a la paellera; se deja cocer (preferiblemente en el horno) durante 35 minutos.
- Antes de servirlo, se deja reposar y se lleva a la mesa acompañado con mahonesa o alioli.
- El pescado cocido se sirve en una fuente aparte.

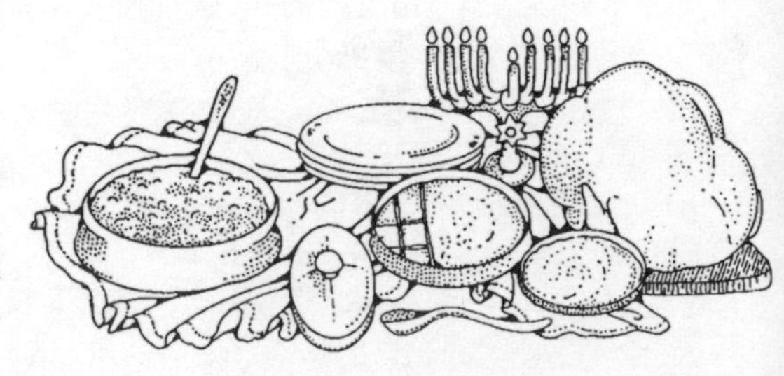

Arroz a banda con patatas

Tiempo 60 minutos
Comensales 4 personas
Dificultad media

Ingredientes

400 g de arroz
1 kg de pescado variado (cabracho, rape, gallineja, mero, etc.)
4 patatas
2 cebollas
2 tomates
1 diente de ajo
azafrán
aceite de oliva, sal
salsa alioli
4 dientes de ajo
1 yema de huevo
1 tazón de aceite de oliva
zumo de limón , sal

Preparación

- Se pone aceite en una cacerola y se sofríen las patatas y cebollas, peladas y enteras, junto con un tomate.
- Se añade agua (aproximadamente un litro y medio), se sazona y se deja cocer hasta que las cebollas y las patatas estén casi cocidas.
- Seguidamente, se incorpora el pescado limpio y se continúa la cocción durante un cuarto de hora más.
- Entretanto, en una paellera con aceite se sofríe el diente de ajo picado y el otro tomate pelado y troceado; se moja todo con el caldo donde se ha cocinado el pescado y se sazona con unas hebras de azafrán.
- Cuando rompa a hervir, se incorpora el arroz y se deja cocer hasta que el grano esté en su punto (aproximadamente 15 minutos).
- Se deja reposar durante unos minutos y se sirve acompañado con salsa alioli.
- El pescado se sirve en una fuente aparte acompañado de las patatas y cebollas cocidas.
- Este arroz se acompaña con una salsa alioli.
- Para prepararla, primero se pelan los dientes de ajo y se machacan en el mortero; después, se incorpora la yema de un huevo crudo, una pizca de sal y el aceite, poco a poco, como si se tratara de una salsa mahonesa, revolviendo hasta que empiece a espesar.
- Revolviendo rápidamente se amalgaman todos los ingredientes; después, se agrega poco a poco el zumo de limón y media cucharada de agua fría.
- Cuando la salsa esté bien ligada, se pone en una salsera y se sirve.
- Si durante la preparación se «corta», se puede batir otra yema de huevo y

agregarla poco a poco, revolviendo siempre en el mismo sentido, así la salsa volverá a unirse.

Arroz caldoso

Tiempo 60 minutos
Comensales 6 personas
Dificultad media

Ingredientes

500 g de arroz, 50 g de jamón
2 zanahorias, 2 tomates
2 calabacines, 2 dientes de ajo
1 cebolla, 2 l de caldo
200 ml de aceite
1 cucharada de pimentón, sal

Preparación

- En una cacerola se ponc a calentar el aceite y se fríe el jamón cortado en trozos pequeños.
- Se añaden la cebolla y el ajo finamente picados y se dejan dorar.
- Se incorporan las zanahorias, los tomates y los calabacines cortados.
- Se deja hacer unos minutos; se espolvorea con el pimentón, se remueve bien para que se dore un poco y se añade el caldo.
- Se deja cocer todo por espacio de 10 o 12 minutos.
- Pasado ese tiempo, se añade el arroz, se rectifica el punto de sal y se deja cocer lentamente unos 20 minutos.
- Quizá sea necesario añadir más caldo, pues debe quedar caldoso.
- Se sirve en sopera y plato hondo con cuchara.
- El arroz, una vez hecho, no debe esperar porque se pasa.

Arroz caldoso y picante

Tiempo 30 minutos
Comensales 4 personas
Dificultad media

Ingredientes

1 taza grande arroz
5 tazas medianas de caldo de cocido
(puede ser caldo concentrado)
4 tomates
1/2 pimiento picante
1 cucharadita de azúcar
pimienta
sal

Preparación

- Se empieza pasando el arroz por el grifo de agua caliente unos instantes, hasta que se vean los granos casi transparentes.
- Se escurre bien tras volcarlo en un colador grande.

- A continuación, se pone a hervir el caldo en un cazo, agregando sal y pimienta al gusto de los comensales.
- Se añade el arroz después de bien escurrido y se deja cocer durante 10 minutos.
- Se escaldan los tomates para pelarlos y luego se cortan por la mitad, exprimiéndolos para obtener un jugo, que deberá cocer con el azúcar y el pimiento picante durante 5 minutos.
- Sólo resta añadir esta mezcla al caldo, eso sí, quitando el pimiento picante antes de servir.

Arroz con almejas

Tiempo 60 minutos
Comensales 4 personas
Dificultad media

Ingredientes

400 g de arroz
1/2 kg de almejas
1 cebolla
1 tomate
1 pimiento
1 diente de ajo
aceite de oliva
azafrán
perejil, sal

Preparación

- En una cazuela con aceite se hace un sofrito con la cebolla y el ajo picados, el pimiento troceado, el tomate pelado y picado, y un poco de perejil.
- Una vez hecho, se incorporan las almejas bien lavadas y el arroz.
- Se rehoga el conjunto durante unos minutos y se agrega el agua hirviendo (doble volumen que de arroz), añadiéndole unas hebras de azafrán.
- Finalmente, se continúa la cocción hasta que el grano esté en su punto.

Arroz con alubias blancas

Tiempo 60 minutos
Comensales 4 personas
Dificultad media

Ingredientes

200 g de arroz
200 g de alubias blancas
300 g de acelgas
1/2 kg de patatas
2 huesos de jamón
2 dientes de ajo
aceite de oliva
pimentón
azafrán
sal

PREPARACIÓN

- Se cuecen las alubias blancas (en remojo desde la víspera) en una olla, con agua y sal, hasta que estén tiernas, aproximadamente durante media hora.
- Entretanto, se lavan y trocean las acelgas y se sofríen junto con los dientes de ajos picados y media cucharadita de pimentón.
- Se vierte este sofrito en el caldo, se añaden los huesos de jamón y las patatas peladas y troceadas, y se continúa la cocción.
- Unos 20 minutos antes de finalizar ésta, se agrega el arroz y el azafrán y se retira el recipiente del fuego.
- El arroz debe quedar caldoso.

Arroz con anguilas

Tiempo 60 minutos
Comensales 4 personas
Dificultad media

INGREDIENTES

400 g de arroz
1/2 kg de anguilas
100 g de alubias blancas
1 tomate
aceite de oliva, azafrán
2 dientes de ajo
pimentón, sal

PREPARACIÓN

- En una cazuela con aceite, se sofríe el ajo y el tomate, añadiendo, a continuación, el arroz y una cucharadita de pimentón, se remueve rápidamente y se añade el agua (doble cantidad que de arroz), las alubias blancas previamente cocidas, unas hebras de azafrán y sal.
- Cuando rompa a hervir, se añaden las anguilas limpias y troceadas y se continúa la cocción, primero a fuego vivo para después ir reduciendo gradualmente, hasta que el grano esté en su punto.

Arroz con bacalao y garbanzos

Tiempo 60 minutos
Comensales 4 personas
Dificultad media

INGREDIENTES

400 g de arroz
200 g de bacalao
150 g de garbanzos
1 tomate
1 pimiento
2 dientes de ajo
azafrán
pimentón
aceite de oliva, sal

Preparación

- Se desmenuza el bacalao y se tiene en remojo durante una hora.
- En una cacerola con aceite se sofríen los ajos picados, el pimiento troceado y el tomate pelado.
- Seguidamente, se incorpora el bacalao bien escurrido, los garbanzos previamente cocidos, azafrán y pimentón.
- A continuación, se añade el arroz, se saltea un poco y se agrega el agua caliente (el arroz debe quedar seco).
- Se rectifica de sal, si es necesario, y se continúa la cocción hasta que el arroz esté en su punto.

Arroz con calamares a la valenciana

Tiempo 60 minutos
Comensales 6 personas
Dificultad media

Ingredientes

1/2 kg de arroz
1/2 kg de calamares
1/4 kg de col
1 cebolla grande
2 dientes de ajo, 2 tomates
1 pimiento morrón
125 ml de aceite
perejil, sal

Preparación

- Se pone una cacerola al fuego con el aceite y, cuando esté caliente, se sofríe un diente de ajo trinchado y, a continuación, los calamares, limpios, cortados y despojados de sus bolsas de tinta.
- Luego se incorpora la cebolla picada y se revuelve un poco para que se dore ligeramente; se agregan después el otro diente de ajo y una ramita de perejil picados, y los tomates pelados, rehogando otro poco todo el conjunto.
- Finalmente se echan las hojas de col cortadas en trozos grandes y agua hasta cubrirlo todo.
- Se sala.
- Transcurrida media hora se incorpora el arroz y el agua necesaria para completar doble volumen que el de arroz.
- Cuando se inicie la ebullición, se rectifica de sal, vertiendo entonces por encima la tinta de los calamares desleída en un poco de caldo y se deja cocer con la cacerola tapada hasta que esté en su punto.
- Por último, se corta el pimiento morrón en seis tiras, que se colocan por encima del arroz para adornarlo.
- Los calamares pueden sustituirse por pulpo.

Arroz con conejo

Tiempo 60 minutos
Comensales 4 personas
Dificultad media

Ingredientes

400 g de arroz
1 pieza pequeña de conejo
100 g de jamón
100 g de guisantes cocidos
1 cebolla
2 tomates
1 pimiento
2 dientes de ajo
aceite de oliva
azafrán, perejil
sal

Preparación

- En una cazuela con aceite se fríe el conejo troceado, sazonado con sal y pimienta.
- Una vez dorado, se añade el jamón cortado a dados y la cebolla picada.
- Seguidamente, se agregan los tomates pelados y troceados y el pimiento cortado a cuadritos.
- Cuando el tomate haya perdido todo su jugo se agrega agua y se deja cocer hasta que el conejo esté tierno.
- Media hora antes de servir, se echa el arroz, añadiéndole el agua necesaria.
- A media cocción se incorporan los guisantes y el majado de azafrán y ajos.
- Se deja reposar unos minutos y se sirve espolvoreado con perejil picado.

Arroz con conejo jugoso al modo de Albolote (Granada)

Tiempo 60 minutos
Comensales 6 personas
Dificultad media

Ingredientes

1/2 kg de arroz
1 pieza de conejo
50 g de hígado
150 g de gambas
6 cigalas
6 cangrejos de río
1 vaso de vino blanco
3 alcachofas
1 cebolla, ajo
125 ml de aceite
1/4 kg de tomates
perejil, azafrán, sal

Preparación

- Después de limpio y troceado el conejo, se rehoga ligeramente en acei-

te, haciendo la misma operación con el hígado.

- Cuando todo ello se haya refrito, se añade la cebolla picada y unos dientes de ajo también picados, dándoles vueltas para que se doren.
- Seguidamente se añaden los tomates, pelados y picados, y las alcachofas, partidas por la mitad y previamente rehogadas.
- Al cabo de unos minutos se incorporan las gambas peladas, las cigalas y los cangrejos de río previamente cocidos.
- Se separa el hígado, que se maja en un mortero con un par de dientes de ajo, perejil y azafrán.
- Una vez majado se le agrega el vino blanco para desleírlo y se vierte sobre la carne, mariscos y alcachofas.
- Se da a todo unas vueltas y se añade el arroz, que se refríe ligeramente y se agrega agua hirviente (doble volumen que el del arroz).
- Se deja cocer hasta que esté en su punto, procurando que el arroz quede jugoso, para lo cual, si fuere necesario, se le añade un poco más de agua.

Arroz con congrio

Tiempo 60 minutos
Comensales 4 personas
Dificultad media

Ingredientes

400 g de arroz
1/2 kg de congrio
1 cebolla, 1 pimiento
2 dientes de ajo
aceite de oliva, azafrán , sal

Preparación

- En una cazuela con aceite se hace un sofrito con la cebolla y los ajos picados, y el pimiento troceado.
- Una vez hecho el sofrito, se añade el congrio cortado en rodajas, se cubre de agua y se sazona con sal y azafrán.
- Cuando el congrio esté medio cocido, se incorpora el arroz.
- Se rectifica de sal y se termina de hacer el plato, dejando cocer el arroz aproximadamente durante 20 minutos.

Arroz con cordero

Tiempo 30 minutos
Comensales 2 personas
Dificultad media

Ingredientes

100 g de arroz
4 porciones de carne de cordero
50 g de uvas pasas previamente remojadas
25 g de almendras peladas
30 g de mantequilla, pimienta, sal

Preparación

- Se empieza cociendo el arroz en abundante agua con sal.
- Después se agregan las pasas, dejándolas cocer un minuto.
- Se añaden la mantequilla y las almendras.
- Aparte, se pasan los trozos de cordero por la plancha o la asadora y, ya hechos, se ensartan en un pincho.
- Se sirve el arroz con los pinchos de carne colocados encima y se sazona con sal y pimienta al gusto.

Arroz con costra al horno

Tiempo 1 hora y 15 minutos
Comensales 4 personas
Dificultad media

Ingredientes

400 g de arroz
8 huevos
1 tomate
aceite de oliva
caldo de carne
perejil
sal

Preparación

- En una cazuela (es aconsejable que sea de barro) con aceite, se sofríe el tomate pelado y troceado, añadiendo a continuación el arroz y perejil picado.
- Se le da unas vueltas con una cuchara de madera y se añade poco a poco el caldo de carne (doble volumen que de arroz).
- Se mete la cazuela en el horno y se deja cocer durante 15 minutos.
- Pasado ese tiempo se saca, se rectifica el punto de sazón si fuese necesario y se vierten por encima los huevos batidos.
- La cazuela vuelve a introducirse en el horno hasta que la superficie de

los huevos adquiera un tono dorado.

- Sacar y servir enseguida en la misma cazuela.

Arroz con leche

Tiempo 45 minutos
Comensales 4 personas
Dificultad media

Ingredientes

4 cucharadas de arroz
1/2 l de leche
6 cucharadas de azúcar
corteza de limón
canela en polvo, agua

Preparación

- En un cazo se pone abundante agua a hervir.
- Cuando esté lista, se echa el arroz y se deja que cueza durante 10 minutos.
- Se escurre bien y se reserva.
- En otro cazo se pone a cocer la leche con la cáscara de limón.
- Cuando cueza, se agrega el arroz reservado y se deja al fuego por espacio de otros 12 minutos.
- Para añadir el azúcar, se retira un momento el cazo del fuego y después se vuelve a colocar, dándole al contenido un par de vueltas.
- Antes de servir, se quita la cáscara del limón.
- Ha de quedar un poco caldoso porque al enfriarse embebe leche y espesa.
- Se sirve espolvoreado con canela en polvo.

Arroz con leche a la aragonesa

Tiempo 60 minutos
Comensales 6 personas
Dificultad media

Ingredientes

6 cucharadas de arroz
150 ml de leche, 3 huevos
9 cucharadas de azúcar
1 corteza de limón
1 palo de canela en rama
canela molida
sal

Preparación

- Se pone el arroz en la cazuela y se cubre de agua fría con una pizca de sal.
- Se arrima al fuego y se deja hervir 5 minutos, hasta que se consuma el agua. Se cubre con leche y se da vueltas para que se desprenda el almidón del arroz y se ponga cremoso.

- A fuego lento se sigue añadiendo la leche, la corteza de limón y el palo de canela. Cuando contenga toda la leche, se añade el azúcar.
- Aparte, se baten por separado las yemas y las claras de los huevos.
- Con la cazuela separada del fuego se añaden primero las yemas y después las claras, mezclando bien.
- Se mete la cazuela en el horno, a calor mediano, durante 20 minutos.
- En el último momento se gratina hasta que se dore por encima. Se sirve espolvoreado con canela molida.

Arroz con leche a la asturiana

Tiempo 1 hora y 15 minutos
Comensales 6 personas
Dificultad media

INGREDIENTES

1/4 kg de arroz
1 l de leche, 1/4 l de agua
8 cucharadas de azúcar, la cáscara de 1 limón, 1 bastoncito de canela en rama, 1 cucharada de canela molida, una pizca de sal

PREPARACIÓN

- En un cazo grande se ponen 1/4 litro de leche y otro 1/4 de agua, se agrega el arroz, un poco de sal, una cáscara de limón y un bastoncito de canela; se acerca al fuego y se deja cocer, removiéndolo con frecuencia.
- Según vaya espesando el arroz, se le agrega leche hasta que el cereal esté completamente cocido.
- Se remueve con frecuencia durante todo el tiempo para evitar que se pegue al fondo.
- Cuando el arroz esté cocido se le añade el azúcar, se deja al fuego durante unos momentos y se retira.
- Se pone en una fuente, se eliminan la cáscara de limón y la canela en rama, se cubre con azúcar y se coloca encima un hierro caliente para quemarlo, formando dibujos en la superficie. Después, se espolvorea con canela molida.

Arroz con leche aromatizado

Tiempo 45 minutos
Comensales 4 personas
Dificultad media

INGREDIENTES

300 g de arroz
1 y 1/2 l de leche
200 g de azúcar
corteza de limón
1 canutillo de canela en rama
canela en polvo, sal

Preparación

- Se blanquea el arroz en agua hirviendo durante cinco minutos, para que suelte el almidón y los granos queden más sueltos.
- Transcurrido ese tiempo se refresca y se añade a la leche hirviendo.
- Se agrega también el azúcar, el canutillo de canela, la corteza de un limón y una pizca de sal, dejándolo cocer a fuego lento durante media hora.
- Se retira el canutillo de canela y la corteza de limón, y se vierte sobre una fuente.
- Una vez frío, se espolvorea con canela en polvo, antes de servirse en la mesa.

Arroz con níscalos

Tiempo 30 minutos
Comensales 4 personas
Dificultad media

Ingredientes

1/4 kg de arroz
3/4 kg de níscalos
3 dientes de ajo
pimienta
1 vasito de aceite
perejil
sal

Preparación

- En una cazuela con la mitad del aceite se rehogan dos dientes de ajo cortados en láminas.
- Antes de que tomen color, se añaden los níscalos previamente lavados y troceados y se saltean a fuego suave hasta que se evapore el agua que vayan soltando.
- Entretanto, se hierve el arroz durante 20 minutos en abundante agua con sal, se escurre y se rehoga en el resto del aceite, en el que previamente se habrá dorado el otro diente de ajo.
- Por último, se mezclan el arroz y los níscalos, se salpimenta, se espolvorea con perejil y se sirve.

Arroz con pisto

Tiempo 1 hora y 15 minutos
Comensales 4 personas
Dificultad media

Ingredientes

300 g de arroz
1/2 kg de tomates
2 calabacines
1 pimiento
1 cebolla
albahaca fresca
aceite de oliva, sal

Preparación

- Se hierve el arroz en agua con sal y, cuando esté tierno, se escurre y se reserva.
- Mientras tanto, en una cazuela con aceite se hace el pisto friendo la cebolla picada, los calabacines troceados, el pimiento cortado en tiras y los tomates pelados y troceados.
- Se moldea el arroz con una flanera previamente engrasada y se vuelca sobre una fuente.
- En el momento de servir, se vierte el pisto sobre el arroz y se espolvorea con una cucharadita de albahaca muy picada.

Arroz con pollo

Tiempo 1 hora y 15 minutos
Comensales 4 personas
Dificultad media

Ingredientes

300 g de arroz
2 pollos pequeños
75 g de tocino magro
250 g de guisantes
2 tomates, 2 dientes de ajo
75 g de manteca de cerdo
pimentón, azafrán, perejil
1 cebolla, pimienta, sal

Preparación

- En una cacerola al fuego se ponen la manteca y el tocino cortado en cuadritos; cuando esté caliente, se añaden los pollos troceados y se fríen hasta dorarlo todo muy bien; se añade en ese momento la cebolla y el ajo muy picaditos y se rehoga 2 o 3 minutos.
- Se agregan el pimentón, los tomates pelados y sin semillas, y los guisantes desgranados. Se tapa la cacerola y se deja que cueza 20 minutos más; se añade entonces el arroz, rehogándolo un poco.
- Se incorpora un litro de agua hirviendo, se salpimenta y se añade el azafrán machacado y deshecho en un poco de caldo.
- Se deja cocer todo durante 20 minutos más y, antes de servirlo, se espolvorea con perejil picado.

Arroz en cazuela

Tiempo 60 minutos
Comensales 4 personas
Dificultad media

Ingredientes

250 g de arroz
100 g de bacalao
50 g de judías verdes
50 g de guisantes
50 g de alcachofas
2 patatas pequeñas
tomate, ajo
azafrán, pimentón
perejil, sal

Preparación

- El bacalao se desmenuza en tiras y, con ayuda de unas pinzas, se asa al fuego tira por tira.
- En el aceite se refríe ajo, perejil y tomate con todas las verduras cortadas (las patatas en ruedas finas) y una cucharada de pimentón.
- Todo este refrito se echa sobre el arroz, que estará en una cazuela de barro, se remueve con una cuchara de madera y se incorpora el bacalao, añadiendo el agua hirviendo (doble volumen que de arroz) con el azafrán.
- Se mete a horno caliente 20 minutos.

Arroz marinero

Tiempo 60 minutos
Comensales 6 personas
Dificultad media

Ingredientes

250 g de arroz
1/2 kg de mejillones
1 lata pequeña de berberechos
1 vaso de aceite
1/2 vaso de vinagre
limón, pimienta
perejil
laurel
sal

Preparación

- Se cuece el arroz en abundante agua con sal, un trozo de limón y una hoja de laurel.
- Se deja cocer aproximadamente 15 minutos.
- Cuando esté en su punto, se escurre y se refresca con agua fría.
- Se abren los mejillones en agua hirviendo con sal después de haberlos limpiado bien.
- Se sacan de su concha y se reservan.
- Se mezclan el arroz, los berberechos, los mejillones y se riega con una vinagreta hecha previamente, batiendo el aceite, el vinagre y la sal con la batidora.

- Se pone en fuente de loza o cristal y se sirve frío espolvoreado con perejil picado.

Arroz negro

Tiempo 60 minutos
Comensales 4 personas
Dificultad media

Ingredientes

400 g de arroz
1/2 kg de jibias o sepias
1 cebolla
2 pimientos
2 tomates
2 dientes de ajo
aceite de oliva, sal

Preparación

- Se limpian las sepias o jibias, reservando en un recipiente las bolsas de tinta.
- Se coloca sobre el fuego una cazuela con aceite y se fríen los ajos y la cebolla picados y los pimientos troceados.
- Seguidamente, se añade la sepia troceada y los tomates pelados y picados.
- Se moja el conjunto con un poco de agua y se deja cocer aproximadamente durante media hora.
- A continuación, se echa el arroz y se moja con el agua necesaria (el grano debe quedar seco).
- A media cocción se incorpora la tinta desleída en un poco de agua y se continúa la cocción hasta que el arroz esté en su punto.

Arroz pescador

Tiempo 1 hora y 30 minutos
Comensales 4 personas
Dificultad media

Ingredientes

400 g de arroz, 1/2 kg de cangrejos
1/2 kg de almejas
1 tomate, 1 pimiento, 1 cebolla
1 copa de vino blanco
aceite de oliva
azafrán, laurel, sal

Preparación

- Se prepara un sofrito con la cebolla, el tomate y el pimiento, pasándolo a continuación por el pasapurés.
- Se pone en una cazuela y se incorporan las almejas, los cangrejos troceados y el vino.
- Se añade junto con el arroz, el azafrán, sal, laurel y el agua necesaria, dejándolo cocer a fuego lento durante un cuarto de hora.
- El arroz debe quedar caldoso.

Atún a la sevillana

Tiempo 60 minutos
Comensales 4 personas
Dificultad media

Ingredientes

4 ruedas de atún de 150 g cada una
350 g de tomates maduros
1/2 vaso de vino blanco
200 g de aceitunas negras y verdes
4 pepinillos, 1 cebolla, harina
aceite, laurel, perejil
1 cucharada de vinagre
pimienta, sal

Preparación

- Se doran en aceite las ruedas de atún, sazonadas a gusto y pasadas por harina.
- Se estofa la cebolla en el mismo aceite de la fritada.
- Se rehoga también una cucharada de harina y los tomates pelados y sin semillas; se riega con el vino blanco, el vinagre y agua suficiente para cubrir el pescado. Se sazona con sal, pimienta, laurel y perejil.
- Se pone el atún en una cazuela y se cubre con la salsa.
- Se deja cocer lentamente durante tres cuartos de hora.
- Se coloca el atún en una fuente de servir y la salsa se deja cocer 10 minutos más, añadiendo los pepinillos cortados y las aceitunas.
- Se sirve con la salsa cubriendo el pescado.

Atún con azafrán

Tiempo 1 hora y 15 minutos
Comensales 6 personas
Dificultad media

Ingredientes

1 kg de atún
1/2 kg de patatas
1/4 l de cerveza
40 g de mantequilla
azafrán, tomillo, 2 dientes de ajo
50 ml de aceite, sal

Preparación

- Se corta el atún en trozos no demasiado gordos.
- Se pone el aceite en la cazuela de barro a calentar.
- Se echa el ajo picado, se deja dorar y se retira la cazuela del fuego.
- Se van poniendo en la cazuela las patatas peladas y cortadas en ruedas y el atún.
- Se espolvorea con un majado de sal, azafrán y tomillo.
- Se cubre con la cerveza y se meten al horno aproximadamente 1 hora.

- Antes de sacarlo se pone por encima la mantequilla en trocitos y se deja que se mezcle con el conjunto.
- Se sirve en la misma cazuela de barro que se ha utilizado.

Atún con tomate

Tiempo 45 minutos
Comensales 4 personas
Dificultad media

Ingredientes

400 g de atún en aceite
250 g de tomates pelados
4 zanahorias, 1 cebolla
vino blanco, mantequilla, tomillo
laurel, pan rallado, sal

Preparación

- Se pelan las cebollas y se cortan en anillos, y luego éstos por la mitad.
- Se pelan y rallan las zanahorias y se ponen en una sartén, dorándolas con un poquito de mantequilla.
- Pasados unos minutos, se añaden las cebollas y los tomates pelados y troceados, aplastándolos con una cuchara de madera, y 2 hojas de laurel, tomillo y medio vaso de vino blanco.
- Se deja hacer a fuego lento durante 20 minutos con el recipiente destapado y removiendo de cuando en cuando con una cuchara de madera. Se sala.
- Se desmenuza el atún y se pone en una fuente de horno. Se cubre con la salsa de tomate preparada, eliminando las dos o tres hojas de laurel utilizadas.
- Se espolvorea toda la superficie con pan rallado y se mete la fuente en el horno, precalentado a 200 ºC, manteniéndola unos 30 minutos.

Atún con tomate al estilo de Huelva

Tiempo 1 hora y 15 minutos
Comensales 6 personas
Dificultad media

Ingredientes

3/4 kg de atún
1/2 kg de tomates
6 cucharadas
de harina
125 ml de aceite
3 dientes de ajo
vinagre, sal

Preparación

- El atún se parte en trozos y se adereza con un poco de sal y unas gotas de vinagre.

- Se rebozan los trozos en harina y se fríen en el aceite hasta que estén bien dorados.
- Se asan los tomates y se majan en el mortero con los tres dientes de ajo fritos.
- En una cazuela se pone el pescado y se vierte sobre él la salsa que se ha preparado en el mortero, añadiendo además un par de cacillos de agua caliente.
- Se deja hervir a fuego suave durante unos 10 o 15 minutos y se sirve enseguida, pues se endurece muy rápidamente.

Atún estofado

Tiempo 30 minutos
Comensales 4 personas
Dificultad media

Ingredientes

1 rueda de atún, 2 gajos de cebolla
aceite de oliva, pimienta, sal

Preparación

- Se compra una rueda de atún sin piel ni espinas.
- En una fuente de barro o en una sartén, se calienta el aceite y se sofríe la cebolla a fuego medio, hasta que se ponga melosa, sin quemarse.
- Cuando esté en su punto, se incorpora el atún salpimentado y se deja estofar durante 10 minutos a fuego lento y con el recipiente tapado.
- Se hace en su jugo y se sirve caliente o frío, retirada la cebolla y con mahonesa servida en salsera aparte.

Bacalao a la vizcaína

Tiempo 3 horas
Comensales 4 personas
Dificultad media

Ingredientes

750 g de bacalao
2 cebollas grandes
12 pimientos choriceros
1 tomate grande
100 ml de aceite, sal

Preparación

- Se corta el bacalao en trozos grandes y se pone a remojar, con la piel, en abundante agua fría toda la noche.
- Por la mañana se cambia el agua tres o cuatro veces y se deja al chorro.
- Los pimientos también se dejan a remojo toda la noche.
- En una cazuela se pone el aceite y la cebolla picada.

- Cuando esté dorada, se echa el tomate en trozos y, por último, los pimientos, que estarán raspados y machacados.
- Se deja freír unos minutos y se pasa toda la salsa por el pasapurés.
- El bacalao se descarna y se quitan las espinas, cortándolo en trozos medianos, y se colocan en una cazuela con agua tibia.
- Antes de romper el hervor (cuando hace espuma) se retira y se cuela.
- Se pone en una cazuela de barro y se cubre con la salsa.
- Se arrima al fuego suave, moviendo la cazuela continuamente.
- Es muy importante que el bacalao se haya colocado con la piel hacia arriba.
- De vez en cuando se mete el mango de la cuchara para que la salsa se vaya introduciendo debajo del bacalao.
- Este plato se puede preparar con anticipación. Se presenta en la misma cazuela de barro.

Bacalao al pil-pil

Tiempo 2 horas
Comensales 6 personas
Dificultad media

Ingredientes

1 kg de bacalao
300 ml de aceite, 1 diente de ajo
sal (si fuese necesario)

Preparación

- El bacalao se pondrá a remojo 12 horas antes, cambiando el agua varias veces.
- En una cazuela de barro se pone el aceite, se fríe el ajo entero y se retira una vez frito.
- Se retira la cazuela del fuego para que se enfríe el aceite; una vez tibio, se coloca el bacalao en la tartera con la piel hacia abajo y, antes de ponerlo al fuego, se le da la vuelta, arrimándolo entonces al fuego.
- Se deja hervir lentamente una hora y media.
- Se retira la cazuela del fuego y sobre el mármol se mueve con fuerza en el mismo sentido, con el fin de que espese la salsa (si no espesa la salsa, se añade una cucharadita de agua fría, echándola por el borde de la tartera).

- Este bacalao no debe recalentarse porque se aceita.
- Para mejorar la presentación, se puede servir con perejil picado.

Bacalao al pil-pil con guindilla

Tiempo 30 minutos
Comensales 4 personas
Dificultad media

Ingredientes

800 g de bacalao, 1/2 l de aceite
3 dientes de ajo, guindilla
perejil picado
sal (si fuese necesario)

Preparación

- Se corta el bacalao y se pone en remojo, cambiándole el agua por lo menos dos veces.
- En una sartén con abundante aceite, se fríen los ajos picados, la guindilla y el perejil, sin dejar que lleguen a dorarse.
- Se dejan enfriar y, entonces, se introduce el bacalao, cuidando que la piel quede hacia abajo.
- Se mezcla bien y se pone de nuevo a fuego muy lento, removiendo la cazuela constantemente hasta engordar la salsa.
- Otra forma de hacerlo consiste en poner el bacalao sobre un lecho de poco aceite, a fuego muy suave, después de haberlo rehogado con los ajos, e ir añadiendo muy poco a poco el aceite sin dejar de mover la cazuela, para que espese la salsa.

Bacalao con tomate

Tiempo 30 minutos
Comensales 4 personas
Dificultad media

Ingredientes

1 kg de bacalao desalado en trozos
1/2 kg de pimientos rojos asados y pelados
1 kg de salsa de tomate
1 guindilla
sal (si fuese necesario)

Preparación

- En una cazuela se pone la salsa de tomate con la guindilla, a fuego lento.
- Cuando empiece a hervir, se echan los trozos de bacalao, con la piel hacia abajo.
- Se deja cocer a fuego lento de 10 a 15 minutos, dependiendo del grosor de las tajadas.

• Transcurrido ese tiempo, se añaden los pimientos en tiras, se deja cocer tres minutos más y ya está listo para servir.

Bacalao en salsa chanfaina

Tiempo 2 horas
Comensales 4 personas
Dificultad media

Ingredientes

400 g de bacalao desalado
250 g de cebollas
2 berenjenas
2 pimientos rojos
3 dientes de ajo
300 g de tomate
1/4 l de aceite
25 g de harina
1/2 vasito de vino blanco seco
perejil
pimienta , sal

Preparación

• Si el bacalao es seco, se remoja durante 24 horas, cambiándole el agua cada 6 horas.

• Pasado ese tiempo, se escurre y se seca con un paño.

• La otra posibilidad es comprarlo desalado y cocinarlo directamente.

• En una sartén con aceite caliente se fríe el bacalao enharinado hasta que se dore.

• Una vez frito se aparta a una cazuela.

• Se untan los pimientos rojos con un poco de aceite y se colocan un momento en el grill, para que se tuesten; después, se pelan.

• En el mismo aceite de freír el bacalao, se fríen las berenjenas peladas y cortadas en trozos (previamente se habrán tenido media hora en un colador salpimentadas para que suelten su líquido amargo).

• Cuando se hayan dorado, se retiran del fuego y, a continuación, se rehoga la cebolla cortada en trozos.

• Cuando haya tomado color, se añaden los tomates pelados, sin semillas y troceados; pasados unos minutos, se agrega el vino, la sal y la pimienta.

• Toda esta fritura se echa sobre el bacalao y se cuece todo junto, lentamente, durante una hora.

• Se presenta en la misma cazuela de barro, espolvoreando la superficie del pescado con perejil.

Berenjenas rellenas de carne

Tiempo 60 minutos
Comensales 4 personas
Dificultad media

INGREDIENTES

4 berenjenas
100 g de carne picada
50 g de jamón magro
1 cebolla
1 diente de ajo
1 tomate grande
1 cucharada de harina, 1 huevo
queso rallado, mantequilla
1 vaso de leche, aceite, sal

PREPARACIÓN

- Se parten las berenjenas, sin pelarlas.
- Se vacían con mucho cuidado para que no se rompan y se fríen en un poquito en aceite para que se ablande la parte exterior.
- En una sartén con aceite se rehogan la cebolla picada, la carne también picada, el ajo aplastado y la carne de la berenjena extraída antes y troceada muy menuda; se añaden el jamón troceado y el tomate, pelado y sin semillas, y se mezcla bien.
- Se reserva.
- En otro cazo se fríe, a fuego lento, la harina con un poco de aceite; después se añade un chorrito de leche, se remueve y se agrega el picadillo hasta que forme una pasta.
- Se sazona.
- Se deja enfriar y se añade un huevo batido, removiéndolo todo muy bien.
- Éste será el relleno para las berenjenas.
- Una vez rellenas, se espolvorean con queso rallado, se les pone un poco de mantequilla por encima y se meten en el horno fuerte hasta que se doren.
- También se pueden cubrir con una capa ligera de bechamel, espolvorearlas con el queso y gratinarlas.

Besugo a la madrileña

Tiempo 60 minutos
Comensales 6 personas
Dificultad media

INGREDIENTES

1 besugo grande
1 vaso de vino blanco
2 dientes de ajo
4 cucharadas de aceite
1 limón, perejil, pimienta
clavo, pan rallado
cebolleta, sal

PREPARACIÓN

- Después de limpio, el besugo se coloca en una besuguera con un par de cucharadas de aceite, ya frito, y un poco de agua, sólo la suficiente para mojar la cola.
- En un tazón se hace una pasta con pan rallado fino, perejil y cebolleta muy picados, los ajos, una pizca de pimienta, un clavillo y el resto del aceite frito.
- Cuando todo esté bien mezclado, se añade un vaso de vino blanco.
- Preparado todo, una media hora antes del almuerzo, se pone el besugo al horno, que se procurará no esté muy fuerte, y a los 5 minutos se saca.
- Se le hacen varias incisiones, poniendo en cada una media rueda de limón.
- Se embadurna bien el pescado con el amasijo preparado anteriormente y se mete de nuevo en el horno durante 20 minutos.
- Se sirve inmediatamente.

Besugo al horno

Tiempo 30 minutos
Comensales 4 personas
Dificultad media

INGREDIENTES

1 besugo, ajos
aceite, limón, sal

PREPARACIÓN

- Una vez limpio el besugo, se le hacen tres cortes por uno de los costados y se introduce una rodaja de limón en cada corte.
- Se sazona el besugo y se coloca en una fuente de horno.
- Se rocía con aceite y se mete a horno fuerte durante 20 minutos.
- Cuando se vaya a servir, se riega de nuevo con un chorro de aceite, distribuyendo por encima los ajos, fritos previamente.

Besugo en salsa

Tiempo 60 minutos
Comensales 6 personas
Dificultad media

INGREDIENTES

1 besugo grande
4 pimientos choriceros
12 almendras
100 ml de puré de tomate
3 dientes de ajo
2 rebanadas de pan
caldo, harina, aceite, sal

PREPARACIÓN

- Se parte el besugo, se sazona, se pasa por harina y se fríe en aceite bien caliente.

- En ese mismo aceite se fríen el pan, los ajos, las almendras y la carne de los pimientos, que habrán estado a remojo.
- Se machaca el refrito en el mortero, mezclándolo con agua o caldo.
- En un vasito de aceite se fríe una cucharada de harina, se añade el puré de tomate y la mezcla del mortero.
- En caso necesario, se incorpora algo más de caldo.
- Se vierte toda esta mezcla sobre el besugo y se deja cocer todo 10 minutos más.

Bienmesabe

Tiempo 60 minutos
Comensales 6 personas
Dificultad media

Ingredientes

2 kg de cazón o, en su defecto, palometa
3 dientes de ajo
1 vasito de vinagre de jerez
harina, aceite para freír
pimentón, orégano, cominos, sal

Preparación

- Se pide en la pescadería que limpien el cazón y lo partan en trozos pequeños.
- En un mortero se majan los ajos, añadiendo pimentón, orégano, cominos y sal.
- Se vierte el contenido del mortero en un recipiente plano con 3/4 de litro de agua y se le añade el vinagre de jerez.
- En este adobo se van colocando los trocitos de cazón o palometa y se dejan macerar durante un día.
- Después se escurren, se rebozan en harina y se fríen.

Bizcocho a la castellana

Tiempo 1 hora y 30 minutos
Comensales 4 personas
Dificultad media

Ingredientes

200 g de azúcar
1/4 kg de mantequilla
1/2 kg de harina
1/4 l de leche
100 g de almendras molidas
4 huevos
levadura en polvo
1 cucharadita de canela en polvo

Preparación

- Se derrite la mantequilla y se agregan el azúcar y las yemas de huevo batidas.

- Se trabaja todo junto hasta conseguir una buena masa.
- Aparte, se mezcla la harina con la leche y las claras de huevo batidas a punto de nieve fuerte, removiendo sin parar para conseguir una textura homogénea.
- Se añaden la canela y la levadura.
- Se mezcla bien y se agrega la masa de yemas con azúcar y mantequilla, sin dejar de remover.
- Finalmente, se incorporan las almendras molidas y se vuelve a remover para que queden bien repartidas.
- Se engrasa y enharina un molde de horno y se vierte en él la mezcla.
- Se hornea a temperatura media unos 50 minutos.
- Una vez cocido, se deja enfriar y se desmolda.

Bizcocho de almendras

Tiempo 1 hora y 15 minutos
Comensales 4 personas
Dificultad media

Ingredientes

100 g de almendras machacadas
4 huevos, 150 g de azúcar
250 g de harina
30 g de levadura en polvo
100 ml de aceite de oliva
láminas de almendras, azúcar glas

Preparación

- Se baten bien los huevos enteros (clara y yema) con el azúcar hasta conseguir una crema, se añade el aceite y se continúa batiendo; finalmente, se va echando la harina mezclada con la levadura y las almendras machacadas.
- Se vierte la mezcla en un molde engrasado y se hornea durante 40 minutos a 170 ºC.
- Se puede adornar, una vez frío y desmoldado, con láminas de almendras y azúcar glas.

Bola para cocidos y potajes

Tiempo 45 minutos
Comensales 4 personas
Dificultad media

Ingredientes

2 huevos, 50 g de tocino
150 g de miga de pan
1 diente de ajo, 1 vasito de aceite
2 cucharadas de caldo del cocido
harina, perejil, sal

Preparación

- En una fuente se desmenuza el pan, se añade el tocino picado, los dos

huevos (mejor batidos), el perejil, el ajo picado y el caldo.

- Se revuelve todo bien, haciendo una especie de croqueta gigante.
- Se reboza la bola con un poco de harina, se dora en una sartén con aceite caliente y se incorpora al puchero del cocido para que cueza durante media hora.
- Se saca y se sirve cortada en rodajas junto con las fuentes de segundo plato.

Boliches de embum

Tiempo 2 horas y 15 minutos
Comensales 6 personas
Dificultad media

Ingredientes

1/2 kg de alubias blancas
1 rabo de cerdo
1 oreja de cerdo
1 chorizo
1 huevo cocido
1 cebolla
4 cucharadas de aceite
sal

Preparación

- Se limpia bien la oreja y el rabo de cerdo, y se echan a remojo con las alubias.
- Al día siguiente, se ponen en la olla, con la rejilla, las alubias blancas escurridas, la oreja y el rabo de cerdo, el chorizo, la cebolla partida en cuatro gajos y las cuatro cucharadas de aceite crudo.
- Después se echa un poco de sal y se tapa la olla.
- Se cuece a presión 35 minutos.
- Se retira la olla y se deja enfriar para destaparla.
- Aparte, se machaca la yema del huevo duro, se deslíe con un poco de caldo de las alubias y se añade a la olla.
- Se pica la clara muy menudita y se echa también.

Bonito al vino blanco

Tiempo 1 hora y 30 minutos
Comensales 4 personas
Dificultad media

Ingredientes

1 kg de bonito
1/4 l de vino blanco
1 cebolla grande
8 dientes de ajo
2 pimientos grandes
unas ramas de perejil
harina, aceite
pimienta
sal

Preparación

- Se parte el bonito, se sazona con sal y pimienta, se pasa por harina y se fríe, sacándolo a una cazuela de barro.
- Se cuela el aceite y se fríe en él la cebolla picada muy fina y los ajos y el perejil, también picados; cuando estén blandos, se añade el pimiento cortado en trozos, no demasiado grandcs.
- Se deja hacer tapado, lentamente.
- Una vez hecho se vuelca en la cazuela del bonito.
- En la sartén de freír el bonito se pone el vino blanco a calentar y se deja reducir un poco.
- Se vuelca después sobre el bonito.
- Se mete la cazuela en el horno durante 20 minutos para que se termine de hacer.
- Se presenta el bonito en la misma cazuela y con unos cuadraditos de patatas fritas.

Bonito con verduras

Tiempo 2 horas
Comensales 6 personas
Dificultad media

Ingredientes

1 kg de bonito, 2 patatas
3 huevos, 1 berenjena grande
1 cebolla grande, 2 tomates
50 g de aceitunas verdes, zumo de limón, harina, aceite, pimienta, sal

Preparación

- Se corta el bonito en trozos o filetes, se salpimentan, se pasan por harina y huevo y se fríen.
- Las patatas se pelan, se cortan en ruedas y se fríen.
- Las berenjenas se cortan en ruedas y, después de tenerlas un rato en agua con sal para que pierdan el amargor, se pasan por harina y se fríen.
- La cebolla se corta en tiras (juliana) y se estofa con un poco de aceite.
- El tomate se escalda, se pela, se le quitan las semillas y se tritura.
- En una fuente de barro se colocan, en capas, todos los ingredientes ya fritos: patatas, berenjenas, cebolla, bonito y, por último, el tomate triturado.

- Se mete en el horno para que cueza 10 minutos. Cuando sale del horno, se rocía con el zumo de un limón y las aceitunas verdes picadas. Se sirve en la misma cazuela.

Bonito en escabeche

Tiempo 45 minutos
Comensales 4 personas
Dificultad media

Ingredientes

1/2 kg de bonito fresco
1 vaso de vinagre
aceite, laurel, ajo, pimienta, sal
pimiento rojo asado

Preparación

- Se limpia el bonito y se corta en pequeños trozos, quitándole las espinas y la piel.
- Se fríen en aceite de oliva hasta dorarlos.
- Se escurren y se ponen en una cazuela de barro.
- Aparte, en el mismo aceite en que se ha hecho el bonito, se fríen dos dientes de ajo, una hoja de laurel y tres granos de pimienta.
- Cuando el ajo esté refrito, se aparta la sartén del fuego y se vierte en ella un vaso de vinagre y medio litro de agua.
- Se mezcla todo, se sala y se vierte en la cazuela de barro, sobre el bonito.
- Se deja cocer a fuego lento hasta que el jugo esté consumido casi en su totalidad.
- Se deja enfriar y se sirve adornado con tiras de pimiento rojo asado.

Boquerones en escabeche

Tiempo 60 minutos
Comensales 4 personas
Dificultad media

Ingredientes

1/2 kg de boquerones
200 ml de vinagre de sidra
1 naranja, 1 diente de ajo
aceite, laurel, harina, clavo, sal

Preparación

- Se limpian los boquerones, se sazonan, enharinan y se fríen.
- En un fondo de aceite se fríe la corteza de naranja y el diente de ajo fileteado, se añade el vinagre y el zumo de la naranja, media hoja de laurel, tres clavos de especia y 1/2 litro de agua.
- Se cuece 5 minutos y se deja enfriar.
- Los boquerones se cubren con el caldo de escabeche frío y se calien-

ta todo junto. Cuando rompa a hervir, se apaga. Estarán en su punto al día siguiente, pero pueden durar más días.

Boquerones en escabeche a la malagueña

Tiempo 60 minutos
Comensales 6 personas
Dificultad media

INGREDIENTES

3/4 kg de boquerones
3 cucharadas de harina
1/4 l de aceite
1 limón
ajo, cominos
jengibre, vinagre
azafrán, laurel
sal

PREPARACIÓN

- Limpios y lavados los boquerones, se salan, se pasan por harina y se unen en manojitos de tres o cuatro.
- Se fríen en aceite bien caliente hasta que se doren y se van colocando en una fuente honda.
- En un mortero se hace un majado con ajos, azafrán, cominos y un poco de jengibre.
- Cuando todo esté bien majado, se agrega vinagre y un poco de agua con sal, la cantidad suficiente para que no queden excesivamente fuertes.
- Este majado se echa sobre los boquerones, procurando que queden bien cubiertos.
- Luego se coloca por encima el limón, cortado en rajas, y un par de hojas de laurel, dejándolo así hasta el día siguiente, en que los pescados habrán tomado el adobo.
- Servir entonces.

Boquerones en vinagre

Tiempo 45 minutos
Comensales 6 personas
Dificultad media

INGREDIENTES

1 kg de boquerones
3 dientes de ajo
1 cucharada de perejil
1 vaso de vinagre
un chorrito de aceite
sal gorda

PREPARACIÓN

- Se limpian perfectamente los boquerones, quitándoles la espina central y la cabeza.

- Se lavan bien y se dejan en abundante agua fría durante media hora.
- No deben tocarse los boquerones con nada metálico; si han de moverse, se hace con una cuchara o tenedor de madera.
- Pasados los 30 minutos, se escurren bien.
- Se ponen en una fuente honda, de cristal o loza, con el vinagre y la sal gorda.
- Se dejan, como mínimo, de 10 a 12 horas.
- Pasado ese tiempo, se escurren y se ponen con un majado de ajo y perejil, y un chorrito de aceite.
- Se sirven como aperitivo o en pequeños panecitos con mahonesa y una rueda de tomate.

Boquerones rebozados

Tiempo 30 minutos
Comensales 6 personas
Dificultad media

Ingredientes

1 kg de boquerones frescos
2 huevos
harina
limón
aceite
sal

Preparación

- Se lavan los boquerones, quitándoles la cabeza (pueden dejarse con ella si son pequeños).
- Una vez lavados y escurridos, se pasan por harina y después por huevo batido (o simplemente por harina).
- En una sartén con bastante aceite, a fuego fuerte, se introducen poco a poco los boquerones, cuidando de darles la vuelta cuando estén hechos por uno de los lados.
- Para servirlos se rocían con un poquito de limón.

Brandada de bacalao

Tiempo 60 minutos
Comensales 4 personas
Dificultad media

Ingredientes

500 g de bacalao
150 g de patatas
200 ml de nata líquida
1/4 l de bechamel
125 ml de aceite
1 cucharada de zumo de limón
125 g de mantequilla
pimienta
sal

Preparación

- El bacalao se pone a remojo la víspera partido en trozos grandes, cambiándole el agua con frecuencia, dejando la piel hacia arriba para que se desale mejor.
- Se escalfa durante 20 minutos el bacalao, se le quitan las espinas y la piel y se desmenuza.
- Se coloca en una cazuela de porcelana, con el zumo de limón y la mantequilla, y se arrima al fuego, trabajándolo con cuchara de madera hasta que la mantequilla se absorba.
- Con las patatas se hace un puré al que se le añade el aceite poco a poco, como si fuera una mahonesa.
- Se incorpora también la bechamel reducida, se acerca al fuego lento sin dejar de mover, y se añade poco a poco la nata.
- Se sazona con sal y pimienta, uniéndolo con el bacalao.
- En una fuente redonda se coloca en forma de pirámide y se adorna con triángulos de pan fritos.
- Se puede servir con salsa de tomate.

Brazo de gitano

Tiempo 60 minutos
Comensales 8 personas
Dificultad media

Ingredientes

150 g de azúcar, 150 g de harina
5 huevos enteros, 1 clara de huevo
20 g de levadura en polvo
ralladura de limón
10 g de azúcar glas
crema pastelera

Preparación

- Se ponen en un bol el azúcar, las yemas y la ralladura de limón, y se bate bien.
- Aparte, se montan las claras, siempre a punto de nieve, y se le añade la mezcla anterior; cuando esté bien unido, se va incorporando la harina y la levadura mezcladas.
- En una placa de horno forrada de papel de estraza untado con aceite, se vierte la masa.
- Se cuece 15 minutos a 160 ºC.
- Cuando el bizcocho aún esté templado, se saca de la placa y se desmolda sobre un papel manchado de azúcar glas.
- Se rellena con la crema pastelera, se enrolla y se deja enfriar.

- También se puede rellenar con chocolate, nata y con frutas silvestres.
- Está muy rico.

Budín de arroz

Tiempo 60 minutos
Comensales 4 personas
Dificultad media

Ingredientes

100 g de arroz
3/4 l de leche
200 g de azúcar
3 huevos, 1 nuez de mantequilla
1 cucharadita de vainilla en polvo

Preparación

- Se pone a cocer la leche con el azúcar y, cuando comprobamos que rompe a hervir, se echa el arroz, manteniendo la cocción a fuego lento hasta que el grano esté tierno.
- Entretanto, se separan las yemas de las claras, incorporando las primeras al arroz con leche.
- Una vez fría la crema, se incorporan las claras batidas a punto de nieve, junto con la vainilla.
- A continuación se unta con mantequilla un molde, se llena con el preparado y se mete en el horno durante 10 minutos.
- Finalmente, se deja enfriar el budín, se desmolda y se sirve.
- Puede adornarse con nata montada y guindas en almíbar.

Buñuelos de bacalao

Tiempo 60 minutos
Comensales 6 personas
Dificultad media

Ingredientes

1/2 kg de bacalao, 250 g de harina
1/4 l de leche
1 cucharadita de levadura en polvo
1 huevo, 1 cucharada de brandy
aceite de oliva, sal

Preparación

- Se tiene el bacalao a remojo desde la noche anterior para desalarlo, cambiándole el agua tres o cuatro veces.
- Se pone en un cazo con agua al fuego y se deja cocer 10 minutos.
- Pasado ese tiempo, se escurre y se hace trocitos, cuidando que no tenga ni una espina.
- En un recipiente de cristal se mezclan la harina, la levadura y la sal.
- Se añaden la leche, el brandy y el huevo batido.

- Se remueve bien hasta obtener una masa homogénea y se deja reposar media hora. Después, se van metiendo trozos de bacalao en la masa, se sacan con una cucharilla y se introducen en una sartén con abundante aceite caliente.
- Cuando estén dorados se sacan, se escurren y se reservan al calor.
- Se sirven acompañados con una salsa de tomate en salsera aparte.

Buñuelos de higos de Yecla

Tiempo 30 minutos
Comensales 10 personas
Dificultad media

Ingredientes

1 taza de higos secos, 1 taza de harina, 1 cucharadita de levadura en polvo, aceite, una pizca de sal 1 clara de huevo, azúcar glas

Preparación

- Se lavan los higos y se suprimen los rabos. Se ponen a remojo en un tazón con agua por espacio de media hora.
- Se escurren y se secan bien. Se parten a la mitad o, si son grandes, se dividen en cuartos.
- Se mezcla la harina con la levadura y la sal. Se añade, poco a poco, agua hasta formar una crema espesa.
- Se agrega la clara de huevo batida a punto de nieve y se mezcla cuidadosamente con una cuchara de madera, utilizando movimientos envolventes para evitar que se baje.
- Se mojan en la crema uno a uno los trozos de higo y se fríen en el aceite caliente. Para probar si la temperatura del aceite es la correcta, se echa primero un solo trozo; si se infla y luego se dora, es que está en su punto.
- Los buñuelos fritos se colocan en un colador para que escurran y después, se espolvorean de azúcar glas.

Buñuelos de manzana

Tiempo 60 minutos
Comensales 8 personas
Dificultad media

Ingredientes

4 manzanas reineta
1 copita de ron
100 g de azúcar
Pasta para rebozar:
7 cucharadas de huevo batido
1 clara de huevo, 1 cucharada de aceite, 8 cucharadas de cerveza
1 chorrito de ron
8 cucharadas de agua

Preparación

- Se pelan las manzanas, se les saca el corazón y se cortan en ruedas.
- Se ponen en un bol, se riegan con el ron y se espolvorean con azúcar.
- Se dejan en reposo en un lugar fresco durante una hora.
- Mientras, se prepara la pasta para rebozarlas, mezclando todos los ingredientes menos la clara de huevo, que se batirá a punto de nieve y se pondrá en el momento de freír los buñuelos.
- Entonces, se sumergen las ruedas de manzana en la pasta y se fríen en abundante aceite caliente.
- Una vez bien doraditos, se colocan en un colador para que escurran la mayor cantidad de grasa posible.
- Se sirven espolvoreados de azúcar.

Buñuelos de viento

Tiempo 45 minutos
Comensales 4 personas
Dificultad media

Ingredientes

100 g de mantequilla, 1/4 l de agua
150 g de harina, 5 huevos
1 cucharada de azúcar
azúcar glas avainillado
1 tarro de mermelada de melocotón
aceite, un pellizco de sal

Preparación

- Se pone a hervir el agua con el azúcar, la mantequilla y la sal. Cuando comience a hervir, se añade la harina de golpe y se remueve hasta que la masa se despegue de las paredes del cazo.
- Se retira del fuego y se agregan los huevos sin dejar de remover.
- Se calienta aceite en una sartén honda y, cuando esté bien caliente, se van echando cucharadas de masa.
- Se fríen unos tres minutos por cada lado hasta que estén bien dorados.
- Se sacan sobre un papel absorbente y, una vez fríos, se abren por un lado y se rellenan de mermelada.
- Se sirven espolvoreados con azúcar glas al gusto.
- También quedan muy ricos rellenos con crema de vainilla, crema de café o nata montada.

Caballa en marinada

Tiempo 1 hora y 30 minutos
Comensales 4 personas
Dificultad media

Ingredientes

12 caballas pequeña, 1 cebolla
1 zanahoria, laurel
1/2 vaso de vinagre
1 vaso de vino blanco
pimienta en grano, sal

Preparación

- Se limpia perfectamente el pescado y se reserva.
- Se pelan y pican la cebolla y la zanahoria en trozos pequeños y se ponen a cocer en la olla a presión con el vino, el vinagre, el laurel y la pimienta durante 15 minutos.
- Se colocan las caballas en una fuente honda al horno y se cubren con el líquido resultante de la cocción anterior, con todas las verduras.
- Se mete al horno moderado durante 10 o 15 minutos.
- Se sacan, se dejan enfriar y se meten en la nevera en la misma fuente.
- Se deben dejar dos días en maceración para que cojan sabor.
- Pueden servirse acompañadas con patatas hervidas.
- Esta receta también puede hacerse con truchas o cualquier otro pescado pequeño.

Cabello de ángel

Tiempo 3 días
Comensales 4 personas
Dificultad media

Ingredientes

2 kg de calabaza, azúcar
canela en rama
la cáscara de 1 limón

Preparación

- Se corta la calabaza en trozos grandes, quitando las fibras y las semillas del centro.
- Se pone en una olla cubierta de agua para que hierva durante 1 hora.
- Se deja enfriar y se separa la carne de la corteza.
- Se deja la carne en agua fría durante 12 horas.
- Pasado ese tiempo, se escurre la calabaza apretando con las manos; se pesa para calcular la cantidad de azúcar necesaria (será el mismo peso que el de la carne de calabaza), con la que se debe cocer, junto con la canela en rama y la corteza de limón, ésta cortada en tiritas.

- Se cuece durante 10 minutos.
- Se enfría y se vuelve a dejar en reposo otras 24 horas.
- Al día siguiente se repite la operación: se cuece 10 minutos y se deja reposar 24 horas.
- El tercer día se vuelve a cocer 10 minutos y, una vez frío, estará listo para consumir o para guardar (conviene hacerlo en tarros de cristal).
- Este dulce es delicioso para consumir como confitura o para rellenar bollos, cocas, hojaldres, buñuelos de viento o ensaimadas.

Cabrito al horno

Tiempo 60 minutos
Comensales 4 personas
Dificultad media

Ingredientes

1 pieza de cabrito
100 g de manteca de cerdo
200 g de cebolla
1 copa de vino blanco
ajo, perejil, laurel
pimienta en grano, clavo
sal

Preparación

- Después de trinchar el cabrito en trozos grandes y de untarlos con manteca de cerdo, se colocan en una tartera, añadiéndoles la cebolla picada, perejil, ajo, una hoja de laurel, unos granos de pimienta, un clavo de especia, el vino y una cantidad igual de agua.
- Se sazona con sal y se introduce en el horno a fuego moderado hasta que la carne esté tierna y dorada.

Cabrito en ajo cabañil

Tiempo 1 hora y 45 minutos
Comensales 4 personas
Dificultad media

Ingredientes

1 pieza de cabrito
2 pimientos encarnados secos
2 cucharadas de pimentón dulce
vinagre, ajo
miga de pan
200 ml de aceite
orégano
pimienta
sal

Preparación

- Después de limpio, se corta el cabrito en trozos pequeños. Reservar el hígado.
- Se calienta el aceite en una sartén y se van echando los trozos de cabrito

para que se frían lentamente (dorados).

- Entretanto, se prepara un majado con los pimientos encarnados (que se habrán cocido de antemano, raspando su carne), el orégano, tres dientes de ajo, la pimienta, el pimentón y la miga de pan empapada en vinagre.
- Cuando todo esté majado, se añade el hígado del cabrito muy refrito y se machaca junto a lo anterior hasta formar una pasta, que se deslíe en agua.
- Cuando se hayan frito todos los trozos de cabrito, se les quita un poco de aceite y se echa por encima el majado anteriormente preparado, dejando que dé un hervor todo el conjunto antes de servirlo.

Calabacines gratinados

Tiempo 60 minutos
Comensales 4 personas
Dificultad media

Ingredientes

4 calabacines
2 dientes de ajo
1 ramita de perejil
pan rallado
aceite
sal

Preparación

- Se enciende el horno previamente a calor medio.
- Se lavan los calabacines, se secan, se les quitan las puntas y se cortan por la mitad a lo largo.
- Se espolvorean con sal.
- Se colocan, con la piel hacia abajo, en una placa de horno engrasada, se pinchan con un tenedor y se rocían con aceite.
- Se hornean alrededor de 40 minutos, rociándolos de cuando en cuando con más aceite.
- Aparte, se hace una picada fina de ajo y perejil, y se mezcla con pan rallado.
- Se espolvorea con ella a los calabacines y se bañan con unas gotas de aceite; se sube la temperatura del horno y se dejan hasta que estén bien gratinados.
- Se sirven calientes.

Calamares a la plancha

Tiempo 15 minutos
Comensales 4 personas
Dificultad media

Ingredientes

2 calamares, ajo
perejil, aceite
vinagre de vino, sal

Preparación

- Se ponen los calamares limpios en la plancha (o en la asadora) con aceite, sal y ajo picadito.
- Cuando estén hechos por un lado, se les da la vuelta y se añade un chorrito de vinagre de vino y perejil picado.
- Se sirven recién hechos.

Calamares en su tinta

Tiempo 45 minutos
Comensales 4 personas
Dificultad media

Ingredientes

800 g de calamares
2 bolsas de tinta, 1 diente de ajo
1/2 vaso de vino blanco
1/2 kg de cebollas
1 ramita de perejil
salsa de tomate
1 cucharada de pan rallado
4 cucharadas de aceite
sal

Preparación

- Se limpian los calamares de tripas y pieles, bajo el grifo. En un tazón se echan las bolsitas de tinta.
- En una olla se pone a calentar el aceite y, cuando ya esté caliente, se agregan las cebollas y los ajos picaditos, y se sofríen. Cuando esté dorada la cebolla, se añaden los calamares cortados en trozos.
- Se remueve y se deja al fuego unos 15 minutos.
- Aparte, se mezcla la tinta con el perejil y se añade a la olla, junto a la salsa de tomate y al vino blanco.
- Se sazona y se mantiene la cocción durante 10 minutos más. Si la salsa de la tinta queda demasiado ligera, se rectifica añadiendo el pan rallado.
- Estos calamares se suelen acompañar con arroz blanco cocido.

Caldeirada con congrio

Tiempo 1 hora y 30 minutos
Comensales 4 personas
Dificultad media

Ingredientes

700 g de pescado variado
1/2 vasito de vino blanco
1 cucharada de harina
2 cebollas
1 rama de perejil
pan tostado
3 cucharadas de aceite
1/2 hoja de laurel
3 dientes de ajo
pimienta, sal

PREPARACIÓN

- Se limpia el pescado de escamas y espinas, se trocea y se echa en un puchero, mejor si es de barro, en el que ya se ha puesto el aceite, la cebolla pelada y picada muy fina, los ajos picados, el perejil picado, la harina y el laurel; se deja macerar durante una hora.
- A continuación, se añade litro y medio de agua y se sazona con sal y pimienta.
- Se agrega el vino blanco y se deja cocer a fuego vivo durante 20 minutos.
- Se sirve el pescado por una parte y el caldo por otra (en una sopera).
- A este último, se le añaden unos trozos pequeños de pan tostado.

Caldeirada marinera coruñesa

Tiempo 60 minutos
Comensales 6 personas
Dificultad media

INGREDIENTES

1 kg de pescado variado
1 y 1/2 kg de patatas
1/4 kg de cebollas, 1/4 l de aceite
laurel, perejil, ajos, pimentón dulce
pimentón picante, sal

PREPARACIÓN

- Se pone al fuego una olla grande con agua y se echan en ella las cebollas, tres o cuatro dientes de ajo, el perejil y el laurel.
- Cuando rompa a hervir, se agregan las patatas, peladas y cortadas en rodajas de un dedo y medio de grueso.
- Cuando estén casi cocidas, se añade el pescado, bien limpio y partido en rodajas, y se deja cocer durante unos 10 minutos, al cabo de los cuales se le escurre el agua, recogiendo un poco de ésta en una taza, por si hiciera falta.
- Seguidamente se machacan la cebolla y los ajos en un mortero y se mezclan con un poco del agua que se había reservado, pasándolo todo por un tamiz.
- Se pone el aceite en una sartén y se echa en él un diente de ajo entero, pero machacado de un golpe.
- Cuando el ajo se haya dorado se saca del aceite y se retira, dejando que se enfríe un poco.
- Cuando su temperatura haya descendido un poco, se echan dos cucharadas de pimentón dulce y un poco del picante.
- Se agrega a la sartén el majado que se reservaba en el mortero y se vierte todo por encima de las patatas y el pescado.

- Se deja sobre el fuego hasta que comience a hervir y entonces se retira, sirviendo la caldeirada en el mismo recipiente que se utilizó para guisarla.

Caldereta de langostinos

Tiempo 60 minutos
Comensales 5 personas
Dificultad media

Ingredientes

400 g de langostinos
300 g de patatas
1 cebolla grande
1/2 l de leche
50 g de mantequilla
pimienta negra molida
perejil, sal

Preparación

- Se pelan los langostinos y se ponen a cocer las cáscaras y las cabezas en agua con sal a fuego lento.
- Se cuela y reserva el líquido.
- Se pelan y pican la cebolla y las patatas, y se saltean unos minutos en la mantequilla fundida.
- Se añade el caldo donde se han cocido los langostinos y se deja cocer 15 minutos, aproximadamente; se pone la pimienta negra.
- Se añaden los langostinos y la leche y se termina de cocer 5 minutos más.
- Se rectifica de sal, se espolvorea por encima con el perejil y se sirve.
- En realidad, la caldereta es un guiso típicamente marinero hecho a base de pescado o marisco y patatas.

Caldereta de pescado al estilo de Barcelona

Tiempo 2 horas y 15 minutos
Comensales 6 personas
Dificultad media

Ingredientes

200 g de mero troceado
300 g de rape troceado
200 g de congrio troceado
200 g de calamares limpios, sin bolsa de la tinta y cortados en trozos
1 docena de mejillones
150 g de gambas
1 ñora seca
2 dientes de ajo
200 g de tomates pelados, sin semillas y picados
1 vaso de vino blanco
1 vaso de caldo de pescado
aceite
unas rebanadas de pan cortado en dados, perejil picado, sal

Preparación

- Se calienta el aceite en una sartén suficientemente grande y se fríen, por separado, los distintos pescados troceados.
- Para que los pescados de la receta no se deshagan, conviene no freírlos demasiado.
- Según vayan estando, se pasan a un plato y se reservan.
- Se abren los mejillones en una sartén al fuego, se retira la cáscara vacía y se reservan, así como el jugo que hayan soltado.
- En el aceite de freír los pescados se rehoga la ñora, se pasa a un mortero y se maja bien.
- En la misma sartén se doran los ajos, se agregan los tomates y se cocinan unos minutos.
- Se sala, se incorporan los pescados reservados, y se deja cocer tapado durante unos minutos.
- A continuación, se añaden la ñora machacada, las gambas y el vino.
- Se deja reducir éste al fuego durante unos minutos y, entonces, se añaden el caldo reservado de los mejillones y el caldo de pescado, y se cocina a fuego lento durante unos 30 minutos.
- Mientras, se fríen unas rebanadas de pan cortadas en dados.
- Por último, se pasa la caldereta a una fuente de servir, se disponen alrededor los mejillones y los dados de pan frito, se espolvorea con perejil finamente picado y se sirve.

Caldo de pescado al mojo

Tiempo 15 minutos
Comensales 4 personas
Dificultad media

Ingredientes

4 filetes de pescadilla
1 l de sopa de pescado
1 diente de ajo aplastado con su cáscara
1 bolsita de azafrán
2 cucharadas de aceite de oliva
Para el mojo:
1 yema de huevo
1 diente de ajo majado
1 vaso de aceite de oliva
pimienta, azafrán, cayena, sal

Preparación

- Se comienza por freír el ajo, sin que llegue a tostarse. Se saca de la sartén y se añaden 3 cucharadas de agua, la sopa y el azafrán.
- Una vez caliente, se agregan los filetes de pescado, dejándolos cocer 5 minutos a fuego lento.
- Mientras, se prepara el mojo mezclando en una taza la yema de huevo

con el ajo. Se agrega sal, pimienta, azafrán y cayena.

- A continuación, se vierte el aceite, removiendo con una cuchara de madera.
- Para dar más sabor a la mezcla puede añadirse una cucharada de sopa de pescado. Se sirve el caldo con el pescado y el mojo en salsera aparte.

Caldo gallego

Tiempo 2 horas y 30 minutos
Comensales 6 personas
Dificultad media

Ingredientes

1/4 kg de alubias blancas
400 g de patatas
1 repollo pequeño
2 huesos de jamón
100 g de tocino fresco
1/2 kg de costillas de cerdo
2 huesos de caña y rodilla
150 g de chorizo, sal

Preparación

- Se ponen las alubias en remojo la noche anterior.
- En cacerola grande se cuecen las alubias con los huesos, el tocino y las costillas.
- Se deja cocer muy lentamente, hasta que las alubias estén casi blandas y se espuma el caldo varias veces.
- Se añade entonces el repollo cortado fino, las patatas en trozos, el chorizo y la sal.
- Se deja cocer nuevamente hasta que las patatas estén casi deshechas.
- Si quedara muy espeso, se le puede añadir un poco más de agua.
- Si se hace en olla a presión el tiempo de cocción se reduce notablemente.

Callos al estilo de Oviedo

Tiempo 4 horas
Comensales 6 personas
Dificultad media

Ingredientes

1 y 1/2 kg de callos
1 mano de ternera
1/4 kg de tocino
2 zanahorias
4 cebollas, 4 dientes de ajo
2 cucharadas de manteca de cerdo, 1 copa de brandy
1 botella de sidra
un ramillete de hierbas aromáticas
clavo, nuez moscada
pimienta, sal

Preparación

- Después de limpios y bien lavados los callos, se hierven y se cortan en cuadrados de 3 o 4 centímetros de lado.
- Se sazonan con pimienta, clavo, ralladura de nuez moscada y sal.
- Seguidamente, se les añade el tocino cortado en tiras de la anchura de un lapicero.
- Aparte, en una cazuela de barro, se rehogan en la manteca de cerdo hasta que tomen color las zanahorias y las cebollas, cortadas ambas en rodajas, y se les agrega el ramillete de hierbas aromáticas y los ajos.
- Se coloca encima la mano de ternera, deshuesada y troceada y, finalmente, en la parte superior, los callos ya sazonados.
- Se moja con la sidra y una copa de brandy, se tapa herméticamente y se deja cocer lentamente por lo menos durante 3 horas.
- Después se sirven bien calientes.

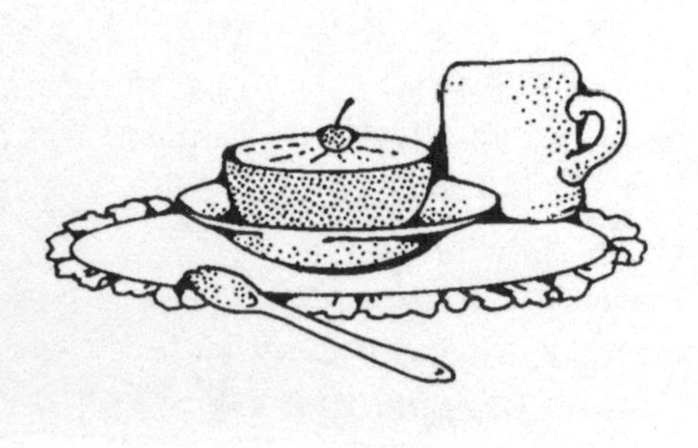

Canelones a la barcelonesa

Tiempo 2 horas
Comensales 6 personas
Dificultad media

Ingredientes

24 canelones
200 g de lomo de cerdo
1 pechuga grande de pollo o de capón
100 g de ternera
4 higaditos de pollo o 1 seso de ternera
3/4 l de salsa bechamel
unas cucharadas de tomate frito
100 g de queso rallado
caldo de carne concentrado
nuez moscada, mantequilla
jerez o coñac, pimienta, sal
trufas en láminas (opcional)

Preparación

- Se cuecen los canelones, se escurren con la espumadera y se colocan sobre un paño limpio.
- Se corta la carne en trocitos, se sazona con sal y pimienta y se dora en una cucharada de mantequilla.
- Se añaden unas cucharadas de caldo y se deja cocer hasta que la carne esté tierna.

- Después, se pasa por el molinillo o la picadora para formar una pasta, que se perfuma con unas cucharadas de jerez o coñac y el jugo de la lata de trufas, si se va a emplear.
- Se rectifica el punto de sazón y se reserva.
- Se pican los higaditos y se limpian, y se da un hervor al seso.
- Se le quita la telilla y se corta en trocitos.
- Se saltean en mantequilla los higaditos y el seso.
- Se mezclan con la pasta de carne y se rellenan los canelones con el conjunto.
- Se engrasa con mantequilla una fuente de horno y se cubre el fondo con unas cucharadas de tomate frito.
- Se colocan encima los canelones bien alineados y se cubren con la salsa bechamel.
- Se espolvorea con la mitad del queso y unas bolitas de mantequilla y se gratinan en el horno.
- Se sirven cuando hayan pasado unos minutos, acompañados por el resto del queso rallado.

Cangrejos en salsa

Tiempo 60 minutos
Comensales 6 personas
Dificultad media

Ingredientes

1 kg de cangrejos
1/4 l de vino blanco
200 g de mantequilla
1 zanahoria, 1 cebolla
2 cucharadas de salsa de tomate
1 limón, pimienta de cayena
pimienta blanca molida
perejil, laurel, tomillo, sal

Preparación

- Se calienta en una cacerola la mantequilla, se incorporan la zanahoria picada, la cebolla también picada, el perejil, el laurel y el tomillo, dejándose hacer unos minutos.
- Se moja con el vino blanco y se pone al fuego fuerte, dejándolo cocer hasta que se reduzca el líquido.
- Se añade la salsa de tomate, el zumo de limón, la pimienta de cayena y la pimienta blanca.
- Por último, se introducen los cangrejos en esta salsa y se cuecen 10 minutos con la cacerola tapada.
- Si fuera necesario, se añade agua para que la salsa no se pegue.
- Se sirven bien calientes.

Canutillos de las monjas

Tiempo 3 horas
Comensales 2 personas
Dificultad media

Ingredientes

1 l de agua, 100 g de margarina
1/4 l de aceite de girasol
1/4 l de aceite de oliva
canela en rama, harina
1/2 cucharadita de sal
Para el relleno:
crema pastelera
crema de chocolate o nata

Preparación

- Se mezclan todos los ingredientes, excepto la harina.
- Se baten bien y se va incorporando, poco a poco, la cantidad de harina que admita, hasta conseguir una masa que se pueda trabajar con las manos.
- Se extiende hasta que quede fina.
- Después, se corta en tiras que irán enrollándose en un palo de caña para que adquieran la forma de canutillo que da nombre al postre.
- Se pone el aceite bien caliente y se fríen las tiras con el palo.
- Cuando empiecen a estar doradas, se separan del palo y se deja que termine de dorarse.
- Se sacan, se escurren de grasa y se enfrían antes de rellenarlos con la crema elegida.
- El canutillo de monja es un dulce que exige una paciencia religiosa, pues es muy laborioso.
- Su nombre responde a la forma de canutillo que ha de imprimir el repostero al dulce.

Caracoles al estilo de las tabernas madrileñas

Tiempo 2 horas
Comensales 6 personas
Dificultad media

Ingredientes

2 kg de caracoles, 1 cebolla, ajos
guindillas, pimentón
azafrán, perejil, pimienta
100 ml de aceite, sal

Preparación

- Una vez limpios los caracoles, se cuecen con agua y sal; cuando comiencen a hervir, se les escurre el agua lavándolos muy bien con abundante agua fría y volviéndolos a poner sobre el fuego sumergidos en este líquido.
- Mientras, se pone el aceite en una sartén y se fríe la cebolla picada, unos

ajos y una rama de perejil, todo picado.

- Cuando la cebolla esté blanda, se sazona con pimienta, pimentón, azafrán y un par de guindillas cortadas en trocitos menudos, añadiendo esta mezcla a los caracoles, después de haberles escurrido casi toda el agua.
- Se deja cocer el guiso hasta que los caracoles se desprendan con facilidad de sus cáscaras y entonces, se sirven bien calientes.

Caracoles en salsa

Tiempo 1 hora y 30 minutos
Comensales 6 personas
Dificultad media

Ingredientes

2 kg de caracoles, 250 g de jamón
1 vaso de salsa de tomate
1 cebolla grande
6 dientes de ajo, 1/2 l de aceite
2 cucharadas de pan rallado
2 cucharadas de perejil picado
laurel, tomillo, clavo, comino
pimienta, sal

Preparación

- Una vez limpios y perfectamente escaldados los caracoles de la forma acostumbrada, se reservan.
- En una cacerola se hace un refrito con el aceite, los ajos y la cebolla, perfectamente picados, se deja dorar un poco, se añade el jamón en tiritas y se ponen los caracoles.
- Se añade la salsa de tomate y las especias. Se cubren con el caldo necesario y se deja cocer.
- Se sirven en una cazuela de barro.

Cardos a la madrileña

Tiempo 1 hora y 30 minutos
Comensales 6 personas
Dificultad media

Ingredientes

2 kg de cardo
25 g de puntas de tocino
2 cucharadas de harina
caldo
3 cucharadas de aceite
pimienta, sal

Preparación

- Se quita la pelusa del cardo y después de escaldado y partido en trozos de dos o tres dedos de largo, se pone a cocer en agua con sal y una cucharada de harina.
- Mientras cuece, en otra cacerola se rehoga el tocino picado y una cucharada de harina.

- Cuando ésta tome color, se agregan dos cucharadas de caldo, sal y pimienta, dejando que el conjunto cueza durante unos minutos.
- Una vez cocidos los cardos se ponen en la salsa preparada y se dejan hervir hasta que el líquido quede muy reducido, en cuyo momento puede servirse, siempre bien calientes.

Cardos salteados

Tiempo 30 minutos
Comensales 4 personas
Dificultad media

Ingredientes

1 y 1/2 kg de cardos
2 dientes de ajo, 1 limón
2 cucharadas de harina
aceite de oliva
pimienta, sal

Preparación

- Se limpian los cardos, retirando las partes fibrosas, se frotan las pencas con limón, se trocean y se dejan a remojo en un recipiente con agua fría y el zumo de medio limón.
- En una cacerola con agua hirviendo y sal, se agregan las dos cucharadas de harina desleída y, a continuación, se añaden los cardos.
- Se mantiene la cocción hasta que éstos estén tiernos.
- Por último, en una cazuela con aceite se doran los ajos y se añade el cardo, previamente cocido y escurrido.
- Se sazona con un poco de pimienta y se saltean durante unos instantes.

Carne asada

Tiempo 1 hora y 30 minutos
Comensales 8 personas
Dificultad media

Ingredientes

1 y 1/2 kg de cadera o babilla
2 cebollas, 2 zanahorias
3 dientes de ajo
1 vasito de vino blanco
200 ml de aceite
caldo de carne, sal

Preparación

- Se limpia la carne de grasa y nervios, se brida frotándola con la sal y, si se quiere, se pasa por harina, se dora en el aceite muy caliente y se añaden los dientes de ajo, las cebollas y las zanahorias, todo picado, dejándola hacer en el horno o tapada a fuego lento; después se añade el vino y un poco de caldo, dejándola terminar de hacer.

- Cuando esté fría, se parte y se sirve con la salsa pasada por la batidora y puesta por encima o en salsera.
- Puede adornarse con verduras.

Carne con peras a la leridana

Tiempo 4 horas
Comensales 6 personas
Dificultad media

Ingredientes

1 kg de carne de ternera
1 kg de peras de Lérida
50 g de manteca de cerdo
caldo, pimienta, laurel, perejil, sal

Preparación

- Se dora la carne, manteniéndola a fuego vivo durante unos 10 minutos en una cazuela adecuada, bien untada con manteca de cerdo.
- Cuando haya tomado color, se sazona con sal y pimienta, se le añaden dos hojas de laurel y, con la cacerola tapada, se deja a fuego lento unas 3 horas, dando de media en media hora la vuelta a la carne para que se dore.
- Cuando la carne esté casi asada, se moja con un par de vasitos de caldo, se le añade un poco de perejil y se deja al fuego hasta que termine de hacerse.
- Una vez asada, se pelan las peras y se cuecen en el jugo que ha quedado de asar la carne.
- Cuando estén tiernas se sirve la carne, debidamente trinchada, se colocan las peras alrededor y se vierte el jugo que ha quedado por encima de todo.

Carne de vaca al estilo de Teruel

Tiempo 1 hora y 15 minutos
Comensales 6 personas
Dificultad media

Ingredientes

1 kg de filetes de vaca
100 g de manteca de cerdo
1/4 kg de cebollas
1 diente de ajo
50 g de queso rallado
caldo de carne
1 cucharada de harina
pimentón, sal

Preparación

- Se derrite la manteca de cerdo en una sartén para freír en ella el ajo.
- Cuando se haya tostado, se agrega la cebolla cortada en tiras finas, se tapa el recipiente y se deja estofar.

- Cuando se hayan cocido las cebollas se añade una cucharada de harina, que se deja rehogar, agregando después un par de cacillos de caldo de carne; se sazona con sal y pimienta y se vierte sobre la carne.
- Se espolvorea con el queso rallado y se mete a horno fuerte, colocado todo en una cazuela de barro.
- Una vez dorada la superficie de la carne, se retira del horno
- A continuación, se sirve.

Carne guisada con verduras

Tiempo 1 hora y 30 minutos
Comensales 6 personas
Dificultad media

Ingredientes

3/4 kg de cadera
50 g de jamón
50 g de tocino
500 g de cebollitas francesas
250 g de zanahoria
250 g de guisantes
3 cucharadas de salsa de tomate
100 ml de aceite
o manteca
100 ml de vino blanco
150 ml de caldo
harina, sal

Preparación

- Se parte la carne en trocitos, quitándole la grasa; se pasa por harina y se fríe ligeramente en el aceite o la manteca.
- Se reserva.
- En la grasa que queda, se rehoga el jamón y el tocino partidos en trocitos, se echan las verduras limpias y las zanahorias partidas y, por último, la carne.
- Se moja con el caldo y se deja hacer a fuego lento.
- Cuando casi esté, se añade el vino y después, la salsa de tomate.
- Antes de servir, se prueba y se rectifica de sal si es necesario.
- Puede adornarse con puré de patata.

Carnerete cordobés

Tiempo 60 minutos
Comensales 6 personas
Dificultad media

Ingredientes

300 g de pan
1/4 kg de tomates
4 huevos
vinagre
1/4 l de aceite
ajos, sal

Preparación

- Se prepara un majado con los tomates y los ajos picados.
- Cuando esté todo bien majado, se le agrega un trozo de miga de pan, que previamente se habrá frito en un poco de aceite.
- Una vez bien mezclado se añade la sal y se va agregando, poco a poco, aceite hasta hacer una pasta fina.
- Se echa un chorrito de vinagre y se vierte en una fuente, reservándolo.
- Se cortan unas rebanaditas de pan y se doran con el aceite bien caliente.
- Cuando estén en su punto, se quita parte del aceite y se echan sobre ellas los huevos, mezclando todo bien para hacer un revuelto, que después se vierte sobre la masa reservada en la fuente.
- A continuación, se sirve.

Cebollas rellenas de carne

Tiempo 1 hora y 15 minutos
Comensales 4 personas
Dificultad media

Ingredientes

1/2 docena
de cebollas pequeñas
carne picada
(puede ser de pollo)
2 patatas medianas
2 nueces
6 almendras
miga de pan
huevo
tocino ahumado
(beicon)
vino blanco
tomates
pimiento rojo
ajo
perejil
pimienta, sal

Preparación

- Se quitan las capas exteriores y el centro de las cebollas.
- Se hace una mezcla con la carne picada, el tomate sin piel ni semillas, unos trocitos de pimiento rojo, una ramita de perejil y un diente de ajo, sazonando con sal.
- Se añade un huevo batido.

- Se rellenan las cebollas con dicha mezcla y se cubren con miga de pan mojada en huevo, a modo de tapaderas.
- Se colocan en una bandeja de horno.
- Aparte, se cuecen las patatas, después de lavadas y con su piel.
- Antes de que se enfríen, se pelan y se hacen puré.
- Se rehoga en la sartén el tocino ahumado, las almendras y las nueces machacadas, agregando el puré de patatas y algunas especias.
- Las cebollas se cubren con esta pasta, se rocían con vino y se cubren con papel de aluminio para que no se quemen al hornearse.
- Se sirven calientes.
- El líquido resultante de cocer las cebollas se aprovecha para dar un color dorado al consomé o a cualquier salsa.

Chimichurri

Tiempo 30 minutos
Comensales 4 personas
Dificultad media

Ingredientes

1 taza de perejil fresco picado
2 cucharadas de orégano
4 dientes de ajo, aceite, sal

Preparación

- En un mortero se maja el ajo, el perejil y el orégano, agregando poco a poco aceite y sal a gusto.
- Debe servirse en un bol pequeño.
- Acompaña muy bien carnes a la brasa.

Chipirones en su tinta

Tiempo 45 minutos
Comensales 4 personas
Dificultad media

Ingredientes

1/2 kg de chipirones
tinta de los chipirones
400 g de cebolla, 1 cabeza de ajo
1/2 kg de tomates
1 vasito de vino blanco
1/4 l de aceite
1 barrita de pan del día anterior
1 ramita de perejil picado, sal
costrones de pan de molde fritos
arroz blanco de acompañamiento

Preparación

- Se sofríen en aceite 350 g de cebolla, media cabeza de ajo aplastada y la barrita de pan, en rebanadas.
- Cuando el refrito esté dorado, se añaden los tomates, lavados y cortados en trozos.

- En un mortero se majan las bolsas de tinta con un diente de ajo y una rama de perejil y se vierte sobre la salsa.
- Se agrega el vino blanco.
- Cuando todo haya cocido unos 30 minutos, se pasa la salsa por un pasapurés o tamiz.
- Aparte, se limpian los chipirones y se rellenan con sus mismas patas y aletas; se cierran con un palillo para evitar que se salgan.
- Se sazonan y saltean con medio vasito de aceite; cuando estén dorados, se colocan en una cazuela de barro, se cubren con la salsa preparada anteriormente y se cuecen por espacio de 15 a 20 minutos.
- Se sirven en cazoletas individuales, con costrones de pan de molde fritos y una porción de arroz blanco.

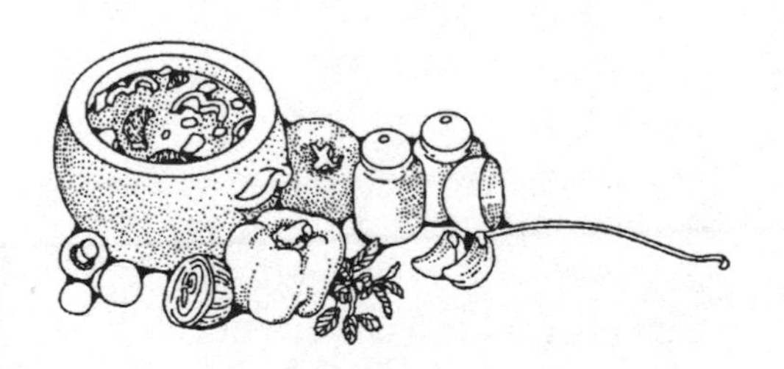

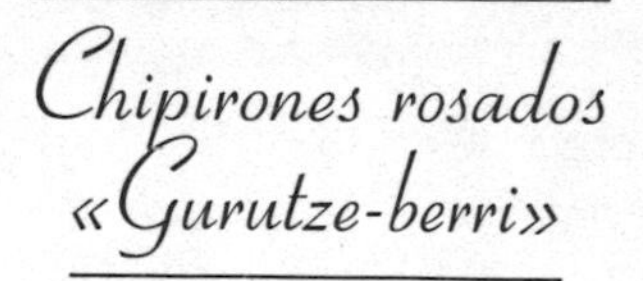

Chipirones rosados «Gurutze-berri»

Tiempo 1 hora y 30 minutos
Comensales 4 personas
Dificultad media

Ingredientes

32 chipirones
la carne de un centollo
1/4 l de fumet de pescado
1 vaso de Nouilly Prat
(o un buen vermut blanco)
50 g de mantequilla
de camarones
2 cebollas
nata líquida
1/4 l de vino blanco
100 ml de aceite
pimienta, sal

Preparación

- Se limpian los chipirones y se separan los tentáculos, que se cortan en trozos pequeños.
- Se pone al fuego una cacerola con aceite para rehogar la cebolla picada, a la que se añaden los tentáculos, ya preparados, se sazona con sal y pimienta y se agrega, por último, la carne del centollo.
- Cuando ya esté rehogada esta mezcla se deja enfriar.

- Una vez frío, con este relleno se llenan los chipirones, cerrándolos, como es costumbre, con un palillo de dientes.
- Se ponen a cocer los chipirones rellenos en el fumet de pescado, el vino blanco y el vaso de Nouilly Prat.
- Cuando los chipirones se hayan cocido, se retiran de la cacerola y se pasan a una cazuela de barro, dejando que la salsa siga cociendo hasta que se reduzca a menos de un tercio su primitivo volumen, añadiendo entonces la nata.
- Se deja reducir durante otros 5 minutos, comprobando su densidad, pues no debe estar ni muy espesa ni muy clara.
- Se añade la mantequilla de camarones, que dará el punto rosado a la salsa, se rectifica de sal y pimienta y se vierte la salsa sobre los chipirones.
- Para preparar la mantequilla de camarones, se machacan en el mortero unos camarones cocidos con una cantidad igual de mantequilla y se pasan por el tamiz.

Chocos con habas a la onubense

Tiempo 1 hora y 15 minutos
Comensales 6 personas
Dificultad media

Ingredientes

1 kg de chocos (calamares)
1/2 kg de habas
6 cucharadas de aceite, ajo, sal

Preparación

- Se vierte el aceite en una cazuela puesta al fuego y, cuanto esté caliente, se refríen en él unos dientes de ajo picados, que se dejan hasta que se doren.
- Entonces se añaden los calamares, que previamente se habrán limpiado, salado y partido en trocitos, y se revuelven en el aceite, donde se dejan rehogar durante 8 o 10 minutos, aproximadamente.
- Pasado ese tiempo, se ponen las habas desgranadas, agregando un par de cacillos de agua caliente, y se deja hervir todo el conjunto con la cazuela tapada hasta que el caldo se reduzca y quede sólo el aceite.
- Se aparta del fuego.
- Se sirve todo el conjunto bien caliente.

Chuletas de ternera a la abulense

Tiempo 60 minutos
Comensales 6 personas
Dificultad media

Ingredientes

6 chuletas de ternera
1/2 kg de cebollitas
1/2 kg de patatas
1 vasito de vino blanco
1 cacillo de caldo de carne
125 ml de aceite, ajos
harina, pimienta, perejil, sal

Preparación

- Se machacan las chuletas, se limpian, se salan y se pasan por harina; luego se fríen, retirándolas antes de que estén doradas para colocarlas en una cazuela de barro.
- Sobre ellas se vierte el vino blanco, se tapa la cazuela y se dejan cocer.
- En la grasa sobrante de freír las chuletas, se echan las cebollitas mondadas y limpias y las patatas, que deben tener el mismo tamaño que las cebollitas.
- Cuando estén doradas, se añaden a la cazuela con las chuletas, se bañan con un poco de caldo y se deja cocer a fuego lento durante unos minutos.
- Cuando estén tiernas las cebollas y las patatas, se retiran, se espolvorean con perejil y se sirven calientes.

Chuletas de ternera a la castellana

Tiempo 1 hora y 45 minutos
Comensales 12 personas
Dificultad media

Ingredientes

12 chuletas de lomo de ternera
1 kg de judías verdes
50 g de tocino
1 cucharada de manteca de cerdo
1/2 vasito de vino blanco
1/2 l de caldo
100 ml de aceite
ajo, pimienta, sal

Preparación

- Se limpian las chuletas, recortando la carne sobrante y el hueso del espinazo.
- Ya preparadas, se mechan con unas tiritas de tocino, procurando que queden en el centro de la molla, sin que se vean las puntas.
- Se espolvorean con sal y se ponen bien extendidas en el centro de una cazuela no muy alta, cuyo fondo se habrá untado previamente con un poco de manteca de cerdo.

- Se pone el recipiente sobre la lumbre y se doran las chuletas por los dos lados, volviéndolas en el momento adecuado.
- Una vez doradas, se escurren de grasa y se reservan, volviéndolas al fuego después de bañarlas con el vino blanco.
- Entonces se tapa la cazuela y se deja al fuego hasta que el líquido se consuma del todo.
- Se vuelven a mojar las chuletas con un par de cacillos de caldo y se las deja cocer despacio hasta que el jugo esté espeso y haya tomado un color oscuro, teniendo cuidado de que no se peguen al fondo.
- Mientras se hacen las chuletas, se limpian cuidadosamente las judías, que se cortan en tiras delgadas, partiendo cada una en 3 o 4 trozos a lo largo, se cuecen con agua y sal a fuego vivo, sin que cese ni un momento la ebullición.
- Una vez cocidas, se escurren muy bien y se rehogan en una sartén con el aceite después de freír en él un diente de ajo cortado en 2 o 3 trozos, que se retiran antes de echar las judías.
- Cuando estén rehogadas se las agrega un poco de pimienta y sal, si fuera necesario.
- El plato se sirve colocando las chuletas formando círculo en una fuente y, en el centro, las judías, bañando la carne con el jugo en que se cocieron y se sirven muy calientes.

Chuletones de ternera al estilo castellano

Tiempo 60 minutos
Comensales 4 personas
Dificultad media

Ingredientes

6 chuletas grandes de ternera
24 cebollitas francesas
1/2 kg de patatas, 1 diente de ajo
100 ml de vino blanco
100 ml de caldo de carne
100 ml de aceite, pimienta, sal

Preparación

- En una sartén se fríen las chuletas salpimentadas y se dejan dorar.
- Se retiran y se van colocando en una fuente de barro; sobre ellas se añade el vino blanco y se dejan cocer.
- En la grasa sobrante de la sartén se fríen las cebollitas previamente peladas (conviene escaldarlas en agua hirviendo para facilitar la operación) y las patatas también peladas y cortadas del mismo tamaño que las cebollas.
- Una vez doradas ambas, se incorporan a la fuente de las chuletas con el

caldo de carne, que puede ser una porción de concentrado o «Bovril».

- Se pasa todo al horno 10 minutos y se sirve. Esta misma receta sirve para preparar cualquier otra pieza de carne distinta a las chuletas.

Cochifrito de cabrito a la cordobesa

Tiempo 60 minutos
Comensales 6 personas
Dificultad media

Ingredientes

1 cabrito
1/4 l de aceite de oliva
ajo, vinagre
pimentón, sal

Preparación

- Una vez despellejado, se limpia el cabrito y se trincha en pedazos que se rehogan en el aceite bien caliente, agregando una cucharada de pimentón y otra de vinagre.
- En un mortero se majan 2 o 3 dientes de ajo, que se habrán frito de antemano.
- Cuando estén hechos una pasta, se deslíen en un poco de agua y se vierten sobre los trozos de cabrito, que se habrán puesto en una cazuela.
- Se sazonan con sal y se dejan cocer hasta que el caldo se reduzca y quede la grasa.
- Entonces se tapa la cazuela y se deja que los trozos de cabrito se refrían lentamemnte durante un cuarto de hora más. De este modo, la carne quedará sin salsa pero, a la vez, más jugosa.
- Se debe servir bien caliente.

Cochinillo asado

Tiempo 1 hora y 45 minutos
Comensales 8 personas
Dificultad media

Ingredientes

4 kg de cochinillo
100 g de manteca de cerdo
1/4 l de vino blanco
1/2 l de agua
4 dientes de ajo, 2 hojas de laurel
2 ramas de tomillo, sal

Preparación

- Se colocan en una cazuela de barro ovalada los dientes de ajo enteros, el laurel, el tomillo, el vino y el agua.
- Se quitan las vísceras del cochinillo y se hace una incisión (sin profundizar) de cabeza a rabo; por el inte-

rior, se pincha la corteza con una aguja para que no se ampolle.

- Se coloca el cochinillo en la cazuela con la corteza hacia abajo.
- Se rocía con la manteca de cerdo fundida, se sazona y se pone en el horno.
- Al cabo de un rato, se voltea el cochinillo, se sazona y se salpica con unas gotas de agua; se pone en el horno hasta que la corteza quede crujiente.
- Si fuera posible, es mejor asarlo en un horno de leña.
- Para que el cochinillo no se pegue durante el asado, se pueden colocar unas tablillas en el fondo de la cazuela.

Cochinillo asado a la madrileña

Tiempo 2 horas
Comensales 8 personas
Dificultad media

Ingredientes

1 cochinillo
125 ml de aceite
60 g de manteca de cerdo
1/4 l de vino blanco
zumo de limón
pimienta blanca
laurel, sal, berros

Preparación

- Se limpia bien el cochinillo y se parte a lo largo, abriéndolo por el vientre y por el centro de su espina dorsal.
- Los dos trozos resultantes se dejan un par de días en un adobo que se prepara mezclando aceite crudo y zumo de limón en la proporción de una parte de limón por dos de aceite, una pizca de pimienta blanca molida y una hoja de laurel desmenuzada.
- Sin nada de sal.
- Cuando vaya a asarse se retira el adobo, se seca con un paño y se salpica de sal.
- Se pone en una asadora de barro, se rocía con manteca de cerdo derretida y se asa al horno, que no debe estar muy fuerte, ya que el asado se ha de hacer despacio por su mucha grasa.
- Cuando haya tomado color, se riega con el vino blanco y se deja de nuevo en el horno, regándolo a menudo con su jugo hasta que éste se consuma y el cochinillo esté tierno.
- Se deja reposar unos minutos y se sirve en la misma cazuela, siempre con poco jugo, con un montón de berros en cada extremo y una buena ensalada por separado.
- Es conveniente servirlo muy tostado para que la carne no resulte muy grasienta.

Cochinillo asado a las hierbas

Tiempo 2 horas
Comensales 4 personas
Dificultad media

Ingredientes

1 cochinillo pequeño
tomillo, orégano
aceite, albahaca
1 vaso de vino blanco
sal

Preparación

- Para elaborar este plato se debe escoger un cochinillo joven y tierno, de alrededor de mes y medio.
- Se corta en dos partes a lo largo y se limpia, vaciándole de vísceras si es que se ha comprado entero.
- Se sazona y condimenta con las hierbas aromáticas y se unta por dentro y por fuera con un poco de aceite.
- Se pone el horno a calentar a fuego más bien flojo y, pasados 10 minutos, se introduce la bandeja con el cochinillo.
- Se tiene en el horno aproximadamente una hora y media, rociándolo de vez en cuando con el jugo que va soltando.
- Pasado ese tiempo, se vuelve a rociar con agua y vino blanco, probándolo de sal.
- Cuando la salsa esté casi consumida, se sirve trinchado en trozos grandes.
- El cochinillo debe quedar con un bonito color dorado.
- Lo clásico, según la tradición castellana que todavía se conserva el algunos restaurantes (y hogares) segovianos, es trincharlo con un plato ya que el asado está muy tierno.

Cocido andaluz

Tiempo 3 horas y 45 minutos, más el remojo
Comensales 6 personas
Dificultad media

Ingredientes

1/2 kg de garbanzos
1/2 kg de morcillo de vaca
un cuarto de gallina
1/2 kg de patatas
250 g de judías verdes
100 g de calabaza
1 pimiento verde
1 tomate grande
150 g de tocino
1 chorizo de guisar
1 hueso de jamón
cominos, vinagre, sal

PREPARACIÓN

- Poner en remojo los garbanzos la noche anterior.
- Limpiar las judías verdes y trocearlas.
- Pelar las patatas y trocearlas.
- Llenar de agua fría una olla grande y añadir la carne de morcillo, la gallina, el tocino y el hueso de jamón.
- Cuando el líquido se temple, incorporar los garbanzos.
- Cocer a fuego lento alrededor de 3 horas.
- Añadir entonces el chorizo, las judías verdes y las patatas, la calabaza, y el pimiento y el tomate enteros.
- Sazonar.
- Pasada media hora, sacar el pimiento, el tomate y una cucharada de garbanzos y majarlos con un poco de cominos.
- Agregar unas gotas de vinagre y un poco de caldo de cocción, diluir el majado y echar de nuevo al puchero.
- Remover y dejar cocer unos minutos más.
- Servir en una fuente los garbanzos y las verduras y en otra, las carnes.

Cocido castellano

Tiempo 60 minutos
Comensales 6 personas
Dificultad media

INGREDIENTES

300 g de garbanzos
300 g de carne de vaca (morcillo)
1 despojo de gallina
1 chorizo
100 g de tocino saladillo
1 punta de jamón
1 hueso fresco de caña
1 repollo, 1/2 kg de patatas
1 cebolla, ajos
pasta fina para sopa, sal

PREPARACIÓN

- La víspera se echan en remojo los garbanzos.
- Se ponen en la olla la carne, los garbanzos, la cebolla asada en la placa, el tocino, la punta de jamón, los huesos y un poco de sal.
- Se tapa y se pone a calentar.
- Cuando salga una columnita de humo por la chimenea de la olla se pone la válvula y se deja que tome presión.
- Ya con la presión necesaria, se rebaja un poco el fuego, dejándolo cocer durante 15 minutos.

- Pasado ese tiempo, se deja enfriar la olla, se abre y se echan las patatas, peladas y lavadas, y el chorizo.
- Se vuelve a tapar la olla y se deja calentar nuevamente para que tome presión y cueza 5 minutos más.
- Se vuelve a enfriar y, ya fría, se abre y se pasa el caldo y todo lo demás a otra cacerola.
- Se pone el repollo picado en la olla, se echa 1/2 vaso de agua y un poco de sal, se tapa y se vuelve a calentar dejando cocer a presión durante 10 minutos.
- Se enfría, se saca el repollo, se escurre bien y se rehoga en una sartén con aceite frito y unos ajos.
- Se hace una sopa de pasta con el caldo y se sirve como primer plato.
- Los garbanzos, las patatas, la verdura y la carne se sirven después en una fuente, con el tocino y el chorizo trinchados alrededor.
- El cocido castellano se puede acompañar de tomate frito servido en una salsera aparte.

Cocido con albóndigas de Guadalajara

Tiempo 3 horas
Comensales 6 personas
Dificultad media

Ingredientes

300 g de garbanzos
300 g de carne de morcillo
un despojo de gallina
100 g de tocino saladillo
1 chorizo, 1 punta de jamón
1 hueso de caña, 1 repollo
1/2 kg de patatas
1 cebolla, ajo, sal
Para las albóndigas:
1 kg de carne picada
1 yema de huevo
1/2 diente de ajo
100 g de pan mojado en leche
harina o pan rallado para rebozar
perejil, pimienta, sal

Preparación

- Se prepara el cocido tal como se ha explicado para el cocido castellano pero, antes de que esté listo por completo, se añaden las albóndigas.
- Para prepararlas, se amasan todos los ingredientes y se forman unas albóndigas apretadas que se rebozan en harina o pan rallado.

- Se les da un hervor en el caldo del cocido.
- En otras zonas de Castilla en lugar de albóndigas pequeñas se hace un albondigón redondo o alargado que, dado su tamaño, se cuece 15 o 20 minutos tras haberlo rebozado en harina o pan rallado.
- Este cocido se suele llamar «cocido relleno» y es típico comerlo en fiestas y ferias.

Cocido de alubias blancas

Tiempo 3 horas
Comensales 6 personas
Dificultad media

Ingredientes

1/2 kg de alubias blancas
50 g de tocino
1 chorizo
1 morcilla delgada
1/2 cebolla
1 diente de ajo
3 o 4 cucharadas de aceite
1 rama de perejil
pimienta, sal

Preparación

- Se ponen a cocer las alubias (si son secas con agua fría, rompiendo por tres veces el hervor y añadiendo cada vez medio vasito de agua fría; si son recién recolectadas se ponen a cocer con agua templada); se añade el tocino y la morcilla, previamente pinchada por varios sitios con un alfiler (hay que tener cuidado para que no se reviente y que esté siempre bien cubierta de líquido) y se hace cocer despacio para que las alubias no se rompan.
- Al cabo de una hora se retira la morcilla y se reserva.
- Se pone una sartén al fuego, se calienta el aceite y se añade el chorizo partidos en rodajas; se hace sofreír un poco, se añade la cebolla bien picadita, el ajo y el perejil, se sofríe durante unos minutos, se echa entonces todo en una cazuela, se añaden las alubias y se deja cocer muy lentamente.
- Si el caldo resultara delgado se engorda pasando unas alubias por el chino y añadiendo lo pasado a la salsa.
- En un poco de aceite se fríe la morcilla.
- El cocido de alubias se sirve con el tocino y la morcilla, partida en rodajas, colocados por encima.

Cocido madrileño

Tiempo 4 horas
Comensales 4 personas
Dificultad media

Ingredientes

200 g de garbanzos
400 g de carne de vaca
100 g de magro de cerdo
un cuarto de gallina
350 g de lacón (optativo)
1 chorizo pequeño
100 g de tocino de jamón
1 hueso de caña
4 patatas medianas
2 zanahorias, 2 puerros
1 nabo, 1/2 col, 1 cebolla (optativo)
fideos finos, hierbabuena
sal gorda (marina)

Preparación

- Se ponen los garbanzos a remojo la noche anterior en agua fría abundante y con sal gorda (marina).
- Se desala el lacón, desde la noche anterior, cambiándole de agua por lo menos tres veces.
- El lacón es optativo, pero le da un toque muy especial.
- Se ponen en un puchero (proporcional a la cantidad de cocido que se quiera hacer) todas las carnes, el tocino de jamón, el lacón, los huesos, la gallina y el chorizo, y se añade agua fría y un poco de sal.
- Se cuece a fuego vivo; cuando empiece a hervir, se retira toda la espuma que haya soltado y se deja cocer durante 1 hora.
- Pasado ese tiempo, se añaden los garbanzos escurridos (metidos en una redecilla para que no se rompan, y pasados antes por agua caliente para que no bajen la temperatura).
- Se sala, pero muy ligeramente, porque el jamón y el chorizo aportan sal.
- Se vuelve a espumar, cuidando de retirar bien toda la espuma.
- Se baja el fuego para que la cocción siga lentamente dos horas y media (si es en olla exprés, 20 minutos).
- En otro puchero se cuecen las zanahorias, los puerros, los nabos, la col, las patatas y la hierbabuena, durante una hora.
- Cuando haya terminado la cocción en las dos ollas, se sacan los ingredientes y se mezclan los caldos en una de las ollas, manteniendo el hervor para hacer la sopa.
- Se escurren los ingredientes y se colocan en dos fuentes (las carnes, el chorizo, el lacón y el tocino en una, y las verduras, los garbanzos y las patatas en otra).
- Por último, se añaden los fideos al caldo para que cuezan durante 10 minutos.

Cocido montañés

Tiempo 2 horas y 30 minutos, más el remojo
Comensales 6 personas
Dificultad media

Ingredientes

1 kg de alubias blancas
1/2 kg de tocino de hebra
1 oreja de cerdo
un trozo de morro de cerdo
3 chorizos, 1 morcilla, 2 huesos
1 kg de berzas, 1 patata
2 puerros, 1 zanahoria
1 pimiento verde
6 dientes de ajo
pimentón dulce, aceite, sal

Preparación

- Poner en remojo las alubias la noche anterior.
- Limpiar la zanahoria, los puerros y el pimiento y trocearlos.
- Pelar los ajos.
- Llenar de agua fría una olla grande y añadir las alubias, el morro y la oreja de cerdo, el tocino, los huesos, la zanahoria, los puerros, el pimiento, 3 dientes de ajo y 3 cucharadas soperas de aceite.
- Dejar cocer lentamente durante 1 hora, añadiendo agua fría de cuando en cuando para romper el hervor.
- Aparte, lavar la berza, escurrirla y partirla en juliana.
- Cocer durante 20 minutos y añadir al puchero con las alubias.
- Pelar la patata y trocearla.
- Incorporar a la olla la patata, los chorizos y la morcilla.
- Tapar y dejar cocer otra hora más.
- A los 40 minutos de cocción, calentar en una sartén 5 cucharadas de aceite de oliva y freír los dientes de ajo restantes.
- Separar la sartén del fuego e incoporar un pellizco de pimentón.
- Remover rápidamente e incorporar este sofrito a la olla.
- Probar y rectificar de sal.
- Cuando termine el tiempo de cocción, servir muy caliente en la misma olla.

Cocochas albardadas

Tiempo 60 minutos
Comensales 6 personas
Dificultad media

Ingredientes

1 kg de cocochas de merluza
100 g de harina
2 huevos, 2 dientes de ajo
4 limones, 100 ml de aceite
1 lechuga, sal

Preparación

- Se limpian las cocochas con sumo cuidado, quitando las espinas y suprimiendo los trozos de piel.
- Se salan y se enharinan, chocándolas entre las palmas de las manos para que empapen sólo la cantidad de harina precisa.
- Se pasan por huevo y se escurren.
- En una sartén amplia se calienta el aceite y se fríen los dientes de ajo, que habrá que retirar en el momento en que comiencen a dorarse.
- Se baja la intensidad de la llama y a fuego lento se comienzan a freír las cocochas en pequeñas cantidades, para que no se peguen.
- Hay que tener mucho cuidado con el punto; no deben freírse demasiado, pues perderían su textura y sabor.
- El punto de la cocochas se obtiene cuando la carne conserva su jugo, por tanto, deben estar poco tiempo en la sartén.
- Una vez fritas, se colocan sobre un papel absorbente para que empape el aceite sobrante, y calientes, se colocan en una fuente sobre un lecho de lechuga partida en fina juliana y adornada con los limones en gajos, con cuyo jugo se rocían a voluntad cada una de las piezas.

Codornices en pimientos

Tiempo 45 minutos
Comensales 4 personas
Dificultad media

Ingredientes

8 codornices
8 pimientos verdes grandes
100 g de beicon en lonchas
aceite, sal

Preparación

- Para preparar las codornices primero se despluman, después se flamean con alcohol para quitar la pelusa y, por último, se vacían (en el mercado pueden encontrarse ya preparadas) y se salan por dentro y por fuera.
- Se envuelve cada una con una loncha de beicon (tocino ahumado).
- Se corta la parte superior de los pimientos, se vacían y se mete una codorniz dentro de cada uno.
- En una cazuela con un poco de aceite se guisan a fuego lento, para que se hagan con el jugo que vayan soltando los pimientos y el beicon.
- Se voltean con cuidado de no romper el pimiento y se mantienen durante unos 40 minutos al fuego.
- Se sirven en una fuente, bañadas con su jugo.

Cola de pescadilla rellena

Tiempo 2 horas
Comensales 6 personas
Dificultad media

Ingredientes

1 kg de pescadilla
(cola ancha)
300 g de gambas
100 g de jamón picado
2 huevos cocidos
125 g de mantequilla
ajo, jerez
pan rallado
zumo de limón
aceite, perejil, sal
1/2 kg de espinacas cocidas para acompañar
Para la crema:
1/4 l de caldo de pescado
15 g de harina
2 cucharadas de jerez seco
25 g de mantequilla
zumo de limón

Preparación

- Se abre la cola del pescado por uno de los lados y se le quita la espina.
- Se pica un diente de ajo, perejil y sal; cuando esté picado, se añade el zumo de un limón y 5 cucharadas de aceite.
- Con este preparado se frota el pescado por dentro y, después, se rellena con la mantequilla en bolitas, las gambas peladas y los huevos duros en rodajas.
- Se cubre con un picadillo de jamón y se cierra la cola, cosiéndola con hilo fino.
- En una placa besuguera untada con mantequilla se pone la cola, cubriéndola con bolas de mantequilla, jerez y pan rallado.
- Se mete al horno unos 20 minutos.
- Mientras, se hace una crema con la mantequilla, harina y caldo de pescado y, al retirarla del fuego, se echa jerez y el jugo del limón.
- En una fuente larga se coloca la cola y, bordeando la fuente, las espinacas cocidas y salteadas con mantequilla.
- La crema se sirve aparte.
- Es muy conveniente quitarle la piel al pescado al salir del horno y antes de decorarlo.

Coliflor a la bilbaína

Tiempo 60 minutos
Comensales 6 personas
Dificultad media

Ingredientes

1 coliflor grande, 1/2 kg de patatas
1/2 kg de bacalao, 200 ml de aceite
4 dientes de ajo, 2 limones
guindilla, leche, sal

Preparación

- El bacalao se pone a remojo la noche anterior con la piel hacia abajo.
- Cuando se vaya a utilizar hay que quitarle la piel y las espinas.
- Se pone a cocer la coliflor en agua hirviendo con sal y un poco de leche, para que se conserve muy blanca (se puede cocer entera o en cogollos).
- Las patatas se pelan, se cortan en trozos no muy grandes y se cuecen junto con la coliflor o en recipiente aparte.
- Cuando la coliflor esté cocida, se retira la mayor parte del agua empleada y se añade el bacalao, dándole un hervor junto con las patatas y la coliflor.
- Se escurre todo y se pone en una cazuela de barro; debe quedar sin apenas caldo. Se doran los ajos en el aceite y, cuando estén, se añade la guindilla, una cucharada del caldo de la coliflor y otra de zumo de limón.
- Se vierte este sofrito por la superficie de la fuente y se sirve muy caliente.

Coliflor al ajo arriero

Tiempo 30 minutos
Comensales 4 personas
Dificultad media

Ingredientes

1 coliflor mediana
4 dientes de ajo
100 ml de aceite de oliva
2 cucharadas de vinagre
leche
pimentón
perejil
sal

Preparación

- Se cuece la coliflor entera en agua hirviendo con unas cucharadas de leche y sal durante unos 20 minutos.
- Se escurre muy bien y se pone en una fuente redonda.
- En el mortero se machacan 2 dientes de ajo y una cucharada de perejil pi-

cado, se añade sal y se hace una pasta con cuatro cucharadas de aceite y un poco del caldo de cocción de la coliflor.
- En una sartén se pone el resto del aceite, se calienta y se fríen los otros 2 dientes de ajo; una vez dorados, se añade 1/2 cucharadita de pimentón y 2 cucharadas de vinagre.
- Se une lo anterior al majado del mortero, se vierte por encima de la coliflor y se sirve muy caliente.

Compota de manzana

Tiempo 45 minutos
Comensales 4 personas
Dificultad media

Ingredientes

1 kg de manzanas reineta
4 cucharadas de azúcar
1 ramita de canela
1 cucharada de ron (opcional)

Preparación

- Se pelan las manzanas, se les quita el corazón y se cortan en trozos no muy pequeños.
- Se ponen en un cazo al fuego, se espolvorean con las cuatro cucharadas de azúcar y se añade la canela en rama.
- Se deja que cueza durante 35 minutos y se enfría antes de servirla.
- Para darle un toque de sabor, puede añadirse una cucharada sopera de ron.

Compota de manzana para asados

Tiempo 15 minutos
Comensales 4 personas
Dificultad media

Ingredientes

1 kg de manzanas verdes
1 cucharada de calvados (brandy de manzana)
1 terrón de azúcar (o 1 cucharadita)
20 g de mantequilla salada
pimienta
sal

Preparación

- Una vez peladas y troceadas las manzanas, se ponen en la olla exprés con sal y pimienta.
- Se dejan hacer durante 5 minutos.
- La olla se abre después de dejarla templar.
- Las manzanas cocidas se echan en un cuenco y se les agrega el calvados, la mantequilla y el azúcar.

- Después, se pasan por el pasapurés y ya está lista la compota.
- Sólo habrá que calentarla cuando se vaya a servir.
- Esta compota acompaña muy bien a los asados de carnes grasas, como el cerdo, y sustituye al tradicional puré de patatas.

Compota tradicional

Tiempo 45 minutos
Comensales 4 personas
Dificultad media

Ingredientes

4 manzanas reineta maduras
100 g de azúcar moreno
1 limón, canela en rama

Preparación

- Se pelan las manzanas y se elimina el corazón; se ponen a cocer con un poco de agua y el zumo de medio limón (tardarán unos 30 minutos).
- Se escurren y se reducen a puré.
- Se vuelve a poner la pulpa en el recipiente, se añade el azúcar y se deja cocer unos minutos.
- Por último, se incorporan la canela y la corteza de limón ralladas.
- Esta compota se puede servir fría o caliente.

Conejo a la naranja

Tiempo 1 hora y 30 minutos
Comensales 4 personas
Dificultad media

Ingredientes

1 conejo tierno
2 naranjas grandes
1/2 cebolla
1/2 cucharada de harina, aceite
1 ramito de hierbas aromáticas
1 vasito de vino blanco
perejil picado, sal

Preparación

- En una cazuela se rehoga la cebolla pelada y picada; cuando esté blanda, se añade el conejo troceado.
- Cuando los pedazos estén bien dorados, se espolvorean con harina, se mezcla todo bien y se rocía con el vino blanco.
- Se incorporan entonces unos trozos de corteza de naranja y las hierbas aromáticas.
- Se sazona y se deja que cueza a fuego lento durante 1 hora.
- Pasado ese tiempo, se añade el zumo de 2 naranjas y se deja que siga cociendo 20 minutos más.
- Se sirve espolvoreado con perejil picado.

Conejo al ajillo

Tiempo 60 minutos
Comensales 4 personas
Dificultad media

Ingredientes

1 conejo tierno troceado
10 dientes de ajo
100 ml de aceite
1 vasito de vino blanco
3 granos de pimienta negra
perejil
sal

Preparación

- Se limpia bien el conejo y se sumerge en agua con sal durante 10 minutos (tiene que estar completamente cubierto).
- Mientras, se machacan en el mortero los ajos, la pimienta, mucho perejil y un poco de sal.
- Cuando todo esté bien majado y mezclado, se añade el aceite, poco a poco y revolviendo bien, hasta conseguir una emulsión fina.
- Se sacan los trozos de conejo del agua, se secan muy bien y se untan con la pasta hecha anteriormente.
- Así preparados, se colocan en una fuente de horno y se riegan con el vino blanco y un vasito de agua.
- Mientras se asan, conviene regarlos de cuando en cuando con la salsa.
- Se sirven cuando la carne esté tierna.

Conejo escabechado

Tiempo 1 hora y 15 minutos
Comensales 4 personas
Dificultad media

Ingredientes

1 conejo tierno troceado
3 dientes de ajo
1 vaso de aceite, 2 hojas de laurel
1 vaso de vinagre de vino
6 granos de pimienta
sal

Preparación

- En una sartén se fríen los trozos de conejo y, cuando estén bien dorados, se depositan en una cazuela.
- En la misma sartén se rehogan los dientes de ajo, las hojas de laurel y los granitos de pimienta.
- Se separa la sartén del fuego y se añaden el vinagre y un vaso de agua.
- Se mezcla todo bien y se vierte sobre el conejo.
- Si no lo cubre entero, puede añadirse un poco más de agua.

- Se sazona y se cuece a fuego lento, con la cazuela tapada, durante 1 hora, o hasta que la carne esté tierna.

Congrio en salsa blanca

Tiempo 1 hora y 15 minutos
Comensales 4 personas
Dificultad media

Ingredientes

4 ruedas de congrio
150 g de cebollitas pequeñas
100 ml de vino blanco
100 g de mantequilla
100 ml de aceite
harina, perejil
pimienta, sal

Preparación

- En una cazuela se ponen 50 g de mantequilla, el aceite, el congrio y las cebollitas alrededor.
- Se deja dorar y, en ese punto, se incorpora el vino blanco, se sazona con sal, pimienta y perejil, se tapa y se deja cocer lentamente 40 minutos, a fuego lento, moviendo la cazuela de cuando en cuando.
- Para preparar la salsa, se derrite en una sartén el resto de la mantequilla, se incorpora una cucharadita de harina, se rehoga un poco y se va echando el jugo de cocer el pescado, dejando que hierva unos minutos (si resulta algo espesa se añade un poco de leche).
- En una fuente larga se coloca el pescado con las cebollitas y cubierto con la salsa.

Congrio estofado al estilo de Vivero (Lugo)

Tiempo 60 minutos
Comensales 6 personas
Dificultad media

Ingredientes

1 kg de congrio, 1 cebolla grande
1 vaso de vino blanco
2 cucharadas de harina
125 ml de aceite, pimienta, sal

Preparación

- Se limpia el congrio y se seca con un paño, se salpimenta y se reboza bien en harina.
- Se pone el aceite en una sartén y, cuando esté a buena temperatura, se echa el congrio para rehogarlo, reservándolo después de bien escurrido.
- En este mismo aceite se rehoga la cebolla picada.

- En una cazuela aparte se coloca el congrio rehogado, añadiéndole el aceite con las cebollas, cuando éstas se hayan dorado, un vaso de vino blanco y otro de agua o caldo y un poco de pimienta blanca.
- Se deja en el fuego hasta que el pescado esté bien cocido y la salsa esté suficientemente espesa.
- Se sirve con la salsa y, si se quiere, se adorna con unas tostaditas de pan o unas patatas fritas.

Consomé de ave

Tiempo 3 horas
Comensales 6 personas
Dificultad media

Ingredientes

1 gallina
1/2 kg de carne magra de vaca
100 g de carne picada moldeada en forma de bola
3 huesos de caña y rodilla, cebollas zanahorias, tomates, apio perejil, sal, 2 l de agua

Preparación

- Se ponen a cocer todos los ingredientes, menos la gallina, con agua fría.
- Se dejan cocer muy suavemente durante una hora y media.
- Conforme se vaya consumiendo el agua, se va añadiendo más todas las veces que sea necesario.
- Se retira del fuego y se deja enfriar.
- Entonces, se añade la gallina partida en cuartos y se vuelve a cocer 1 hora a fuego muy suave.
- Manera de clarificar un consomé: una vez frío, se añaden dos claras de huevo y se pone a cocer sin dejar de mover.
- Cuando empiece a hervir, se corta la ebullición con unas cucharadas de agua fría y se deja hervir de nuevo unos minutos más.
- Se cuela por una servilleta mojada en agua fría y se añade una copa de jerez seco.

Cordero a la alcarreña (Guadalajara)

Tiempo 2 horas
Comensales 6 personas
Dificultad media

Ingredientes

1 kg de cordero
150 g de alubias blancas
1/4 kg de tomates
1/4 kg de cebolletas
6 cucharadas de aceite
pimienta, sal

PREPARACIÓN

- Se parte la carne en trozos no muy grandes, después de quitarle los huesos y partes no comestibles.
- Las alubias se tienen previamente en remojo en agua con bastante sal; los tomates se pelan y se tienen un rato antes aliñados con unas gotas de aceite, sal y una pizca de pimienta.
- Para preparar el guiso se pone todo en una cacerola grande y, después de cubrirlo con 6 cucharadas de aceite y el resto de agua, se pone a cocer en una buena lumbre.
- El guiso podrá servirse cuando las alubias estén en su punto.
- No importa que la carne, que se habrá cocido antes, esté un poco pasada de su punto.

Cordero a la segoviana

Tiempo 1 hora y 30 minutos
Comensales 6 personas
Dificultad media

INGREDIENTES

1 kg de cordero, 150 ml de aceite
1 vaso de vino blanco
2 cebollas grandes
ajo, perejil, laurel, vinagre, pan
pimienta, sal

PREPARACIÓN

- Se calienta el aceite en una cazuela y se rehoga en él la cebolla picada muy menuda.
- Luego se añade el cordero bien troceado y se rehoga, sazonándolo con sal y pimienta.
- Mientras se va rehogando, se fríe aparte una tostada de pan, que seguidamente se empapa en vinagre y se maja en un mortero juntamente con un par de dientes de ajo, el perejil y una hoja de laurel.
- Una vez majado, se echa todo sobre el cordero, añadiendo un vasito de vino blanco y el agua necesaria para la cocción.
- Se tapa la cazuela y se deja cocer despacio hasta que el cordero esté tierno.
- Se sirve bien caliente.

Cordero al ajillo

Tiempo 2 horas
Comensales 6 personas
Dificultad media

Ingredientes

1 y 1/2 kg de pierna de cordero o paletilla
50 g de ajos
400 ml de salsa de tomate
75 g de manteca de cerdo
2 cubitos de caldo de carne
1/4 l de agua
1 cucharada de pan rallado
zumo de limón
pimienta
sal

Preparación

- La pierna se deshuesa y se parten unos filetes de 6 centímetros de diámetro.
- Se pone la manteca en una cazuela al fuego y, cuando esté caliente, se echan los ajos picados, el pan rallado, la salsa de tomate, agua hirviendo con las pastillas de caldo disueltas, sal, pimienta y un chorrito de zumo de limón; se tapa la cazuela y se deja cocer a fuego lento hasta que esté tierno (aproximadamente una hora y media).
- Se presenta en una fuente larga donde se colocan los filetes acaballados, se les echa la salsa por encima y se adorna con patatas fritas o arroz blanco.

Cordero al chilindrón

Tiempo 1 hora y 15 minutos
Comensales 6 personas
Dificultad media

Ingredientes

1 y 1/2 kg de cordero
100 g de chorizo
50 g de punta de jamón
1 vaso de vino blanco
5 cucharadas de aceite
1 cebolla, azafrán, ajos
hierbabuena, tomillo, albahaca, sal

Preparación

- Conviene que el cordero sea un término medio entre el lechal y el pascual.
- Para este guiso, el cordero se parte en trozos de tamaño regular, que se espolvorean con sal fina.
- En una cazuela de barro que pueda presentarse en la mesa, se calienta aceite hasta que hierva y en él se fríen a un tiempo la cebolla picada, tres dientes de ajo enteros y unas he-

bras de azafrán. A continuación se hace lo mismo con el chorizo y la punta de jamón, bastante desmenuzados, y luego con los tomates, pelados y partidos.

- Se rehoga todo, se añaden los trozos de cordero y, después de freírlos un poco, se moja con el vino y agua caliente en cantidad suficiente para que cubra todo.
- También se adicionan cantidades prudenciales de hierbabuena, tomillo y albahaca.
- En esta disposición se deja a fuego suave y cociendo hasta que la carne esté tierna, en cuyo momento puede servirse en la misma cazuela.

Cordero asado

Tiempo 60 minutos
Comensales 2 personas
Dificultad media

Ingredientes

1/2 kg de cordero lechal
100 ml de aceite, limón, sal

Preparación

- Desde la víspera, se unta el cordero con el aceite, limón y sal.
- Así preparado, se coloca en una cazuela de barro caliente y se pone al fuego, cambiándolo de posición de cuando en cuando hasta que quede bien dorado por todas partes, debiendo mantenerse el fuego muy vivo.
- Cuando esté bien dorado, se mete en el horno y se deja que siga asándose a fuego lento hasta que esté muy tierno.
- En el momento de servirlo se rocía con zumo de limón y se presenta en la mesa en la misma cazuela que se ha utilizado para asarlo; de esta manera se mantendrá caliente.

Cordero asado a la castellana

Tiempo 2 horas
Comensales 6 personas
Dificultad media

Ingredientes

1 cordero lechal
400 g de cebollas
6 dientes de ajo
1 vaso de vino blanco
1/4 kg de manteca de cerdo
clavo, orégano, perejil, sal

Preparación

- Se corta el cordero en canal.
- Se machaca en el mortero una cucharada de sal con un poco de oré-

gano y se frota con ello el cordero; luego se unta con manteca.

- En el mortero se vuelven a machacar los ajos, el perejil y los clavos con un poco de orégano; se disuelve el majado con el vino y un vaso de agua y se añaden las cebollas, peladas y cortadas en aros.
- Se rocía el cordero con este adobo y se deja macerar durante 3 horas.
- Pasado ese tiempo, se pone el cordero en una fuente de horno y se asa hasta que esté dorado por ambos lados.
- Durante la cocción se riega varias veces con su propio jugo.

Cordero asado con patatas

Tiempo 1 hora y 30 minutos
Comensales 4 personas
Dificultad media

Ingredientes

1 pierna de cordero
1/2 kg de patatas cocidas
5 dientes de ajo
1/2 vaso de vino blanco
80 g de manteca de cerdo, sal

Preparación

- Se derrite la manteca en una cazuela, se echan los dientes de ajo enteros y, cuando estén ligeramente dorados, se pone el cordero, previamente frotado con sal; se deja dorar y se mete al horno hasta que esté tierno.
- Se saca y a la salsa se le añade el vino y agua, dejándolo cocer.
- En una fuente se coloca el cordero acompañado de unas patatas cocidas y salteadas en la salsa de cordero, y en una salsera, la salsa.
- Se puede acompañar de una ensalada de lechuga y tomate.

Cordero asado con vino blanco

Tiempo 2 horas
Comensales 4 personas
Dificultad media

Ingredientes

1 kg de cordero (pierna)
2 rodajas de cebolla, 2 dientes de ajo, 50 g de manteca de cerdo
1 vaso de caldo de carne
1 vaso de vino blanco
vinagre, 1 hoja de laurel
pimienta en grano, perejil picado

Preparación

- En el fondo de una cazuela se colocan las rodajas de cebolla, el laurel,

los granos de pimienta y, encima de todo ello, el cordero.

- Se sazona y se unta con la manteca de cerdo.
- Se mete la cazuela en el horno para que la carne se ase bien y quede doradita, rociándola con el vino blanco y el caldo de carne durante su cocción.
- Con un poco de grasa del asado, se fríen en una sartén los ajos y el perejil picado. Antes de que tomen color se agrega un chorrito de vinagre y se deja cocer unos minutos, añadiéndole parte del jugo que haya soltado el cordero.
- Se retiran el laurel y la pimienta, y se rocía el cordero, aún en el horno, con este baño. Se asa 10 minutos más.

Cordero con vino tinto a la burgalesa

Tiempo 1 hora y 30 minutos
Comensales 6 personas
Dificultad media

Ingredientes

1 kg de cordero
2 vasos de vino tinto
100 g de tocino
200 g de cebolletas
200 g de champiñones
1 cucharada de harina
50 g de manteca de cerdo
pimienta, pimentón
laurel, tomillo, sal

Preparación

- Se calienta la manteca de cerdo en una cazuela de barro, se corta el tocino en daditos y se rehoga; una vez rehogado se retira y en su grasa se fríen las cebolletas hasta que estén doradas, momento en que se agrega el cordero, que se habrá cortado en trozos.
- Cuando la carne tome color, se añade la harina diluida en el vino tinto y se condimenta con las especias. Se tapa la cazuela y se deja cocer a fuego suave durante unos tres cuartos de hora.

- Se limpian los champiñones, se cortan en láminas finas y se añaden a la cazuela unos momentos antes de dar por finalizada la cocción. Se sirve en la misma cazuela de barro, bien caliente.

Cordero estilo rústico

Tiempo 15 minutos
Comensales 4 personas
Dificultad media

Ingredientes

4 filetes de pierna de cordero
8 lonchas de tocino ahumado (beicon)
20 g de mantequilla
1 diente de ajo
perejil picado mezclado con perifollo
nuez moscada, pimienta, sal

Preparación

- Se derrite la mantequilla en una sartén y se rehogan en ella las lonchas de tocino ahumado.
- Una vez que éstas estén doradas, se pasan a una fuente.
- En la misma sartén se rehogan los filetes de cordero, sazonándolos con sal y pimienta al gusto.
- Luego se agrega una pizca de nuez moscada, el ajo picado y las hierbas aromáticas.
- Se pone a fuego lento unos instantes y, a continuación, se distribuyen por encima las lonchas de tocino ahumado, quedando listo para servir.

Cordero guisado

Tiempo 1 hora y 30 minutos
Comensales 6 personas
Dificultad media

Ingredientes

1 y 1/2 kg de cordero
75 g de tocino de jamón
1/2 kg de pimientos
150 g de tomates, 100 g de cebolla
2 dientes de ajo
1 ramita de perejil
6 cucharadas de aceite
harina, pimienta, sal

Preparación

- Debe escogerse de la parte delantera; se corta en trozos regulares.
- En una sartén con el aceite caliente, se echa la cebolla picada, el ajo y el perejil y se fríen lentamente. Cuando estén tiernos, se agregan los tomates, pelados y cortados en trocitos y se fríen.

• Aparte, en una cazuela de barro se pone cl tocino de jamón picado y una cucharada de aceite, después se agregan los trozos de cordero, salpimentados y pasados por harina, y se van rehogando lentamente.
• Posteriormente se añaden la salsa de tomate preparada anteriormente y los pimientos cortados en tiras.
• Se sazona y se deja cocer muy despacio y tapado hasta que el cordero esté tierno. Se sirve en la misma cazuela espolvoreado con perejil picado.

Crema catalana

Tiempo 30 minutos
Comensales 6 personas
Dificultad media

Ingredientes

1 l de leche, 8 huevos
200 g de azúcar, más la del caramelo
una rama de vainilla
la corteza de 1 limón
50 g de almidón comestible o maizena

Preparación

• En un cuenco se ponen las yemas con el azúcar y se baten hasta obtener una crema espumosa.
• Aparte, se diluye el almidón en un poco de leche fría, se cuela y se vierte en un cazo con el resto de la leche, la corteza de limón y la rama de vainilla. Se agrega el batido de yemas y azúcar y se mezcla todo bien.
• Se pone el cazo a fuego lento, removiendo la preparación continuamente con una cuchara de madera para que no se formen grumos. Es muy importante que no llegue a hervir.
• Cuando espese la crema, se retira del fuego y se reparte en cucncos individuales, o mejor en cazuelitas de barro.
• Se deja enfriar y se conserva en el frigorífico hasta el momento de servir.
• Entonces, se espolvorea cada cazuela con abundante azúcar y se quema.

Crema de ave reina

Tiempo 1 hora y 45 minutos
Comensales 8 personas
Dificultad media

Ingredientes

2 pechugas de pollo
2 cucharadas de maizena
2 yemas de huevo, 200 ml de leche
200 ml de nata líquida
2 cucharadas de jerez
laurel, sal

Preparación

- Se ponen a cocer las pechugas en 2 litros de agua con el laurel y la sal.
- Se espuman de cuando en cuando y se cuecen durante una hora y cuarto.
- Pasado ese tiempo, se sacan las pechugas y se cuela el caldo.
- A éste se añaden la leche y la maizena.
- Se pone a cocer y se deja hervir durante 15 minutos, moviendo la crema con una espátula de madera para que no se pegue a la cacerola.
- Aparte, se disuelven las yemas en un poco de agua fría y se añaden a la cazuela cuidando de que el contenido no hierva para que no se corte.
- Se separa del fuego, se añaden la nata líquida y las pechugas cortadas en dados, y se mezcla bien.
- Se riega con el jerez y se sirve.

Crema de calabacines

Tiempo 45 minutos
Comensales 6 personas
Dificultad media

Ingredientes

2 kg de calabacines
1/2 l de caldo de verdura o pollo
200 g de queso fresco
8 cucharadas de nata líquida
pimienta, sal

Preparación

- Se pelan los calabacines y se cortan en trozos grandes.
- Se cuecen en el caldo durante media hora y después, se salpimentan.
- Cuando estén hechos, se pasan por la batidora o el pasapurés junto con el queso fresco.
- Se vuelve a calentar y se añade la nata líquida, procurando que no hierva la crema.
- Antes de añadir la nata, se puede condimentar la crema con unas hojas de albahaca y una ralladura de nuez moscada.

Crema de San José barcelonesa

Tiempo 1 hora y 45 minutos
Comensales 6 personas
Dificultad media

Ingredientes

6 huevos, 200 g de azúcar
1/2 l de leche fría
más 100 ml para
disolver el almidón
20 g de almidón de crema o
maizena
la corteza de 1 limón
1 palito de canela en rama

PREPARACIÓN

- En una cacerola se ponen las yemas de los huevos y 150 g de azúcar, se mezclan con una cuchara de madera y se añade medio litro de leche, previamente hervida con la corteza del limón y un palito de canela.
- Se pone la cacerola al fuego y se revuelve vivamente con la misma cuchara hasta que la crema esté bien caliente. Entonces se añade el almidón, diluido en la leche fría restante y pasado por un colador.
- Cuando se haya conseguido que espese, sin dejar que llegue a hervir, se quitan la corteza del limón y el palito de canela.
- A continuación se vierte en una fuente de porcelana y, una vez fría, se espolvorea con el resto del azúcar y se quema la superficie con una plancha.

Croquetas de bacalao

Tiempo 60 minutos
Comensales 6 personas
Dificultad media

INGREDIENTES

200 g de bacalao, 4 cucharadas de harina, 100 g de margarina
1 l de leche, 2 huevos, pan rallado aceite, sal (si fuese necesario)

PREPARACIÓN

- Se desala el bacalao la noche anterior, cambiándole de agua con frecuencia.
- Pasado el tiempo, se limpia y trocea fino.
- Se derrite la mantequilla en un cazo al fuego, se añade la harina y se tuesta unos minutos moviéndola constantemente. Se incorpora, poco a poco, la leche caliente sin parar de mover, mejor con un batidor de varillas.
- Se deja cocer la masa por lo menos 15 minutos. El bacalao se añade cuando todavía no esté terminada de cocer la bechamel; convendrá que esté bastante seco.
- Se vuelca la masa en un recipiente plano y se deja enfriar por completo.
- Entonces, se forman las croquetas, se pasan por huevo batido y pan rallado.
- Se fríen en abundante aceite muy caliente. Se sirven recién hechas.

Cuajada aromática

Tiempo 15 minutos
Comensales 4 personas
Dificultad media

Ingredientes

1 porción de cuajo (preparado comercial para cuajar la leche)
1 l de leche
zumo de 1 limón, miel

Preparación

- Se añade el cuajo a la leche para cortarla.
- Luego se agrega el zumo de limón y una cucharada de miel, removiendo ligeramente.
- Se deja en reposo durante 24 horas y la cuajada ya está lista para el consumo.
- El cuajo natural es una sustancia obtenida a partir del cuarto estómago de los rumiantes jóvenes.

Dulce de membrillo

Tiempo 60 minutos
Comensales 8 personas
Dificultad media

Ingredientes

12 membrillos gordos y amarillos
el peso de los membrillos en azúcar

Preparación

- Se cuecen los membrillos en la olla exprés durante 20 minutos.
- Se pelan y se pasa la pulpa por el pasapurés.
- Se añade el azúcar y se vuelve a cocer durante 30 o 35 minutos sin parar de mover.
- Se llenan con el dulce varios moldes o las bandejas del congelador y se envuelven en papel transparente cuando estén bien fríos.
- Así se conservan hasta el momento de consumirlos.

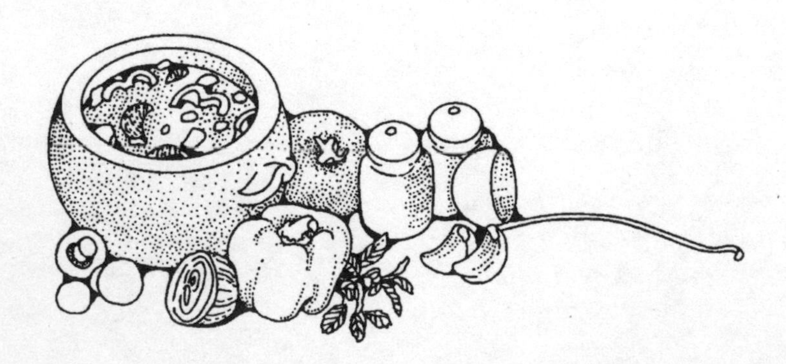

Dulces de Santa Clara

Tiempo 1 hora y 15 minutos
Comensales 4 personas
Dificultad media

Ingredientes

1 kg de harina, 1/2 kg de azúcar
2 huevos, 100 g de mantequilla
licor de anís, bicarbonato, leche

Preparación

- Sobre una mesa se coloca la harina, formando una montaña con un agujero en el centro. Allí se añaden el azúcar, los huevos, previamente batidos con un poco de leche, la mantequilla derretida y fría, y el anís.
- Se trabaja muy despacio, amasando como si fuera pan, hasta que quede toda la masa suave y flexible. Se agrega el bicarbonato y se sigue trabajando un rato para que mezcle bien.
- Se deja reposar la masa 30 minutos.
- Pasado ese tiempo, se enharina la mesa, se coloca la masa sobre ella y, con el rodillo de cocina, se extiende.
- Se cortan los dulces con moldes al gusto y se van colocando en una bandeja de horno, previamente engrasada con mantequilla y espolvoreada con harina. Se cuecen a horno fuerte hasta que estén dorados.
- Los dulces de Santa Clara deben su nombre a la religiosa fundadora de la orden de las Hermanas Clarisas.

Empanada de lomo a la gallega

Tiempo 1 hora y 15 minutos
Comensales 4 personas
Dificultad media

Ingredientes

masa de empanada congelada
500 g de lomo de cerdo
100 g de cebolla
1 vaso de vino blanco
50 g de manteca de cerdo
ajo, tomillo
orégano
pimentón
sal

Preparación

- Se descongela la masa de empanada.
- En una cazuela se pone el lomo con un adobo que se prepara machacando un par de dientes de ajo, tomillo, orégano, 1 cucharada de pimentón y la sal necesaria; se mezcla todo y se deslíe con vino blanco.
- Se mantiene el lomo en este adobo durante 24 horas, al cabo de las cua-

les se quita y se sofríe en la manteca con la cebolla picada.

- Cuando se haya rehogado, se le añade otro poco de vino blanco y se deja cocer hasta que se reduzca la salsa.
- Se prepara y rellena la empanada de la forma habitual y se cuece al horno.

Empanada de puerros a la abulense

Tiempo 1 hora y 30 minutos
Comensales 6 personas
Dificultad media

Ingredientes

6 puerros grandes
1 kg de harina
1/4 l de aceite
huevo batido, sal

Preparación

- En un recipiente de barro se mezclan el aceite, un poco de agua, la harina y la sal necesaria, y se trabaja todo hasta obtener una masa fina y compacta que se deja reposar un rato.
- Una vez sentada la masa, se cortan en tiras los puerros y se ponen a freír en una sartén.
- Cuando estén rehogados, se coloca la masa sobre la mesa y se estira con el rodillo, dejándola del grueso de unos 4 milímetros.
- Con ella se hacen unas tortas de 20 centímetros de diámetro, en el centro de las cuales se ponen unas cucharadas de puerros fritos y se tapan con otra torta igual, uniendo los bordes haciendo un cordón.
- Cuando todas estén hechas se barnizan con huevo batido y se cuecen al horno.

Empanada de sardinas

Tiempo 1 hora y 45 minutos
Comensales 8 personas
Dificultad media

Ingredientes

1/2 kg de harina, 15 g de levadura
100 g de manteca de cerdo
1/4 l de agua, huevo, sal
Para el relleno:
1 kg de sardinas
250 g de panceta
1/4 kg de tomates
2 cebollas, 50 ml de aceite

Preparación

- Se hace la masa mezclando el agua y la manteca derretida con la leva-

dura y la sal, deshaciendo los ingredientes con los dedos.

- Poco a poco, se va incorporando la harina.
- En el momento que se despegue la masa del cuenco, se vuelca sobre la mesa y se amasa bien.
- No debe quedar muy dura.
- Se deja reposar en un lugar templado y tapada hasta que doble su volumen.
- Mientras la masa sube, se limpian bien las sardinas, dejándolas sin cabeza ni espinas, se lavan bien para que no tengan ni una escama.
- Entonces, se sofríe en el aceite la panceta troceada y, una vez dorada, se incorpora la cebolla y se deja hacer.
- Se añaden los tomates escaldados, troceados, pelados y sin pepitas.
- Se dejan hacer lentamente hasta que pierda líquido.
- Se extiende la masa con el rodillo y se cubre con ella un molde desmontable.
- Se cubre con el refrito y se colocan encima las sardinas, espolvoreadas de sal.
- Se tapa la empanada con otra capa de masa y se cierran las dos partes haciendo un reborde (en el centro se deja una chimenea para que respire).
- Se adorna con los recortes de masa y se pinta toda la superficie con huevo batido.
- Se mete en el horno caliente, unos 200 ºC, alrededor de media hora.
- Se sirve fría o caliente.

Emperador (pez espada) guisado

Tiempo 60 minutos
Comensales 6 personas
Dificultad media

Ingredientes

1 kg de pez espada en filetes
1/2 kg de chirlas
1 cebolla grande, 2 dientes de ajo
100 ml de vino blanco
50 g de harina, 200 ml de aceite
azafrán, pimienta, sal

Preparación

- Se limpian y salpimentan los filetes de pescado, pasándolos por harina y dorándolos en aceite caliente, sin que queden del todo hechos.
- Se reservan poniéndolos en una cazuela de barro.
- Se lavan bien las chirlas en agua con sal para que pierdan la tierra.
- Se ponen en una cacerola al fuego con un poco de agua para que se abran.
- Se cuela el caldo por un trapo para que no caiga la arenilla y se reserva.

- A las chirlas se les quita una concha y se van dejando en la cazuela de barro con el pescado.
- En una cacerola se pone a calentar un poco del aceite de dorar el pescado.
- Se le añaden el ajo y la cebolla finamente picados y se deja estofar tapado; se añade el vino blanco, se deja reducir y se moja con el caldo de las chirlas.
- Aparte, se maja en el mortero un poco de sal y unas hebras de azafrán y se vuelcan en la cacerola.
- Se deja cocer esta salsa; cuando esté, se vierte en la cazuela de barro, sobre el pez espada y las chirlas.
- Se deja cocer todo junto moviendo la cazuela.
- Se sirve muy caliente.

Empiñonadas al huevo

Tiempo 1 hora y 15 minutos
Comensales 4 personas
Dificultad media

Ingredientes

50 g de piñones pelados y sin tostar
500 g de almendras molidas
375 g de azúcar granulado
30 g de azúcar glas
1 clara de huevo

Preparación

- Se prepara un almíbar mezclando el azúcar granulado con un poco de agua, y removiendo hasta que se quede un almíbar denso.
- Se reserva un poco y al resto se le incorporan las almendras, previamente molidas, dejando que siga cociendo durante unos 3 minutos para que espese.
- Se deja enfriar.
- Mientras, se engrasa una bandeja de horno.
- Cuando la masa esté fría, se frotan las manos con la clara de huevo batida y se van tomando pequeñas cantidades de la masa de almendra, formando bolas que después se aplastarán para darles forma.
- Se colocan sobre la bandeja de horno y se clavan los piñones por encima de las bolitas, dejando reposar unos 30 minutos.
- Pasado ese tiempo, se meten al horno a temperatura media (unos 190 ºC) durante 15 minutos más o menos.
- Una vez doradas, se retiran de la placa de horno, se pasan por el almíbar reservado anteriormente y se espolvorean con el azúcar glas.
- Se dejan enfriar sobre una rejilla.

Encebollado castellano

Tiempo 45 minutos
Comensales 5 personas
Dificultad media

Ingredientes

2 kg de cebollas
1/2 kg de patatas
1/2 l de aceite
pimentón
pimienta, sal

Preparación

- Se echa el aceite en una cacerola, se ponen encima las cebollas cortadas en ruedas finas y se cuece lentamente durante media hora; después, se añaden las patatas cortadas en rodajas finas como para tortilla, se tapa la cacerola y, a fuego lento, se sofríen 15 minutos.
- Luego se añade el pimentón disuelto en un poco de agua.
- Se sazona con sal y pimienta y se sirve muy caliente.

Encebollado de garbanzos

Tiempo 3 horas
Comensales 6 personas
Dificultad media

Ingredientes

600 g de garbanzos
1 hueso de caña
1 hueso de jamón
200 g de tocino entreverado
1 tomate, 2 cebollas
2 dientes de ajo
100 ml de aceite
salsa de tomate
pimentón, pimienta, clavo, sal
250 g de pasta para sopa

Preparación

- Se ponen los garbanzos a remojo con agua templada y sal durante unas 12 horas.
- Se escurren, enjuagan y cuecen en agua templada con el hueso de caña, el de jamón y el tocino.
- Se lava el tomate, se pela una cebolla y en ella se pincha un clavo.
- Se echa todo esto a la cazuela y se deja cocer a fuego lento durante dos horas y media.
- Cuando esté listo, se saca el caldo para preparar una sopa, que servirá de primer plato, y se cuece en él la pasta.

- En el aceite se fríen la otra cebolla y los ajos picados finos; se añade el pimentón, la pimienta, una pizca de sal y los garbanzos, que se refríen con todo ello durante 15 minutos sin parar de mover.
- Se sirven inmediatamente, acompañados de salsa de tomate.

Ensalada al queso de Cabrales

Tiempo 60 minutos
Comensales 4 personas
Dificultad media

Ingredientes

1 lechuga, 2 peras grandes
90 g de queso de Cabrales
1/4 l de nata líquida
1 cucharada de brandy
1/2 limón, pimienta

Preparación

- Se aplasta el Cabrales con un tenedor de madera en un bol, donde se mezcla también con la nata, el brandy y el zumo de medio limón, sazonándolo con pimienta.
- Se pelan las peras, se les quita el corazón y se cortan en pequeños dados que se agregan a la mezcla anterior.
- Se lava la lechuga, se seca y se corta en tiras finas, incorporándolas a la preparación.
- Se puede servir en una ensaladera o en cuencos individuales, pero siempre tiene que estar muy fría.

Ensalada Aranjuez

Tiempo 60 minutos
Comensales 4 personas
Dificultad media

Ingredientes

500 g de espárragos trigueros
200 g de lechuga, 300 g de patatas
aliño tradicional o de pimentón

Preparación

- Se limpian los espárragos trigueros, quitando toda la parte fibrosa de los tallos.
- Se cuecen tumbados en agua con sal, procurando que sea un hervor lento y que el agua les cubra constantemente, para que no se rompan las yemas.
- Se dejan enfriar en el agua.
- Aparte, se limpia y corta la lechuga a trozos pequeños, dejándola en agua fría hasta el momento de prepararla.
- Se cuecen las patatas, con piel y lavadas.

- Se dejan enfriar, se pelan y se cortan en rodajas.
- En una fuente se cubre el fondo con las rodajas de patata, se coloca encima la lechuga muy escurrida y, sobre ella, los espárragos.
- Se vierte el aliño por encima y se deja macerar la ensalada, por lo menos, media hora para que coja sabor.
- Se sirve fría.

Ensalada catalana

Tiempo 30 minutos
Comensales 4 personas
Dificultad media

Ingredientes

500 g de champiñón
150 g de arroz
100 g de maíz en lata
zumo de limón
perejil, pimienta, sal
aliño tradicional

Preparación

- Se pone a cocer el arroz en abundante agua con sal.
- Se deja 20 minutos, se prueba y, una vez en su punto, se escurre, se refresca con agua fría y se reserva.
- Se limpian los champiñones, se lavan para que no tengan tierra y se filetean, rociándolos con un poco de zumo de limón para que no se pongan negros.
- Se escurre el maíz y se pica el perejil.
- Se unen todos los ingredientes para que cojan sabor, se incorpora el aliño y se deja reposar un rato.
- Se sirve a temperatura fresca.

Ensalada de alubias blancas con aceitunas y bacalao

Tiempo 2 horas y 15 minutos
Comensales 6 personas
Dificultad media

Ingredientes

1/2 kg de alubias blancas
150 g de bacalao
100 g de aceitunas verdes
100 g de aceitunas negras
2 tomates
2 cebolletas
1 cebolla
1 diente de ajo
1 taza de mahonesa
2 cucharadas de ketchup
1 cucharadita de mostaza
1/2 hoja de laurel, 3 clavos
4 o 5 granos de pimienta
sal

PREPARACIÓN

- Se ponen las alubias en remojo de agua fría la víspera.
- En el momento de prepararlas, se escurren y se colocan en una cazuela con la cebolla, el ajo, el laurel, los clavos y la pimienta, cubriéndolas con agua fría. Se dejan cocer a fuego moderado unas 2 horas.
- Una vez cocidas, se escurren y se enfrían.
- También el bacalao se pone a remojo durante 24 horas, cambiando el agua cada 8 horas.
- Si se compra el bacalao desmigado basta con ponerlo en un colador y dejar que corra un pequeño chorro de agua sobre él durante 3 o 4 horas.
- Si está en filetes, se desmiga y se suprimen las espinas y pieles. Se mezcla todo con las alubias y las aceitunas.
- Se pican las cebolletas y se mezclan con la mahonesa, el ketchup y la mostaza. Se riegan las alubias con este aliño y se colocan por encima, para adornar, rodajas de tomate.

Ensalada de alubias blancas con atún

Tiempo 2 horas
Comensales 6 personas
Dificultad media

INGREDIENTES

1 kg de alubias blancas pequeñas
1 lata grande de bonito
zumo de 1 limón
1 cebolla
aceite
pimienta

PREPARACIÓN

- Se limpian y dejan en remojo las alubias.
- Al día siguiente se hierven en agua con aceite.
- Se enfrían y se mezclan con el atún desmigado.
- Después, se prepara una salsa con el zumo de un limón, aceite y pimienta.
- Una vez elaborada, se vierte sobre las alubias y el atún.
- Se sirve fría, decorada con aros de cebolla.

Ensalada de anchoas de la Scala

Tiempo 45 minutos
Comensales 4 personas
Dificultad media

Ingredientes

1 bote pequeño de anchoas
2 huevos cocidos
1/2 kg de judías verdes
1 lata de pimientos rojos
vinagre
leche
aceite
perejil, sal

Preparación

- Se desalan las anchoas en leche durante varias horas.
- Se cuecen las judías en agua con sal «al dente».
- En una fuente se van colocando las anchoas mezcladas con las judías verdes cocidas, los pimientos cortados en trocitos y los huevos duros.
- Se aliña con una vinagreta hecha con aceite, vinagre y sal, y se espolvorea por encima con el perejil picado.

Ensalada de arroz con perdiz y naranja

Tiempo 30 minutos
Comensales 4 personas
Dificultad media

Ingredientes

250 g de arroz
1 perdiz asada
4 naranjas
3 escalonias
1 cogollo de apio
1/2 lechuga
50 g de aceitunas negras
aceite de oliva
vinagre de jerez
pimienta
sal

Preparación

- Se hierve el arroz en agua y sal, se pasa por agua fría, se escurre y se pone en una ensaladera.
- Se añade la perdiz deshuesada y desmenuzada, las escalonias finamente picadas y el apio en rodajas.
- Se aliña con aceite, vinagre, sal y pimienta y se deja en maceración durante unas 2 horas.
- Mientras tanto, se forra una fuente con hojas de lechuga y las naranjas cortadas en gajos.

- Se vierte por encima la perdiz ya macerada, se adorna con las aceitunas y se sirve.

Ensalada de garbanzos

Tiempo 30 minutos
Comensales 6 personas
Dificultad media

INGREDIENTES

1/2 kg de garbanzos cocidos
4 tomates, 1 cebolla grande
1 lata de bonito en aceite
2 huevos cocidos
aceite, vinagre, sal
Para la salsa vinagreta:
1 cebolla pequeña
1 pimiento morrón
50 g de alcaparras
200 ml de aceite de oliva
3 cucharadas de vinagre
pimienta
sal

PREPARACIÓN

- Se cuecen los garbanzos dejándolos un poquito blandos pues, al echarles la vinagreta, suelen endurecerse.
- Una vez cocidos y mientras se enfrían, en un bol aparte se cortan los tomates, una vez pelados, en cuadraditos muy pequeños igual que la cebolla, se mezcla todo y se añade la vinagreta y los garbanzos fríos.
- Por úlimo, se añade una lata de bonito en aceite y los huevos duros picados.
- Se prepara la salsa vinagreta.
- Se hace una emulsión con el aceite, el vinagre y la sal; se añade la cebolla picada muy fina, las alcaparras enteras y el pimiento también fino.
- Se salpimenta.
- También se le puede añadir un poco de agua de cocer los garbanzos.
- Se rocía con esta vinagreta la ensalada y se sirve fría.
- La vinagreta queda muy sabrosa si se le añaden 2 dientes de ajo y una cucharadita de cominos machacados en el mortero.

Ensalada de garbanzos y pimientos

Tiempo 2 horas
Comensales 6 personas
Dificultad media

INGREDIENTES

1/2 kg de garbanzos
6 pimientos rojos de lata
3 pimientos verdes
2 ramitas de apio
salsa mahonesa, sal

Preparación

- Se cuecen los garbanzos, o bien se utilizan los que vienen ya preparados.
- Se escurren bien, se dejan enfriar y se colocan en una fuente con los pimientos rojos en tiras y un poco de su propio jugo; también se añaden los pimientos verdes crudos, en tiras o cuadraditos, y las ramitas de apio limpias y en juliana.
- Se reserva la ensalada en el frigorífico hasta el momento de servirla.
- Entonces, se coloca en un cuenco y se mezcla con la mahonesa.

Ensalada de lentejas

Tiempo 2 horas
Comensales 6 personas
Dificultad media

Ingredientes

400 g de lentejas
2 cebollas, 4 tomates
1 hoja de laurel
1 cucharada de perejil picado
aceite de oliva, vinagre, mostaza
pimienta, sal

Preparación

- Se limpian las lentejas, se cubren con agua fría y se dejan en remojo por lo menos 6 horas.
- Una vez escurridas, se ponen en una cacerola y se añade una cebolla entera y pelada, una hoja de laurel, se cubren con agua fría sin sal y se ponen a cocer.
- Cuando rompa a hervir, se baja el fuego y se dejan cocer lentamente durante una hora y media (dependerá de la clase de la lenteja).
- Mientras, se pelan y pican los tomates, la otra cebolla y el perejil.
- Se reservan.
- Se prepara una vinagreta con aceite de oliva, vinagre, sal y un poco de mostaza.
- Se escurren bien las lentejas, se mezclan con el picadillo reservado y se riegan con la vinagreta.
- Una vez revuelto todo, se mete la ensaladera en el frigorífico durante 2 o 3 horas.
- Antes de servir, se espolvorea con un poco de perejil picado.

Ensalada de naranja y remolacha

Tiempo 45 minutos
Comensales 4 personas
Dificultad media

Ingredientes

5 naranjas, 1 remolacha cocida
2 patatas grandes, 2 plátanos
1 cogollo de lechuga
salsa mahonesa
pimienta blanca molida, perejil, sal

Preparación

- Se cortan por la mitad 4 naranjas, haciendo unas incisiones en forma de estrella.
- Se vacían de pulpa, que se trocea y se reserva.
- También se reservan las cáscaras.
- Las patatas, una vez cocidas en agua con sal, se cortan en tiras, lo mismo que la remolacha.
- Los plátanos y la otra naranja se cortan en cuadraditos.
- La lechuga se corta en juliana fina.
- Todo esto se sazona con sal y pimienta blanca molida, añadiéndole después la salsa mahonesa y mezclándolo todo muy bien.
- Con esta ensalada se rellenan las cáscaras de las naranjas reservadas.
- Se sirven espolvoreadas con perejil muy picadito.

Ensalada de pimientos rojos

Tiempo 30 minutos
Comensales 4 personas
Dificultad media

Ingredientes

1/2 kg de pimientos rojos
2 dientes de ajo
aceite, vinagre, perejil, sal

Preparación

- Se lavan bien los pimientos, y se les quita el rabo y las semillas sin cortarlos en trozos.
- Se colocan en una cazuela con un vaso de agua, se añade un chorrito de vinagre, los dos ajos enteros pelados y la sal. Se tapan y se dejan cocer hasta que la piel de los pimientos empiece a separarse.
- Se escurren y se ponen a enfriar.
- Ya fríos, se pelan, se retiran las semillas que queden y se cortan en tiras.
- Se disponen en una ensaladera plana, haciendo círculos.
- Se aliñan con aceite, vinagre, perejil y sal.

Ensalada de pipirrana

Tiempo 30 minutos
Comensales 4 personas
Dificultad media

Ingredientes

3 pimientos rojos
3 tomates
2 cebollas
2 huevos cocidos
200 g de bonito en escabeche
aceite
vinagre
sal

Preparación

- Se asan los pimientos, se limpian, y se parten en tiras.
- Los tomates, también limpios y pelados, se cortan en pequeños trozos.
- La cebolla se pica en daditos mínimos.
- Se mezcla todo, removiendo bien en una cazuela de barro, añadiéndole la sal, el aceite y el vinagre.
- Una vez aliñado, se parte el bonito en trozos y el huevo duro en pequeños trocitos, revolviéndolo todo y dejándolo enfriar en la nevera.
- Se sirve frío.

Ensalada de primavera

Tiempo 30 minutos
Comensales 4 personas
Dificultad media

Ingredientes

1 lechuga
2 cebolletas
3 tomates
1 pimiento verde
2 rábanos
1 huevo cocido
100 g de aceitunas
aceite
vinagre
sal

Preparación

- Se lava la lechuga, se escurre y se coloca troceada en una ensaladera.
- Se añaden las cebolletas partidas en cuatro trozos cada una, los tomates en gajos, el pimiento verde en tiras, los huevos duros cortados en rodajas, los rábanos y las aceitunas.
- Se aliña todo con aceite, sal y vinagre a gusto.

Ensalada granadina

Tiempo 30 minutos
Comensales 4 personas
Dificultad media

Ingredientes

1 escarola
2 granadas
250 g de zanahorias
2 dientes de ajo
50 ml de aceite
50 ml de vinagre
pimienta
sal

Preparación

- Se limpia, lava y trocea pequeña la escarola. Se reserva en agua fría.
- Se limpia la granada, dejando cada grano bien suelto y limpio.
- Se limpian bien y rallan las zanahorias.
- Se unen estos ingredientes y se salpimentan. Se añade también un poquito de vinagre.
- Aparte, se calienta el aceite en una sartén y se fríen los ajos cortados en láminas muy finas.
- Cuando estén dorados, se vuelcan sobre la ensalada y se mueve bien.
- Se deja unos 15 minutos macerando para que coja el sabor.

Ensalada koskera (Guipúzcoa)

Tiempo 45 minutos
Comensales 6 personas
Dificultad media

Ingredientes

1 langosta mediana
150 g de besugo en escabeche
4 pimientos rojos asados
150 g de aceitunas deshuesadas
4 huevos
100 ml de aceite, vinagre, sal

Preparación

- Una vez cocida y fría la langosta, se despoja de su caparazón para cortarla en rajas muy finas que se colocan en una ensaladera.
- Los pimientos encarnados, después de asados y pelados, se cortan en tiras delgadas que se añaden a la langosta, agregando también el escabeche de besugo, muy desmenuzado, las aceitunas y, una vez bien mezclado todo, los huevos cocidos y cortados en rodajas.
- Se rocía con abundante aceite, poco vinagre, poca sal.
- Se sirve.

Ensalada real labrada (de Juan de la Mata)

Tiempo 45 minutos
Comensales 4 personas
Dificultad media

Ingredientes

1 escarola, 1 lechuga
3 manzanas camuesas
1 cebolla pequeña
2 ramitas de apio
1 granada
2 huevos cocidos
2 ramitas de hierbabuena
2 cucharadas de piñones
2 cucharadas de alcaparras
1 limón verde
Para la salsa:
12 anchoas, 100 g de aceitunas
3 dientes de ajo, aceite
vinagre, comino
orégano, azúcar, sal

Preparación

- Se parten la escarola y la lechuga; se mezclan con las manzanas peladas y cortadas en ruedas, la hierbabuena picada, y la cebolla y el apio.
- Se van poniendo todos los ingredientes en cantidades iguales en los platos, formando círculos por colores.
- Se guarnecen con las pipas de la granada, piñones, alcaparras, la yema y clara de huevo duro, y rajitas de limón.
- Se sazona con una salsa hecha con anchoas, aceitunas, ajos, cominos, orégano, aceite, vinagre, sal y azúcar.

Ensalada sevillana

Tiempo 15 minutos
Comensales 6 personas
Dificultad media

Ingredientes

100 g de atún en aceite
150 g de aceitunas sevillanas
1 escarola
2 tomates medianos
1 cebolla mediana
1 diente de ajo
1 huevo cocido
4 cucharadas de aceite
un ramito de estragón fresco
vinagre, sal

Preparación

- Se lava y pica la escarola y se tiene en remojo durante una hora.
- Se escurre y se coloca en una ensaladera, agregándole las aceitunas

deshuesadas, los tomates troceados, la cebolla muy picada y el ajo también cortado en trocitos muy menudos, el atún en aceite desmenuzado y el ramito de estragón.

- Se mezclan todos los ingredientes y se rocían con una vinagreta hecha con el aceite, vinagre y sal.
- Se sirve adornada con el huevo cocido cortado en rodajas.

Ensalada tibia «Lahera»

Tiempo 30 minutos
Comensales 4 personas
Dificultad media

Ingredientes

1 escarola, 3 endibias
1 manojo de berros
50 g de beicon
6 huevos de codorniz, pan para freír
aceite, vinagre, mostaza, sal

Preparación

- Se lava la escarola y se parte finamente; se hace lo mismo con las endibias y con los berros.
- En una fuente plana y circular se van formando círculos en el centro la juliana de endibias, rodeada de los berros, y en el círculo externo la escarola.
- Se escalfan los huevos de codorniz en agua caliente con sal y vinagre, y se mantienen tibios en el agua caliente.
- Se fríen por separado el beicon en trocitos y el pan en cuadraditos, escurriendo bien el aceite. Una vez terminado esto y sin que pase tiempo, se procede a hacer una vinagreta con aceite, sal, vinagre y una pizca de mostaza, se bate bien y se reserva.
- Sobre la ensaladera plana en la que se han dispuesto en círculos los diferentes verdes, se esparcen el pan frito caliente y el beicon; después se colocan con gusto los huevos escalfados y se rocía todo con la vinagreta.

Ensalada valenciana de garbanzos

Tiempo 1 hora y 15 minutos
Comensales 6 personas
Dificultad media

Ingredientes

400 g de garbanzos, 6 cogollos de lechuga, 3 huevos cocidos
50 g de aceitunas deshuesadas
1 cebolla grande
3 cucharadas de aceite
vinagre, perejil, pimienta, sal

Preparación

- Se cuecen los garbanzos, después de haberlos tenido una noche en remojo, se salan y a continuación se les añade una cebolla entera y un ramillete de perejil cuando estén a medio cocer, retirando ambos ingredientes al terminar la cocción.
- Se escurren y se colocan los garbanzos en una fuente, sazonándolos con sal, un poco de pimienta, aceite, vinagre y poniendo alrededor un cordón de rodajas de huevo duro, aceitunas deshuesadas y cogollos de lechuga.

Ensaladilla rusa

Tiempo 60 minutos
Comensales 6 personas
Dificultad media

Ingredientes

1 kg de patatas, 250 g de zanahorias
250 g de guisantes
250 g de judías verdes
250 g de remolacha cocida
1 cucharadita de alcaparras
1 huevo, aceite, vinagre, pimienta
sal

Preparación

- Se ponen las patatas lavadas sin pelar en un cazo, se cubren con agua fría y un poco de sal, y se cuecen durante 20 minutos más o menos, cuidando que no se deshagan.
- Cuando estén cocidas, se les quita la piel y se cortan en cuadraditos.
- Por otro lado se cuecen las zanahorias y las judías verdes cortadas en dados, y los guisantes.
- Una vez hechos todos los ingredientes, se mezclan en una fuente y se dejan enfriar.
- En la batidora se hace una mahonesa con el huevo, aceite, vinagre, sal y una pizca de pimienta.
- Se mezclan con ella las verduras, reservando una mínima cantidad para cubrir la fuente por encima. Se adorna con unas alcaparras y se sirve.

Escabeche de capón

Tiempo 1 hora y 45 minutos
Comensales 4 personas
Dificultad media

Ingredientes

2 pechugas de capón
2 cebollas, 2 puerros
4 zanahorias
2 dientes de ajo
6 cucharadas de aceite
1 vaso de vinagre de jerez
tomillo, laurel
pimienta negra, sal

Preparación

- En una cazuela se ponen las pechugas de capón.
- Se añade 1/2 litro de agua, 6 cucharadas de aceite, 1 vaso de vinagre de jerez, y las cebollas, los puerros y las zanahorias cortados en trozos, el tomillo, el laurel y los granos de pimienta negra.
- Se tapa la cazuela herméticamente y se mantiene al fuego durante 2 horas aproximadamente.
- Transcurrido ese tiempo, se sacan las pechugas, se les quita la piel, se desprenden de los huesos, se filetean y se colocan sobre una fuente.
- Se sirven.

Escaldums de pollo a la mallorquina

Tiempo 60 minutos
Comensales 6 personas
Dificultad media

Ingredientes

2 pollos
1 y 1/2 l de caldo de ave
150 g de manteca de cerdo
2 yemas de huevo
aceite de oliva
hierbas aromáticas (estragón, perejil), canela

Preparación

- Se arreglan y cortan los pollos en pedazos de tamaño regular que se sofríen ligeramente en la manteca, añadiéndoles a continuación un buen caldo de ave, en el que se les dejará cocer a fuego suave unos treinta minutos.
- Entonces se pican muy menudo unos ramitos de hierbas aromáticas y se deslíen con las yemas de huevo, añadiéndoles un poco de canela molida y unas cucharadas de caldo.
- Cuando todo esté perfectamente mezclado, se echa en el guiso y se deja dar un nuevo hervor.
- Se sirve caliente.

Escalibada

Tiempo 1 hora
Comensales 6 personas
Dificultad media

Ingredientes

6 berenjenas
6 tomates bien maduros
3 pimientos rojos
6 sardinas arenques (opcional)
vinagre, 3 cebollas, aceite, sal

Preparación

- Se enciende el horno para que se vaya calentando. Se lavan y secan

los pimientos y las berenjenas y, sin quitarles la piel, se untan generosamente con aceite de oliva.

- Se pelan las cebollas y, si son grandes, se cortan por la mitad. Se lavan los tomates.
- Se colocan todas estas verduras en una bandeja y se hornean a temperatura media durante unos 45 minutos.
- Cuando los pimientos estén hechos, se envuelven en papel de periódico durante unos 10 minutos para pelarlos después más fácilmente.
- Se quita la piel de las berenjenas.
- Se colocan todas las verduras asadas en una fuente de servir, enteras o partidas en tiras gruesas.
- Se limpian las sardinas arenques y se colocan en un lateral de la fuente.
- Cuando todo esté frío, se adereza con aceite sal y vinagre y se sirve.

Escudella catalana

Tiempo 2 horas y 30 minutos, más el remojo
Comensales 6 personas
Dificultad media

Ingredientes

400 g de garbanzos
400 g de pecho de ternera
1 pie de cerdo, 2 pechugas de pollo
1 pechuga de gallina
300 g de tocino entreverado
1 hueso de jamón
1 hueso de espinazo
250 g de pasta fina para sopa
1 butifarra, 2 patatas
1 col pequeña, zanahoria
apio, nabo, puerro
chirivía, sal
Para la pelota:
150 g de carne picada de ternera
150 g de carne picada de cerdo
1 huevo, 2 dientes de ajo
2 cucharadas soperas de pan rallado
harina para rebozar, perejil, sal

Preparación

- Se ponen en remojo los garbanzos la noche anterior.
- Se limpian la zanahoria, el puerro, el nabo, el apio y la chirivía, y se atan formando un manojo.
- Se llena de agua fría (aproximadamente 3 litros) una olla grande y se pone al fuego.
- Se añade la carne, la gallina, el pie de cerdo, el tocino, los dos huesos y el manojo de verduras atado.
- Al comenzar la ebullición, se desespuma bien y se incorporan los garbanzos dentro de una malla.
- Se sazona y cuece a fuego lento alrededor de 2 horas.
- Mientras se prepara la pelota.
- Se mezcla en un cuenco los dos tipos de carne picada, el huevo bati-

do, los ajos y el perejil muy picados y sal.

- Se forma con todo ello una pelota (o dos, dependiendo del tamaño) y se pasa por harina. Se reserva.
- Aparte, se lava la col, se escurre y parte en juliana.
- Se cuece durante 20 minutos.
- Se reserva.
- Se pelan y trocean las patatas.
- Cuando queden unos 20 minutos para terminar la cocción de la olla, se agregan las pechugas de pollo, las patatas troceadas y la pelota.
- A los 10 minutos, la col y la butifarra.
- Terminado el tiempo de cocción, se retira el manojo de verduras y se cuela el caldo en una cazuela.
- Se acerca esta cazuela al fuego y se hace una sopa con la pasta fina.
- Mientras, se mantienen calientes el resto de los ingredientes de la escudella colocándolos en una fuente sobre una olla con agua hirviendo.
- Se sirve primero la sopa y después, la fuente con los garbanzos, la col y las patatas en un lateral, y las carnes, la butifarra y la pelota en el otro.

Espárragos a la andaluza

Tiempo 60 minutos
Comensales 5 personas
Dificultad media

Ingredientes

1/2 kg de espárragos
100 g de almendras molidas
2 rebanadas de pan
5 dientes de ajo, 100 ml de aceite
2 cucharadas de vinagre
pimentón, perejil, pimienta, sal

Preparación

- Los espárragos se parten en trozos hasta la parte dura, se cuecen en agua caliente con sal, se escurren y se reserva el caldo.
- En una cacerola se calienta el aceite y se fríen los ajos. Una vez dorados, se sacan y se fríe el pan y el perejil.
- Cuando el aceite esté templado, se añade el pimentón.
- Todo lo de la sartén se maja en el mortero, añadiendo vinagre, sal, pimienta y algo del caldo donde se han cocido los espárragos.
- En una cacerola se colocan los espárragos cocidos junto con la majada del mortero y se dejan cocer a fuego suave 10 minutos; si es necesario, se añade más líquido.

- En el último momento se incorporan las almendras molidas.
- Se sirven en una legumbrera, adornados con picatostes.

Espárragos trigueros a la andaluza

Tiempo 45 minutos
Comensales 4 personas
Dificultad media

Ingredientes

1 kg de espárragos trigueros
2 dientes de ajo
1 rebanada de pan
1/2 cucharadita de pimentón
4 cucharadas de aceite de oliva
1 cucharada de vinagre
perejil
pimienta, sal

Preparación

- En una cazuela con aceite se doran los dientes de ajo; se retiran y en el mismo aceite se fríe el pan y el perejil; se retiran también y se echan en la cazuela el pimentón y los espárragos, previamente lavados y troceados hasta la parte dura.
- Se rehogan ligeramente, se tapa la cazuela y se dejan cocer a fuego muy lento en su propio jugo.
- En un mortero se machacan muy bien los ajos y el pan, formando una pasta que, diluida con un poco de agua, se vierte sobre los espárragos, añadiendo la cucharada de vinagre.
- Se sazona con sal y pimienta y se mantiene la cocción durante unos minutos.

Espinacas a la catalana

Tiempo 15 minutos
Comensales 4 personas
Dificultad media

Ingredientes

1 kg de espinacas
(pueden ser congeladas)
100 g de piñones
100 g de uvas pasas
100 g de mantequilla
sal

Preparación

- Se cuecen y escurren muy bien las espinacas.
- En una sartén se pone la mantequilla y se doran los piñones y las uvas pasas.
- Se vierte el contenido de la sartén sobre las espinacas, se revuelve todo y se sirve.

Espinacas a la crema

Tiempo 30 minutos
Comensales 4 personas
Dificultad media

INGREDIENTES

2 kg de espinacas, salsa bechamel queso rallado, ajo, cebolla, sal

PREPARACIÓN

- Se ponen a hervir en agua unos trozos de cebolla, unos dientes de ajo y una pizca de sal.
- En el punto de ebullición, se agregan las espinacas ya lavadas, pero enteras.
- Una vez cocidas (tardan unos minutos), se escurren y se quitan los tallos.
- Las hojas se pican y se colocan en una fuente.
- Se mezcla la mitad de la bechamel con las espinacas y el resto se utiliza para cubrirlas por encima.
- Se espolvorea la superficie con queso rallado y se mete la fuente en el horno.
- Se sirven cuando el queso y la bechamel estén gratinados.
- Una forma muy particular de cocer las espinacas es sin agua, pues parece dar excelentes resultados a la hora de extraerles todo su aroma y sabor.
- Según esto, las espinacas se rocían con agua hirviendo para que bajen de volumen, añadiéndoles abundante mantequilla y un poco de azúcar.

Espinacas al estilo de Iniesta (Cuenca)

Tiempo 30 minutos
Comensales 6 personas
Dificultad media

INGREDIENTES

1 kg de espinacas
1/4 l de leche
2 huevos cocidos
5 cucharadas soperas de aceite
ajo
sal

PREPARACIÓN

- Se cuecen las espinacas metiéndolas en agua salada hirviente durante unos 10 minutos.
- Pasado ese tiempo, se sacan, se lavan, se escurren bien y se rehogan en el aceite frito, agregándoles las claras de los huevos duros picadas.

- En un mortero se machaca medio diente de ajo y se le agregan las yemas de los huevos, majando bien hasta que todo esté hecho una pasta.
- Se aclara con la leche y se vierte sobre las espinacas.
- Se sazonan.
- Se las deja dar un hervor y se separan del fuego para servirlas.

Espinacas jienenses

Tiempo 30 minutos
Comensales 4 personas
Dificultad media

Ingredientes

1 kg de espinacas
4 pimientos choriceros
1 rebanada de pan
6 cucharadas de aceite de oliva
2 dientes de ajo, sal

Preparación

- Cocer las espinacas y escurrir muy bien.
- En una sartén con el aceite se doran los ajos y la rebanada de pan.
- Se ponen en un mortero y se majan muy bien hasta que se haga una pasta.
- Se pasan por la batidora los pimientos choriceros, que se habrán tenido en remojo en agua caliente durante unos momentos, y la crema resultante se añade al majado.
- Se vierte el aceite de freír los ajos sobre las espinacas y se termina vertiendo por encima de ellas el majado.

Estofado de bacalao

Tiempo 60 minutos
Comensales 6 personas
Dificultad media

Ingredientes

1/2 kg de bacalao
1 kg de patatas
1 kg de tomates
3/4 kg de cebollas
ajo, aceite, sal

Preparación

- En una cazuela se van colocando los ingredientes a capas.
- Todo en crudo, y sobre el fondo bañado de aceite: las patatas cortadas como para tortilla, la cebolla en juliana fina, otra capa de tomate crudo pelado y sin pepitas, y por último, otra de bacalao desmigado y bien desalado.
- Se cubre con un refrito de ajo picado y aceite y se va haciendo a fuego lento.

Estofado de buey a la catalana

Tiempo 3 horas
Comensales 6 personas
Dificultad media

Ingredientes

600 g de espaldilla de vaca
100 g de butifarra
100 g de tocino
1/2 kg de patatas
200 g de cebolla
75 g de manteca de cerdo
1 onza de chocolate a la canela
15 g de harina
1 copa de vino rancio
ajo, perejil, laurel, orégano
tomillo, pimienta, sal

Preparación

- En una cazuela se ponen la manteca y el tocino cortado en trozos y se rehogan hasta que se dore bien el tocino.
- Entonces se añade la carne cortada en pedazos del tamaño de una nuez y se rehoga ligeramente.
- A continuación se agrega la harina, se adiciona el vino y las hierbas formando un ramito; se baña con un cuarto de litro de agua, se sazona con sal y pimienta y se deja cocer, con la cazuela tapada y a fuego lento, durante unas 3 horas, añadiendo media hora antes de dar por terminada la cocción el chocolate rallado y las patatas cortadas en forma oval.
- Cuando el guiso esté en su punto, se saca el manojo de hierbas.
- Se sirve en una fuente y se adorna con unas rodajas de butifarra ligeramente untadas de manteca.

Fabada asturiana

Tiempo 3 horas
Comensales 6 personas
Dificultad media

Ingredientes

3/4 kg de fabes (alubias blancas)
2 morcillas asturianas
2 chorizos
1/2 kg de lacón
100 g de tocino
1 cebolla
ajo, aceite
perejil
azafrán, sal

Preparación

- Se pone en remojo el lacón en agua templada la noche anterior, después de chamuscarlo para quitarle los pelos.

- También se remojan las judías en agua fría.
- En una cacerola adecuada se ponen las fabes, el lacón, las morcillas, los chorizos, el tocino, la cebolla cortada en cuartos, un ajo picado, un manojito de perejil, un chorro de aceite y se cubre con agua fría, poniéndola al fuego y espumándola con cuidado.
- Cuando se inicie el hervor, se baja el fuego y se deja cocer lentamente, sin tapar del todo la cacerola y procurando que las fabes estén siempre bien cubiertas por el agua.
- De vez en cuando se irán añadiendo pequeñas cantidades de agua fría, vigilando para que se cuezan con lentitud, y sacudiendo de vez en cuando la cazuela para que no se peguen.
- Cuando estén a media cocción se sazonan con un poco de azafrán, ligeramente tostado y muy deshecho.
- Cuando las fabes estén cocidas, se sazonan con sal, teniendo en cuenta la carne salada que llevan.
- Si el caldo hubiera quedado muy líquido, se machacan unas judías en el mortero y se incorporan, dejando que se prolongue un poco la cocción.
- Antes de servirlas, se dejan reposar a un lado durante media hora y, en el momento de ponerlas en una fuente para servirlas, se quita el perejil y la cebolla.
- La carne y los embutidos se presentan cortados en trozos.

Fanfarrona lorquina (Murcia)

Tiempo 60 minutos
Comensales 6 personas
Dificultad media

Ingredientes

6 huevos, 1/4 l de aceite
1 copa de aguardiente anisado
(o licor de anís)
harina
1 limón
miel, obleas

Preparación

- Se baten mucho los huevos y se les agrega la harina, poco a poco, para hacer una masa fina y sin grumos.
- Cuando se haya obtenido la pasta adecuada, se hacen con ella unas tortas finas y se fríen en aceite a fuego un poco fuerte para que se pasen, pero sin que lleguen a dorarse.
- Una vez fritas se ponen a escurrir y, cuando se enfríen, se pican.
- Se pesa la masa, frita y picada, y por cada 100 g de la misma se ponen en un perol 75 g de miel, calentándola hasta que se licue.

- Se le agregan las ralladuras de la corteza de un limón, una copa de aguardiente anisado y luego la masa picada, mezclándolo todo bien.
- Esta mezcla se coloca a cucharadas sobre las obleas, que se cubrirán con otras, presionándolas ligeramente para que se adhieran, formando una especie de emparedados.

Fiambre de bonito a la asturiana

Tiempo 60 minutos
Comensales 6 personas
Dificultad media

Ingredientes

1 kg de bonito, 100 g de jamón
1 huevo cocido, 2 huevos crudos
1 cebolla,
1 zanahoria
1 pimiento rojo, ajo
100 g de harina
1 vaso de vino blanco
30 g de mantequilla
laurel
clavo
nuez moscada
trufa
1 rama de perejil
pimienta
sal

Preparación

- Una vez quitadas la piel y las espinas del bonito, se pica muy menudo junto con el jamón.
- Se adoba todo con sal, un poco de ajo, nuez moscada y 2 cucharadas de vino blanco; se mezcla bien y se deja macerar tapado con un paño por espacio de un par de horas.
- Después, se agregan los huevos crudos, una trufa, unas tiras de pimiento y un huevo duro.
- Se hace un rollo con la masa obtenida y se pasa por harina, envolviéndolo después en un paño untado con mantequilla.
- Se pone a cocer en agua hirviendo, en la que se habrán echado los desperdicios del bonito, un vaso de vino blanco, una hoja de laurel, un clavo de especia, unos granos de pimienta, unas ralladuras de nuez moscada, cebolla, zanahoria y perejil.
- Se deja hervir media hora, luego se retira del fuego y se deja enfriar sin sacarlo del agua.
- Una vez frío, se saca y se prensa con el paño apretado durante unas 12 horas.
- Bien frío, se corta en rodajas, se adorna a gusto y se sirve.

Fideos a la catalana

Tiempo 60 minutos
Comensales 4 personas
Dificultad media

Ingredientes

600 g de fideos
200 g de costillas de cerdo
100 g de salchichas frescas
100 g de tocino
250 g de tomates frescos
1 cebolla, 1 diente de ajo
10 g de avellanas, 25 g de piñones
1/2 cucharadita de pimentón dulce
1/2 l de caldo vegetal, perejil, sal

Preparación

- En una sartén o cazuela de barro se calienta el tocino troceado menudo y, en la misma grasa, se rehogan el ajo y la cebolla picados muy menudos.
- Cuando empiecen a tomar color, se añaden las costillas y las salchichas troceadas.
- Se sigue rehogando y se añaden el pimentón y los tomates, sin piel ni semillas y troceados.
- Aparte, se machacan las avellanas y un poco de perejil (si gusta sabroso también se puede poner un diente de ajo).
- Se agrega este majado, junto con los piñones y el caldo vegetal diluido en agua caliente, a la cazuela y se deja cocer hasta que las carnes estén tiernas.
- Un poco antes de terminar, se incorporan los fideos y se deja cocer todo junto unos minutos.
- Se sirve caliente.

Fideos al estilo de Gandía

Tiempo 1 hora y 15 minutos
Comensales 6 personas
Dificultad media

Ingredientes

1/2 kg de fideos
150 g de cachete de rape
150 g de almejas o chirlas
1/2 kg de mejillones
1/4 kg de gambas
1 calamar mediano
6 langostinos (optativo)
6 cigalas (optativo)
1/2 kg de tomates al natural pelados
2 pimientos verdes pequeños
1 pimiento rojo, 1 cebolla pequeña
2 dientes de ajo, 1 y 1/2 l de agua o caldo de pescado
100 ml de aceite de oliva
unas hebras de azafrán
pimienta, sal

Preparación

- Se pelan y pican la cebolla y los ajos.
- Se lavan los pimientos, *suprimiendo* el rabo y las semillas, y se pican también.
- Se pelan las gambas y se ponen a cocer las cáscaras y las cabezas en agua durante 20 minutos.
- Se limpian las conchas de los mejillones, rascándolas con un cuchillo y se lavan las almejas.
- En el fondo de una olla se pone el agua y se deja dar un hervor a los moluscos para que se abran.
- El calamar bien limpio se corta en anillas, el rape en dados y se les pone la sal.
- En una paella de hierro o fuente de barro se calienta el aceite y se estofan lentamente la cebolla, los ajos y los pimientos picados.
- Antes de que tomen color, se le añade el tomate, picándolo con la espumadera.
- Hay que esperar que se consuma un poco el agua, siempre sobre fuego suave.
- Se saltea encima del refrito el calamar y luego se le añade el rape; en cuanto ambos cambien de color, se echan las gambas peladas.
- Se salpimenta el conjunto y se rehoga unos minutos.
- Se añaden entonces los fideos en forma de lluvia, dándoles vueltas con la espumadera para que se impregnen bien del guiso.
- Se cuela el agua de abrir los mejillones y las almejas por un trapo, para que no lleve arena, y se une al agua colada de cocer las cáscaras de las gambas.
- En este caldo de pescado se pueden hervir los langostinos enteros y las cigalas, entre 3 y 5 minutos, según tamaño.
- Se escurre y, en el momento que se pueda, se pelan los cuerpos sin separarlos de las cabezas ni de las colas y se reservan.
- Se mojan los fideos con el caldo y el agua de las cocciones, se mueven con la cuchara y se deja cocer a fuego vivo durante unos 10 minutos.
- Se rectifica el punto de sazón y se agregan las hebras de azafrán aplastadas entre los dedos.
- También se añaden los mejillones y las almejas con una sola concha.
- Se colocan por encima los langostinos y las cigalas y se deja que terminen de hacerse los fideos.
- Debe quedar algo caldoso, por lo que se sirve inmediatamente después de hacerlo ya que, si se tarda en servir, se seca del todo.
- Se sirve en la misma paella colocada sobre una cesta adecuada.

Fideos con sardinas al estilo de Castellón

Tiempo 30 minutos
Comensales 6 personas
Dificultad media

Ingredientes

1/2 kg de sardinas, 1/4 kg de fideos
2 tomates, 1 cebolla grande
100 ml de aceite, sal

Preparación

- Se limpian las sardinas y se ponen a hervir en un caldo corto, procurando que no se deshagan.
- En una cazuela puesta al fuego se echa el aceite y, cuando esté caliente, se añade la cebolla, cortada en trocitos, y los tomates, pelados y troceados.
- Una vez sofrito todo, se añade el caldo donde se han hervido las sardinas, después de colado, y se deja cocer unos minutos más.
- Seguidamente se añaden los fideos, y una vez cocidos, se sacan.
- Antes de servir el guiso se desespinan las sardinas y se distribuyen en los platos.

Fideuá

Tiempo 35 minutos
Comensales 6 personas
Dificultad media

Ingredientes

400 g de fideos curvos y huecos
300 g de rape
350 g de sepia o calamares
1 l de caldo de pescado
200 g de tomates, 1 cebolla pequeña
3 dientes de ajo
1/2 cucharadita de pimentón
100 ml de aceite
unas hebras de azafrán
perejil, sal

Preparación

- Se limpian el rape y la sepia y se cortan en trozos pequeños.
- Se lavan, pelan y pican los tomates.
- Se pela y pica fina la cebolla.
- Se acerca al fuego una cazuela de barro un poco honda con el aceite.
- Cuando esté caliente, se echa la cebolla y, al empezar a tomar color, se agrega la sepia y se rehoga durante 6 minutos.
- Se incorporan los tomates y se deja el sofrito a fuego medio.
- Se añaden el pimentón y el rape.
- Se rehoga durante unos minutos más y se incorporan los fideos.

- Se rehoga bien hasta que los fideos empiecen a tomar color y se vayan endureciendo.
- Se calienta aparte el caldo de pescado.
- En un mortero se majan los dientes de ajo, el perejil y unas hebras de azafrán, se vierte un poco de caldo de pescado caliente y se incorpora todo a los fideos.
- Se baña con el resto del caldo, se sala y se deja hervir hasta que los fideos estén cocidos, pero jugosos.

Filetes a la pimienta verde

Tiempo 60 minutos
Comensales 6 personas
Dificultad media

Ingredientes

1 kg de filetes de tapa
2 cucharadas de pimienta verde
2 cebollas, 1/2 kg de champiñón
1 copa de brandy, 50 g de mantequilla, 100 ml de aceite, sal

Preparación

- Se limpian y aplastan los filetes y se doran en una cazuela donde se habrá puesto el aceite y la mantequilla.
- Cuando estén, se sacan y reservan.
- En esa misma grasa se pone la cebolla finamente picada; cuando esté transparente, se incorporan los champiñones limpios y fileteados.
- Se deja cocer.
- Cuando se haya evaporado el líquido, se pone el brandy y se deja reducir.
- Se añade la pimienta verde y se vuelven a introducir los filetes reservados, añadiendo también el posible jugo que hayan desprendido.
- Se deja cocer todo junto unos minutos para que la carne esté tierna.

Filetes con salsa a la cazadora

Tiempo 1 hora y 15 minutos
Comensales 6 personas
Dificultad media

Ingredientes

1 kg de filetes de tapa de ternera
1 kg de champiñón
2 cebollas, 1/2 l de vino tinto
1 vaso de salsa de tomate
100 ml de aceite, 50 g de mantequilla, harina, pimienta, sal

Preparación

- Se limpian y aplastan los filetes, y se pasan por harina. Se reservan.
- Se pone en una cacerola la mantequilla y el aceite a calentar, se incorpora la cebolla finamente picada y

se deja estofar un poco; cuando esté caída, se introducen los filetes y se les da la vuelta varias veces.

- Se añade el vino tinto y se deja reducir a fuego fuerte. Entonces, se añade la salsa de tomate y se salpimenta.
- Se incorporan al guiso los champiñones, limpios y picados, y se deja cocer todo unos minutos. La salsa debe quedar espesa y la carne tierna.
- Aparte se pueden servir patatas cocidas, espolvoreadas con perejil picado.

Filetes de cebón al estilo de Lugo

Tiempo 15 minutos
Comensales 6 personas
Dificultad media

Ingredientes

6 filetes de cebón, 2 huevos
200 ml de leche
2 cucharadas
de manteca de cerdo
50 g de pan rallado, sal

Preparación

- Bien limpios y desprovistos de toda grasa, se ponen los filetes en remojo en los huevos batidos y mezclados con la leche, y allí se mantienen durante 2 o 3 horas.
- Cuando se vayan a servir se salan, se pasan por pan rallado y se fríen en la manteca de cerdo, que debe estar bien caliente.
- Se sirven en una fuente adornada con rodajas de limón.
- En maderación en huevo y leche de los filetes más jugosos.

Filetes rusos

Tiempo 30 minutos
Comensales 4 personas
Dificultad media

Ingredientes

300 g de carne de ternera
300 g de carne de cerdo
2 huevos
miga de pan mojada en leche
jerez seco o vino blanco
harina, pan rallado
aceite
pimienta negra o nuez moscada
sal

Preparación

- Se pican las carnes, se mezclan y se añade un huevo batido, el vino, la miga de pan, sal y pimienta.
- Se mezcla bien.

- Se van cogiendo porciones de esta mezcla y se les da forma de bolas, que se aplastan con la mano y se pasan por harina, huevo batido y pan rallado.
- Se fríen en abundante aceite caliente.
- Se pueden presentar con ensalada aparte y patatas fritas en la fuente de los filetes rusos.

Flamenquillos sevillanos

Tiempo 15 minutos
Comensales 6 personas
Dificultad media

Ingredientes

6 filetes gruesos de lomo de cerdo
150 g de jamón serrano
100 g de tocino de jamón
1 pimiento rojo
1/4 l de leche
50 g de pan rallado
3 huevos cocidos, 1 huevo batido
125 ml de aceite, sal

Preparación

- Se corta el lomo en filetes del grosor de un dedo y se abren a lo largo en forma de libro, es decir, sin que lleguen a separarse las dos partes.
- Así preparados se ponen en remojo en la leche durante un par de horas.
- Se escurren y se sazonan.
- Luego se rellenan, disponiendo dentro de cada filete una tira de jamón, una de pimiento, una de tocino y unas rodajas de huevo duro.
- Se enrollan y se cierran bien.
- Se rebozan con huevo y pan rallado y se fríen en aceite bien caliente.
- Pueden servirse guarnecidos con patatas fritas.

Flamenquines

Tiempo 30 minutos
Comensales 4 personas
Dificultad media

Ingredientes

12 filetes de cerdo muy finos
200 g de jamón magro
3 huevos batidos
pan rallado
aceite de oliva
sal

Preparación

- El jamón, una vez cortado en tiras finitas, se reparte por encima de los filetes de cerdo, que previamente se

habrán sazonado ligeramente, sabiendo que el jamón magro tiene ya bastante sal.

- (También se pueden hacer con jamón de York, beicon o jamón cocido).
- Se enrollan los filetes, con el jamón dentro, y se pasan por el huevo batido y el pan rallado.
- Se calienta el aceite en una sartén y, cuando esté en su punto, se fríen los flamenquines.
- Conviene servirlos muy calientes, inmediatamente después de hechos.
- Este plato tan popular en toda España, es típico de la cocina andaluza.

Flan de huevo

Tiempo 60 minutos
Comensales 4 personas
Dificultad media

Ingredientes

1/2 l de leche
4 huevos
125 g de azúcar
1 limón, canela
unas gotas de agua

Preparación

- Se hierve la leche con 110 g de azúcar y la canela.
- En un plato sopero se baten los 4 huevos y se añaden lentamente a la leche.
- En un cazo al fuego se derrite el resto del azúcar con unas gotas de agua y de zumo de limón, hasta conseguir un caramelo de color dorado, que pondrá en el fondo de una flanera.
- En ella se vierte la mezcla de huevos y leche.
- Se cuece al baño María sin que el agua llegue a hervir
- Para ello, se pone el horno a temperatura baja y se deja hacer por espacio de 40 minutos.

Flaó balear

Tiempo 45 minutos
Comensales 6 personas
Dificultad media

Ingredientes

400 g de queso tierno
400 g de harina
400 g de azúcar
4 huevos
3 hojas de hierbabuena
unas gotas de aguardiente de anís
aceite
agua

Preparación

- Se amasa la harina con aceite y agua, a partes iguales, y se le añaden unas gotas de anís.
- Se deja que la masa espese y se extiende en un molde.
- Se baten los huevos y se mezclan con el queso tierno rallado y el azúcar, añadiendo unas hojas de hierbabuena.
- Después de mezclarlo bien, se extiende sobre la masa, ya preparada, y se lleva al horno a temperatura moderada durante media hora.
- El flaó se sirve frío o caliente, cubierto con una capa de azúcar molida o, si gusta, se rocía por encima con un poco de miel.

Flores extremeñas

Tiempo 45 minutos
Comensales 6 personas
Dificultad media

Ingredientes

6 huevos, 1/4 kg de harina
50 g de azúcar
1/4 l de aceite, agua, sal

Preparación

- Se baten los huevos con un poco de sal, se les añaden 2 cucharadas de aceite y 7 u 8 de agua y, poco a poco, la harina, batiendo continuamente.
- Cuando se haya logrado una masa trabada y sin grumos se deja reposar un rato.
- Se pone al fuego una sartén honda con el resto del aceite y, cuando esté bien caliente, se introduce en él el hierro especial que se usa para confeccionar este postre y que tiene forma de flor.
- Cuando se haya calentado, se saca del aceite, se introduce en la masa e inmediatamente se vuelve al aceite, que debe estar bien caliente para que se desprenda bien la masa que se ha pegado a él. Se repite la operación hasta terminar con toda la masa.
- Cuando las flores estén bien doradas se sacan, se escurren y se espolvorean con el azúcar.

Frangollo canario

Tiempo 60 minutos
Comensales 6 personas
Dificultad media

Ingredientes

1 kg de maíz, 1/2 l de leche
100 g de azúcar, 2 cucharaditas de matalahúva
ralladura de limón, sal

Preparación

- Se tritura el maíz, procurando que no llegue a hacerse polvo.
- En una olla se pone al fuego un litro y medio de agua con un poco de sal.
- Cuando esté caliente, se le agrega el maíz triturado, moviendo constantemente por espacio de una hora, adereзándolo con un poco más de sal, si fuere necesario, y con la matalahúva y ralladura de limón.
- Cuando haya cocido el tiempo indicado, se vierte el frangollo en una fuente y se deja enfriar.
- Se le añade azúcar y, en el momento de comerlo, se aclara con leche caliente.

Frite

Tiempo 45 minutos
Comensales 6 personas
Dificultad media

Ingredientes

1 kg de carne de cordero
100 ml de aceite, ajo
pimentón. perejil, vinagre, sal

Preparación

- Se corta la carne en trozos, se sala y se rehoga en el aceite puesto en una cazuela de barro.
- Ya rehogada, se agrega una cucharada de pimentón, perejil y ajo machacado, y se sigue rehogando hasta que los ajos tomen color.
- Entonces se añade un poco de vinagre, se cubre todo con agua y se deja cocer hasta que la carne esté tierna.

Fritos de gambas

Tiempo 60 minutos
Comensales 4 personas
Dificultad media

Ingredientes

1 kg de gambas
300 g de harina
1 clara de huevo
aceite de oliva, vinagre, sal

Preparación

- Se pone a hervir un litro de agua con sal.
- Cuando comience la ebullición se vierten las gambas, que se cuecen durante 2 o 3 minutos.
- El agua se filtra y se reserva.
- Una vez que las gambas estén frías, se les quita la cabeza y las pequeñas patitas de las colas, cuidando que ésta no se abra ni se rompa.
- Se prepara una masa con harina, vinagre y sal, añadiéndole poco a poco

el agua fría reservada de cocer las gambas, hasta que se forma una pasta espesa; en ese momento, se añade una clara batida a punto de nieve.

- Cada cola se envuelve en la pasta, menos la parte final por donde se sujeta, y se fríen inmediatamente en aceite caliente y abundante.
- Se escurren bien y se sirven.

Fritura de pescado

Tiempo 1 hora y 45 minutos
Comensales 6 personas
Dificultad media

Ingredientes

6 filetes de gallo
6 filetes de merluza
1/2 kg de calamares
1/2 kg de boquerones
200 g de harina
3 cucharadas de pan rallado
1/4 l de vino blanco
1/4 l de aceite
1 limón
2 cucharadas de pimentón
perejil, pimienta blanca, sal

Preparación

- Se hace un adobo con el aceite, el pimentón y la sal, y se mete en él la merluza cortada en trozos.
- Se deja 1 hora como mínimo.
- Se hace una marinada con el vino, el zumo de medio limón, sal y perejil, y se mete en ella los filetes de gallo, igualmente troceados.
- Se limpian bien los calamares, se cortan en anillas, se espolvorean de sal y se rocían con zumo de limón.
- Se reservan.
- Se limpian bien los boquerones, quitándoles la cabeza y la espina central, se lavan y se dejan escurrir.
- Después se salan.
- Se preparan dos sartenes hondas con abundante aceite para la fritura.
- En una de ellas se fríen los calamares pasados por una mezcla de harina y pan rallado.
- La proporción será un vaso de harina/un vaso de pan rallado.
- Se reservan.
- Acto seguido, en esa misma sartén, se fríen los boquerones pasados simplemente por harina.
- Deben quedar crujientes.
- Se reservan.
- En la otra sartén, y al mismo tiempo, se fríen los filetes de gallo que, después de sacarse de la marinada y escurrirse, se habrán pasado por harina.
- Deben quedar dorados.
- En esa sartén se fríe la merluza, escurrida del adobo y pasada por pan rallado.
- Se presentan las cuatro clases de pescado calientes y con limón.

Frixuelos

Tiempo 30 minutos
Comensales 4 personas
Dificultad media

Ingredientes

100 g de harina
1 huevo entero
1 yema de huevo
1/4 l de leche
4 cucharadas de mantequilla
una pizca de sal

Preparación

- Con una batidora se mezclan todos los ingredientes, excepto la mantequilla, y se bate hasta conseguir una masa blandita y sin grumos.
- Se deja reposar una hora y media, aproximadamente.
- Se funde la mantequilla y se mancha ligeramente una sartén pequeña; se pone a fuego muy suave para que las crepes no se quemen.
- Cuando esté caliente la sartén, en el centro se vierten dos o tres cucharadas de masa y se mueve para repartirla por toda la base.
- Cuando se empiecen a levantar burbujas, se le da la vuelta.
- A medida que se vayan haciendo, se colocan sobre un plato caliente y se continúa hasta terminar la masa.
- Pueden rellenarse con dulce o salado, indistintamente. Una vez rellenas, se enrollan y se colocan en una fuente.
- Se comen calientes.

Frutas de sartén aragonesas

Tiempo 45 minutos
Comensales 6 personas
Dificultad media

Ingredientes

600 g de harina
200 g de azúcar
1/4 l de aceite
1 cucharada de anís en grano

Preparación

- Se amasa la harina con el azúcar y el anís, añadiendo el agua necesaria para obtener una masa bien trabada y uniforme, que se trabaja sobre la mesa.
- Cuando esta masa esté en su punto, se va friendo en pequeñas porciones que, una vez doradas y bien escurridas, se espolvorean ligeramente con azúcar y se sirven.

Gallina en pebre a la vallisoletana

Tiempo 2 horas y 30 minutos
Comensales 6 personas
Dificultad media

Ingredientes

1 gallina grande, 2 yemas de huevo
1 cucharada de aceite de oliva
75 g de manteca de cerdo
caldo, ajo, perejil
laurel, limón
pimienta, sal

Preparación

- Después de limpia y chamuscada la gallina, se rocía con agua y se seca con un paño. En una cacerola se ponen el aceite y la manteca, rehogando en ellos la gallina, que se dora bien por todos lados.
- Después se fríen 3 dientes de ajo, se exprime medio limón sobre la gallina y se cubre con caldo. Se agregan el laurel, perejil picado, sal y pimienta.
- Se tapa la cazuela y se deja cocer a fuego lento entre una hora y media y dos horas, hasta que esté tierna. Se retira el ave y se deja reducir la salsa hasta alcanzar la cantidad necesaria.
- Se cuela la salsa por un tamiz y se le agregan las yemas, que se habrán desleído en un poco de caldo frío.
- Se calienta sin dejar que llegue a hervir y se vierte sobre la gallina.

Gambas al ajillo

Tiempo 15 minutos
Comensales 4 personas
Dificultad media

Ingredientes

1 kg de gambas, 3 dientes de ajo
aceite, guindilla, perejil, sal

Preparación

- Se pelan las gambas en crudo, sin lavar, dejando sólo las colas (con las cabezas de las gambas podemos hacer un rico caldo).
- En una cazoleta pequeña, mejor de barro, se calienta una cucharada de aceite.
- Cuando esté, se añaden los ajos picados y después de 1 minuto, la guindilla partida en trozos grandes.
- Seguidamente se incorporan las gambas, se salan y se espolvorean con un poco de perejil picado.
- Se mantienen a fuego fuerte de 6 a 8 minutos, moviendo la cazoleta de cuando en cuando.

- Se sirven enseguida para que no se enfríen.
- Conviene tapar la cazuela con un plato para que no salpique el aceite hirviente.

Garbanzos a la catalana

Tiempo 3 horas
Comensales 4 personas
Dificultad media

Ingredientes

350 g de garbanzos
100 g de butifarra
3 tomates
2 cebollas
4 cucharadas de aceite
laurel, pimienta, sal

Preparación

- Se dejan en remojo los garbanzos durante 12 horas por la noche.
- Se cuecen en la olla durante 20 minutos, cubiertos de agua hirviendo salada, con un casco de cebolla y una pizca de laurel.
- En una sartén amplia se fríe en el aceite la cebolla picada fina y los tomates pelados y sin pepitas.
- Cuando la salsa esté espesa, se añade la butifarra cortada en ruedas grandes y se rehoga.
- Se escurren los garbanzos ya cocidos y se rehogan con el frito, se añade un poco de agua de la cocción y se da unos hervores para que se una la salsa, pero con cuidado de que los garbanzos no se deshagan.

Garbanzos con callos

Tiempo 5 horas
Comensales 8 personas
Dificultad media

Ingredientes

200 g de garbanzos
1/2 kg de callos de ternera
1 pierna de vaca o ternera
1 chorizo
1 morcilla
100 g de tomates
1/4 kg de cebollas
2 dientes de ajo
4 pimientos choriceros
1 vaso de vino blanco
100 ml de aceite
pimentón, perejil, clavo
pimienta, sal

Preparación

- Se limpian los callos, lavándolos como si fuera ropa (o se compran lavados).

- Después de haberlos tenido en remojo durante unas horas, se aclaran con agua y vinagre.
- Se limpia la pata de ternera cortada al medio y se chamusca bien.
- Se cortan los callos en trozos, se cubren de agua fría y se da un hervor de unos 5 minutos.
- Se escurren, se tira el agua y se ponen con agua fría la pata de ternera, perejil, cebolla, sal, pimienta y clavo.
- Se deja cocer unas 4 o 5 horas hasta que estén tiernos (en la olla exprés pueden tardar 45 minutos).
- Se cuecen los garbanzos, después de tenerlos en remojo durante 24 horas, con cebolla, pimienta en grano, unos clavos y el chorizo.
- Se ablandan los pimientos en agua durante unas horas.
- Se pone el aceite en una sartén y se añade la cebolla y el ajo picado.
- Cuando se doren, se añade el tomate pelado, la carne de los pimientos raspada con un cuchillo y el pimentón.
- Se añade el vino, la sal y un cucharón de caldo de cocer los callos y se dan unos hervores.
- Se colocan los callos escurridos en una cazuela, se añade el refrito y el chorizo y se deja cocer el conjunto, moviendo la cazuela y procurando añadir más agua de cocer los callos para que queden siempre cubiertos.
- Cuando lleve una media hora se añaden la morcilla y los garbanzos y se dan unos hervores.
- Se rectifica el punto de sal y el punto de la salsa, que debe estar trabada y gelatinosa, es decir, que se pegue a la lengua al probarlos.
- Si se quiere, se pueden añadir unos aros de guindilla.

Garbanzos con carrillada de buey

Tiempo 6 horas
Comensales 6 personas
Dificultad media

Ingredientes

1/2 kg de garbanzos
350 g de carrillada de buey
1 pata de ternera
4 patatas
1 cabeza de ajos
1 cucharadita de bicarbonato
150 ml de aceite
1 hoja de laurel
6 huevos
pimienta, sal

Preparación

- Se ponen los garbanzos a remojo de agua templada con una cucha-

radita de bicarbonato, durante unas 12 horas.

- Al día siguiente se pelan las patatas, se lavan y se pasan los garbanzos por agua fría dos o tres veces para lavarlos bien.
- Se limpia la pata de ternera y se chamusca para ponerla a cocer con los garbanzos, las patatas, la carrillada, el ajo, el aceite, la hoja de laurel, la sal, la pimienta y un litro y medio de agua fría.
- En cuanto rompa el hervor, se espuma y se baja el fuego, dejándolo cocer durante unas 5 o 6 horas a fuego muy lento.
- Los huevos se cuecen durante 10 minutos, se pasan por agua fría y se pelan.
- Antes de terminar la cocción de los garbanzos, se rectifica el punto de sazón.
- Este plato se sirve de la siguiente forma: los garbanzos con el caldo en sopera y, a continuación, los huevos con la patata en una fuente y la carrillada con la pata en otra.
- Se puede acompañar de una salsa de tomate y de una ensalada verde.
- Éste es un plato único que se hace solo y se puede poner a cocer durante toda la noche en un fuego mínimo para que no se deshagan ni las patatas ni los garbanzos.

Garbanzos con mojo de pimientos y huevo duro

Tiempo 3 horas y 30 minutos
Comensales 6 personas
Dificultad media

Ingredientes

1/2 kg de garbanzos
3 pimientos rojos grandes
2 huevos cocidos
1 cebolla
1 diente de ajo
1 tomate
100 ml de aceite
2 cucharadas de vinagre
1/2 hoja de laurel
unos granos de pimienta, sal

Preparación

- Se ponen los garbanzos a remojo de agua fría la víspera y se cuecen como de costumbre.
- Los pimientos se lavan, se suprime el rabo y las semillas, se engrasan por fuera y se les pone sal por dentro y por fuera.
- Se colocan en una bandeja de horno junto con el tomate, un diente de ajo y una cebolla, y se asan en el horno, durante 1 hora, y dándoles la vuelta para que no se quemen.

- Se dejan enfriar en el horno lentamente, para que «suden» y sea fácil pelarlos, o se meten en una cazuela y se tapa, o bien se envuelven en papel de periódico.
- Se machaca el ajo asado con un poco de sal; se agregan la cebolla y el tomate asados, se majan también y se ligan con el aceite y el vinagre.
- Se cortan los pimientos en tiras.
- Cuando los garbanzos estén casi cocidos, se mueve la cazuela para que suelten la harina y espesen la salsa, que debe ser la justa para cubrirlos.
- Se añaden los pimientos en tiras, aliñados con el majado anterior.
- Se mezcla bien, se espolvorea de huevo duro y se sirve.
- Estos garbanzos se pueden servir fríos o calientes.
- Antes de ponerlos en la fuente, rectificar el punto de sal.

Garbanzos con salsa romesco

Tiempo 30 minutos
Comensales 4 personas
Dificultad media

Ingredientes

250 g de garbanzos cocidos
200 g de almendras tostadas
3 tomates asados
2 galletas, 2 guindillas
1/4 l de aceite
50 ml de vinagre
perejil, pimienta, sal

Preparación

- Se ponen a remojo las guindillas en agua templada durante un rato para poder pelarlas.
- Se trituran las almendras y las galletas, se añaden los tomates pelados y las guindillas igualmente peladas.
- Se van agregando, poco a poco, el vinagre y el aceite.
- Al final se pone el perejil picado y se aclara la salsa, si fuera necesario, con un poco de agua para que no resulte excesivamente espesa.
- Se mezclan los garbanzos escurridos con esta salsa y se dejan reposar en un lugar frío durante 1 hora para que cojan el sabor.

Garbanzos de las monjas

Tiempo 45 minutos
Comensales 4 personas
Dificultad media

Ingredientes

1/2 kg de garbanzos
1/2 kg de espinacas (o acelgas)
2 dientes de ajo, 2 huevos cocidos
1 rebanada grande de pan
100 ml de aceite de oliva
azafrán, pimienta, sal

Preparación

- Se ponen los garbanzos a remojo.
- Cuando se vayan a preparar, se lavan, se escurren y se ponen en la olla exprés con dos tazas de agua y sal.
- Se cuecen durante 15 minutos; se fríen los ajos y la rebanada de pan en el aceite.
- Se escurren bien y se machacan en el mortero junto con las yemas de los huevos y las hebras de azafrán. Se deslíen con un poco del caldo de cocer los garbanzos y se añaden a la olla.
- Las espinacas (o acelgas) se lavan bien, se cuecen en agua hirviendo durante 5 minutos y se echan a la olla junto con los garbanzos, después de haberlas escurrido y picado sobre la tabla.
- Se vuelve a tapar la olla y se deja que «pite» durante otros 10 minutos, teniendo en cuenta que los garbanzos no han dejado de cocer. Se sirven con la clara de huevo picada por encima.

Garbanzos en salmorejo

Tiempo 2 horas
Comensales 6 personas
Dificultad media

Ingredientes

250 g de garbanzos
4 tomates maduros
2 pimientos morrones
2 dientes de ajo
2 lonchas de jamón serrano
4 yemas de huevo cocido
1 rebanada gruesa de pan remojado en vinagre
pimienta, sal

Preparación

- Se dejan los garbanzos a remojo durante 12 horas en agua templada y se cuecen en agua caliente con sal de la forma acostumbrada.
- Se dejan enfriar y se escurren.
- Mientras, se prepara el salmorejo.
- Se escaldan los tomates quitándoles las pepitas.

- Se ponen en el vaso de la batidora con el pan mojado en vinagre, las yemas de huevo duro, los ajos, sal y pimienta.
- Se tritura y se prueba para darle el punto.
- Se mezcla el salmorejo con los garbanzos fríos y escurridos, se añade el jamón cortado en tiritas y el pimiento, igualmente cortado.
- Se sirve frío.

Garbanzos guisados a la madrileña

Tiempo 3 horas
Comensales 6 personas
Dificultad media

INGREDIENTES

600 g de garbanzos
2 chorizos, 2 o 3 huevos
100 g de manteca de cerdo
2 cucharadas de tomate en puré
1 cebolla
1 diente de ajo
1 vasito de vino blanco
1 rebanada de pan
1 cucharadita de pimentón
1/2 cucharadita de cominos
1 hoja de laurel
unas hebras tostadas de azafrán
pimienta, sal

PREPARACIÓN

- La víspera de la preparación se ponen los garbanzos en remojo de agua templada con sal.
- Tres horas antes de servir la comida se pone a hervir agua en una cazuela y, en el momento que rompa el hervor, se añaden los garbanzos, los chorizos y el laurel.
- Se tapa la cacerola y se deja cocer a fuego lento, pero sin que pare.
- Mientras tanto, aparte, se cuecen los huevos 10 minutos, se refrescan con agua y se pican.
- En una sartén pequeña se derrite la manteca de cerdo y se fríe en ella la rebanada de pan, se saca al mortero y, en la misma grasa, se fríen la cebolla y el ajo picados.
- En cuanto se empiecen a dorar, se añade el pimentón, teniendo cuidado de retirar la sartén del fuego para que no se queme.
- Seguidamente se agrega el tomate en puré (o dos tomates pelados y sin pepitas) y se moja con el vino.
- Se deja al fuego unos minutos para que se consuma y se añade este sofrito a los garbanzos cuando estén casi cocidos.
- Se salpimenta.
- En el mortero se machaca el pan frito con los cominos y el azafrán tostado y se disuelve con un poco de caldo de los garbanzos.

- Se añade a la cazuela el majado del mortero y los huevos duros picados finos, para que casi se deshagan.
- Se sirven los garbanzos muy calientes y después de haber rectificado el punto de sal.
- Deben quedar caldosos para tomar con cuchara, pero con la salsa trabada.

Gazpacho

Tiempo 15 minutos
Comensales 6 personas
Dificultad media

Ingredientes

1 kg de tomates maduros
1/2 kg de pimientos verdes
1/2 kg de pepinos
100 g de pan del día anterior
1 diente de ajo
6 cucharadas de aceite de oliva
2 cucharadas de vinagre
1 l de agua, pimienta, sal

Preparación

- Se pone en remojo el pan con el tomate y los pimientos partidos en cuartos, el ajo, el pepino y la pimienta.
- Se añade el aceite y se deja en sitio fresco por espacio de 1 hora.
- Después, se pasa por la batidora o pasapurés, se prueba y se añaden el vinagre y la sal al gusto.
- Se sirve muy frío, acompañado con unos trocitos de pepino y cuadraditos de pan ligeramente tostados y untados de tomate.

Gazpacho al estilo de Écija (Sevilla)

Tiempo 30 minutos
Comensales 6 personas
Dificultad media

Ingredientes

1/2 kg de tomates
1/4 kg de pimientos
1/4 kg de pepinos, ajo
media barra de pan
125 ml de aceite
3 cucharadas de vinagre de vino, sal

Preparación

- Se limpian y lavan los pepinos, troceándolos sin pelar, y se ponen en un recipiente de loza o de barro.
- Se lavan los tomates, se despojan de semillas y se trocean, poniéndolos con los pepinos.
- Seguidamente se lavan los pimientos, se despojan de tallo y semillas y

se parten en pedazos no muy pequeños.

- El pan se corta en pequeños trozos y se pone también en un recipiente.
- Se machacan en el almirez 3 dientes de ajo con la sal fina necesaria y se hace un majado que se incorpora al recipiente, enjuagando el almirez con un poco de vinagre, que también se incorpora al gazpacho, añadiendo seguidamente el aceite, muy poco a poco.
- Se deja todo en maceración por lo menos media hora, pasada la cual se maja todo en el mortero hasta reducirlo a pulpa.
- Se diluye con agua (de cuarto a medio litro), se pasa por el chino y se vuelve a poner en el recipiente de barro o loza en que vaya a servirse y se deja enfriar.
- Al servirlo, bien frío, se le añaden pepino, pimiento, tomate y pan, todo cortado en minúsculos cuadraditos.

Gazpacho de almendras

Tiempo 30 minutos
Comensales 4 personas
Dificultad media

Ingredientes

50 g de almendras crudas peladas
75 g de miga de pan, 1 diente de ajo
4 cucharadas de aceite de oliva virgen
1 cucharada de vinagre de jerez
sal

Preparación

- Se ponen las almendras en un mortero con el diente de ajo pelado y un poco de sal, y se machacan hasta conseguir una pasta.
- Se remoja la miga de pan en agua fría, se escurre y se añade al mortero, mezclando muy bien todos los ingredientes.
- Poco a poco se vierte el aceite sin dejar de remover, hasta que la pasta adquiera una consistencia similar a la de la mahonesa y, entonces, se añade el vinagre.
- Se vierte el gazpacho en un cuenco adecuado y, poco a poco, se añade agua fría sin dejar de remover.
- Se sirve frío.

Guisado toledano

Tiempo 60 minutos
Comensales 6 personas
Dificultad media

Ingredientes

1 kg de contra de vaca
1 kg de patatas
1/2 kg de guisantes
6 alcachofas
1 pimiento, 2 tomates
1 cebolla grande
ajos
1/4 l de aceite
perejil, pimienta
clavo, pimentón, sal

Preparación

- Se corta la carne en trozos, que se ponen en una cazuela con la cebolla, los tomates y el pimiento picados, se agrega una cucharadita de pimentón, 3 granos de pimienta y el clavo machacados, el aceite, previamente frito, y 3 dientes de ajo.
- Se añaden las alcachofas, que deben ser de pequeño tamaño, los guisantes desgranados y las patatas mondadas y partidas en pedazos grandes.
- Se rehoga todo durante un cuarto de hora y, cuando esté bien rehogado, se cubre con agua, se sazona con sal y se deja cocer despacio y con la cazuela tapada hasta que se consuma el caldo; entonces puede servirse.

Guisantes a la hierbabuena

Tiempo 30 minutos
Comensales 4 personas
Dificultad media

Ingredientes

1 kg de guisantes desgranados
14 cebollitas francesas
1 cogollo de lechuga
2 cucharadas de hierbabuena picada
1 cucharadita de azúcar
aceite de oliva
pimienta negra, sal

Preparación

- Se desgranan, limpian y escurren los guisantes.
- A continuación se pone el aceite de oliva en una cazuela y se añade la lechuga cortada en juliana, las cebollitas peladas, la cucharadita de azúcar y la hierbabuena, sazonando con sal y pimienta negra recién molida.
- Se rehoga todo durante unos minutos y se añaden los guisantes.

- Se tapa la cazuela y se deja cocer a fuego lento hasta que los guisantes estén tiernos, aproximadamente 25 minutos.
- Se sirve inmediatamente.

Guisantes con jamón

Tiempo 30 minutos
Comensales 4 personas
Dificultad media

Ingredientes

1/2 kg de guisantes desgranados
50 g de jamón curado
1/2 cebolla
aceite
pimienta
sal

Preparación

- Se rehoga la cebolla en aceite caliente y, cuando empiece a dorarse, se añade el jamón troceado y luego los guisantes.
- Se dejan cocer a fuego lento, durante unos cuantos minutos.
- Se prueban, porque el jamón sala y, si es necesario, se salpimenta al gusto.

Guiso de arroz estilo mediterráneo

Tiempo 1 hora y 30 minutos
Comensales 4 personas
Dificultad media

Ingredientes

400 g de arroz de primera calidad
1 conejo, 1 pollo
200 g de salchicha blanca
200 g de salchicha roja
150 g de garbanzos
2 dientes de ajo, 1 cebolla
3 huevos, 300 ml de aceite de oliva
laurel, sal

Preparación

- La noche anterior se ponen en remojo los garbanzos.
- En una olla rápida se cuecen los garbanzos, la salchicha roja, la cebolla entera y la hoja de laurel, hasta que los garbanzos estén tiernos.
- En una sartén plana o paella se calienta aceite y se doran el pollo y el conejo troceados, en tandas pequeñas para que no se cuezan; se van reservando los trozos y, en la grasa que queda, se saltea la salchicha blanca troceada.
- Si hay demasiado aceite, se retira un poco.

- Se vuelven a incorporar a la sartén los trozos de conejo y pollo reservados y se cubren con el agua de los garbanzos, dejándolo cocer hasta que todo esté tierno.
- Se añade el arroz, los garbanzos cocidos y la salchicha roja, se prueba de sal y se deja al fuego 10 minutos, agregando la salchicha blanca frita y los huevos bien batidos, metiéndolo a horno fuerte para que termine de cocerse y se forme una costra dura.
- Se deja reposar 5 minutos y se sirve.

Guiso de vaca al vino tinto

Tiempo 3 horas y 15 minutos
Comensales 4 personas
Dificultad media

Ingredientes

1 kg de carne de vaca troceada
2 vasos de vino tinto
100 g de tocino en lonchas
1 cebolla mediana
1 zanahoria, 1 diente de ajo
vinagre, 1 hoja de laurel
perejil, tomillo en rama
aceite, pimienta negra molida, sal

Preparación

- En una cazuela, bien tapada, se deja macerar la carne durante siete horas, acompañada de media cebolla cortada por la mitad, una zanahoria troceada, el laurel y el tomillo. Se salpimenta y se rocía con el vino y el vinagre.
- Cuando la carne haya tomado bien todos los sabores, se escurre y se reserva.
- Seguidamente, en una cazuela, se sofríe la otra mitad de la cebolla bien picada y el tocino; se añaden los trozos de carne y se rehoga durante 10 minutos.
- Se agrega el adobo (vino, cebolla, laurel) a la cazuela y, con ella destapada, se deja que cueza hasta que el caldo se reduzca a la mitad; entonces se añade 1/2 litro de agua caliente y se cuece a fuego lento de 2 a 3 horas.
- Se acompaña con puré de patatas.

Habas en calzón

Tiempo 60 minutos
Comensales 4 personas
Dificultad media

Ingredientes

3 kg de habas
250 g de tocino ahumado
250 g de jamón curado
aceite de oliva
orégano, sal

PREPARACIÓN

- Se limpian las habas y, sin desgranarlas, se cortan en trozos de unos tres o cuatro centímetros.
- Se pone al fuego una cazuela con agua y sal a hervir y, cuando empiece a cocer, se echa un primer puñadito de habas; cuando esté a punto de empezar el hervor otra vez, otro puñadito...
- Y así, hasta que se hayan incorporado todas las habas a la cazuela.
- Aparte, en una sartén, se calienta el aceite y, cuando esté en su punto, se agregan el tocino ahumado y el jamón troceados.
- Luego, se añaden las habas cocidas, la sal (poca, porque el jamón es salado), una pizca de orégano y se sofríe todo junto antes de servir.
- Las habas tiernas reciben en Andalucía el nombre de tirabeques.

Habas estofadas

Tiempo 45 minutos
Comensales 4 personas
Dificultad media

INGREDIENTES

1 kg de habas
2 cebollas
3/4 kg de tomates
2 dientes de ajo
1 vaso de vino blanco
aceite de oliva
laurel
tomillo
nuez moscada
sal

PREPARACIÓN

- En una cazuela con aceite se rehoga la cebolla picada, se añaden los ajos picados y los tomates pelados y troceados.
- Se deja cocer todo durante 10 minutos y se agregan las habas desgranadas, una hoja de laurel, tomillo, nuez moscada, sal y el vino blanco.
- Se tapa la cazuela y se deja cocer a fuego lento hasta que las habas estén tiernas.

Habas verdes a la granadina

Tiempo 1 hora y 15 minutos
Comensales 6 personas
Dificultad media

Ingredientes

1 y 1/2 kg de habas frescas
3/4 kg de alcachofas pequeñas
2 tomates maduros
3 cebollas, 2 dientes de ajo
3 rebanadas de pan frito
100 ml de aceite, limón
caldo o agua, laurel, hierbabuena
perejil, azafrán
cominos
pimienta sal

Preparación

- Se desgranan las habas y se ponen a cocer. En una sartén se pone el aceite y se fríe la cebolla picada; cuando esté dorada, se agrega el tomate picado y la sal.
- Cuando rompa a hervir el agua de las habas, se sacan, se escurren y se ponen en la sartén; se marean un poco y se agrega agua para cubrirlas, el ramillete con laurel, perejil y hierbabuena, y las alcachofas limpias, pasadas por limón. Se añade entonces un majado hecho con azafrán, comino, pimienta y rebanadas de pan frito.
- Se deja cocer lentamente hasta que las habas estén muy tiernas; si la salsa está muy espesa, añadir caldo o agua.

Higaditos de pollo salteados

Tiempo 15 minutos
Comensales 2 personas
Dificultad media

Ingredientes

4 higaditos troceados
1 cebolla pequeña picada
1 cucharada de maizena
1/2 vasito de oporto (vino dulce)
25 g de mantequilla
perejil picado
pimienta, sal

Preparación

- En una sartén se saltean los higaditos durante 4 minutos, con la mantequilla y el fuego suave.
- Después, se añaden la cebolla y la maizena diluida en el vino dulce.
- Se sazona con sal y pimienta, y se deja cocer 10 minutos más.
- Se sirven en una fuente decorada con perejil picado.

Hígado al orégano

Tiempo 15 minutos
Comensales 4 personas
Dificultad media

Ingredientes

1/2 kg de hígado de cordero
2 cucharadas de aceite
1 limón, orégano, perejil, pimienta
sal, rebanaditas de pan

Preparación

- Se trocea el hígado en daditos, que se saltean en una sartén con el aceite caliente y a fuego fuerte.
- Se salpimentan inmediatamente y se añade el zumo de limón y el orégano para que cueza todo junto durante 10 minutos lentamente.
- Se espolvorea con perejil picado y se sirve sobre trocitos de pan.

Huesos de San Expedito

Tiempo 60 minutos
Comensales 4 personas
Dificultad media

Ingredientes

225 g de harina
2 huevos
50 g de azúcar
1 copa de aguardiente
levadura en polvo
1/4 l de aceite

Preparación

- Sobre una mesa se mezcla la harina con la levadura, haciendo un hueco en el centro donde se pondrán los huevos, bien batidos, con el azúcar.
- Se añade el aguardiente y se va trabajando la mezcla con las manos, recogiendo despacio la harina hasta conseguir una masa compacta.
- Una vez bien trabajada, se hace una bola y se deja reposar 30 minutos.
- Pasado el tiempo de reposo, se forman unos palos de unos ocho centímetros de largo por un centímetro de grueso, se les hace un corte a lo largo y se fríen en aceite, no muy caliente, hasta que se doren.
- Se escurren sobre un papel absorbente y se dejan enfriar.
- El hueso de San Expedito es un dulce que se consume en algunos luga-

res de España por la festividad de Todos los Santos, en noviembre.

Huesos de santo

Tiempo 3 horas
Comensales 4 personas
Dificultad media

Ingredientes

400 g de almendras molidas
200 g de patatas
500 g de azúcar
harina de arroz
ralladura de limón, agua
Para el relleno:
12 yemas de huevo
175 g de azúcar
Para el baño:
200 g de azúcar
zumo de limón

Preparación

- Se cuecen las patatas sin pelar.
- Una vez cocidas, se escurren y se pelan, se pasan por un pasapurés y se dejan en espera.
- Se pone en un cazo un cuarto litro de agua y se añaden el azúcar y la ralladura de limón; se deja hervir hasta que se consiga un almíbar a punto de hebra fuerte.
- Entonces se añaden las almendras molidas, mezclándolas bien con ayuda de una espátula.
- Cuando ya están bien mezcladas, se agregan las patatas, removiendo en el fuego hasta que se forme una pasta homogénea.
- Se deja enfriar.
- Una vez fría, se trabaja un poco para suavizarla y, con ayuda de un rodillo de cocina y harina de arroz, se extiende por igual, dejándola en una capa de medio centímetro de grosor.
- Con ayuda de una regla y un cuchillo se van cortando cuadraditos de seis o siete centímetros y, mojando con agua un extremo, se van enrollando sobre un palo de unos 2 centímetros de diámetro, colocándolos sobre la parte que está pegada.
- Se saca el palo y se ponen a secar sobre una tabla.
- Al día siguiente, se rellenan con dulce de yema y, a continuación, se les da un baño de azúcar y se ponen sobre una rejilla para secarlos al horno.
- El relleno se hace poniendo en un cazo el azúcar con un vasito de agua, se deja hervir hasta conseguir un almíbar de hebra fuerte, se agregan las yemas y se remueve con ayuda de un batidor.
- Cuando está cuajado, se retira del fuego y se deja enfriar.

- Para el baño de azúcar se pone en un cazo 200 gramos de azúcar con un vasito de agua y se lleva a ebullición.
- Cuando empiece a hervir, se espuma bien y se deja al fuego hasta conseguir un almíbar de hebra fuerte.
- Se retira del fuego y se añade una cucharadita de zumo de limón, trabajándolo despacio hasta conseguir una pasta muy blanca.
- Se vierte sobre un mármol y, con la palma de la mano mojada en agua fría, se amasa hasta conseguir que quede compacta, blanca y fina.
- Se pone en un cazo, se añade una cucharada de agua caliente y se mete al baño María hasta que queda líquido.
- Los huesos de santo, después de rellenos, se bañan con este almíbar y se dejan secar y enfriar al aire libre.
- Los huesos de santo pueden conservarse algún tiempo guardados en una caja metálica.

Huevos a la barcelonesa

Tiempo 60 minutos
Comensales 6 personas
Dificultad media

Ingredientes

12 huevos
150 g de lomo de cerdo
100 g de jamón, 200 g de tomates
150 g de cebollas, 75 g de harina
100 g de mantequilla
1 cacillo de caldo, sal

Preparación

- Se pone la mantequilla en la sartén y, cuando se haya derretido y esté bien caliente, se rehoga en ella la cebolla muy picada, el jamón y el lomo, cortados en pequeños cubos.
- Cuando todo se dore, se agregan los tomates, pelados y partidos, la harina y un cacillo de caldo.
- Se sazona y se deja hervir durante media hora con la sartén tapada.
- El refrito obtenido de esta forma se coloca en el centro de una cazuela de barro y alrededor se cascan los huevos y se salan.
- Se mete la cazuela en el horno, donde se tiene durante unos 5 minutos, y se sirve muy caliente.

Huevos a la bilbaína

Tiempo 30 minutos
Comensales 6 personas
Dificultad media

Ingredientes

6 huevos
25 g de jamón
1 cebolla
1 cucharada de harina
200 ml de leche
25 g de mantequilla
25 g de manteca de cerdo
1/4 l de aceite
pimienta
sal

Preparación

- En una cazuela de barro se derriten la manteca y la mantequilla, procurando que se mezclen bien; enseguida se fríe el jamón, picado fino, y la cebolla, también muy picada.
- Cuando ésta se haya dorado, se añade una cucharada de harina y se deja que tome color, pero sin que se queme, ni siquiera se tueste.
- Entonces se agrega la leche y, cuando vaya a hervir, se van poniendo los huevos uno a uno, cascándose sobre la misma cazuela y teniendo cuidado de que no se caiga ningún trozo de cáscara.
- Se salan y se dejan cuajar a fuego suave y, cuando estén, se sirven en la misma cazuela.

Huevos a la cazuela con cocochas

Tiempo 45 minutos
Comensales 4 personas
Dificultad media

Ingredientes

4 huevos
800 g de cocochas
1 diente de ajo
aceite de oliva, perejil, sal

Preparación

- Se pone a calentar una cazuela (preferiblemente de barro) con aceite y se fríe el ajo.
- Cuando éste empiece a dorarse, se añaden las cocochas limpias de espinas y sazonadas con sal y perejil picado.
- Cuando el aceite inicie la ebullición, se retira la cazuela del fuego y se dan unas cuantas vueltas circulares al recipiente para que la salsa se emulsione y quede perfectamente ligada.
- Antes de servir, se cascan encima los huevos y se mete la cazuela al horno hasta que se cuajen.

Huevos a la flamenca

Tiempo 45 minutos
Comensales 6 personas
Dificultad media

Ingredientes

6 huevos
50 g de jamón curado
100 g de chorizo
100 g de guisantes desgranados
100 g de puntas de espárragos
2 cebollas
1/4 kg de tomates maduros
1 diente de ajo
200 ml de aceite de oliva
pimentón, pimienta, sal

Preparación

- Se limpian los guisantes y se cuecen.
- Se cuecen también las puntas de los espárragos.
- Se escurren ambas verduras y se reservan.
- En una sartén se pone el aceite al fuego y se rehogan las cebollas y el ajo muy picadito.
- Cuando empiece a dorarse la cebolla, se añade el tomate picado (previamente escaldado y quitada la piel), y media cucharadita de pimentón.
- Se estofa a fuego lento durante 10 minutos y se agrega el jamón picado; se deja cocer todo junto unos minutos.
- Después, se echan los guisantes y el chorizo cortado en 6 rodajas, se añade un vaso del caldo de cocer los espárragos y se deja estofar todo junto durante 5 minutos.
- Se retiran las rodajas de chorizo, que se reservan, y el resto de la mezcla se vierte en una fuente de horno.
- De uno en uno se van añadiendo los huevos crudos, mejor con una taza para que no se rompan.
- Sobre cada huevo se pone una rodaja de chorizo y, entre ellos, las puntas de los espárragos.
- Se mete a horno fuerte y, en cuanto empiecen a cuajar las claras de los huevos, se saca la fuente y se sirven.

Huevos a la navarra

Tiempo 15 minutos
Comensales 6 personas
Dificultad media

Ingredientes

12 huevos
150 g de chorizo de Pamplona
puré de tomate frito
50 g de queso rallado
50 g de mantequilla
2 cucharadas de aceite
perejil, pimienta, sal

Preparación

- Estos huevos se preparan en los platillos de porcelana o de barro que se utilizan para servir los huevos al plato.
- Se comienza por untar los recipientes con mantequilla y después se cubre su fondo con un puré de tomate frito, que se sazona generosamente con sal, pimienta y perejil picado.
- Encima del tomate se cascan los huevos, dos por cada recipiente, y encima de cada uno de ellos se coloca una rodaja de chorizo de Pamplona, previamente frito.
- Se espolvorean por encima con un poco de queso rallado y se meten en el horno para que se cuajen, teniendo en cuenta que la temperatura no debe ser muy fuerte pues han de servirse con la yema blanda.

Huevos al plato

Tiempo 45 minutos
Comensales 4 personas
Dificultad media

Ingredientes

4 huevos, 400 g de judías verdes
100 g de jamón serrano
12 puntas de espárragos
1/4 l de salsa de tomate, sal

Preparación

- Se cuecen las judías verdes en agua con sal.
- Se cuelan y reservan.
- Se cubre el fondo de cuatro cazuelas individuales con la salsa de tomate y se reparten por encima las judías verdes cocidas y el jamón serrano en tiras.
- Se meten las cazuelas en el horno hasta que la salsa hierva.
- Entonces, se cascan sobre la salsa caliente los huevos, uno por cazuela, y se adorna con los espárragos.
- Se vuelven a meter al horno para que se cuaje la clara (aproximadamente 2 minutos), cuidando que no se haga en exceso el huevo y que la yema quede blanda.
- El jamón serrano puede sustituirse por beicon, pero el plato resulta un poco más grasiento.

Huevos al plato con chorizo

Tiempo 15 minutos
Comensales 4 personas
Dificultad media

Ingredientes

8 huevos
8 rodajas de chorizo
50 g de queso rallado
tomate frito, mantequilla
2 cucharadas de aceite
perejil, pimienta, sal

Preparación

- Para preparar este plato se necesitan unas terrinas o recipientes especiales e individuales, generalmente de aluminio, para huevos al plato, pero también pueden hacerse en cazuelas de barro pequeñas.
- El recipiente se unta con mantequilla, se añade el tomate frito en forma de lecho, se salpimenta y se espolvorea con perejil picado.
- Se cascan los huevos con cuidado de que caigan encima del lecho de tomate y encima se coloca una rodaja de chorizo frito.
- Se espolvorean los huevos con queso rallado y se meten en el horno a temperatura no muy alta, para que la yema quede blanda y la clara cuajada.

Huevos con pisto

Tiempo 30 minutos
Comensales 4 personas
Dificultad media

Ingredientes

4 huevos
600 g de tomates
2 pimientos, 1 cebolla
100 g de queso rallado
aceite de oliva, pimienta, sal

Preparación

- Se calienta el aceite en una sartén y se rehoga la cebolla picada hasta que se ablande.
- A continuación, se añaden los tomates pelados y troceados y los pimientos cortados a cuadritos.
- Se deja cocer a fuego lento aproximadamente un cuarto de hora.
- Se añade después el queso rallado y se mezcla muy bien hasta que se derrita.
- Finalmente, se cascan los huevos sobre esta preparación, se sazonan con sal y pimienta y se deja cocer a fuego lento hasta que estén cuajados.

Huevos duros a la cazuela

Tiempo 45 minutos
Comensales 4 personas
Dificultad media

Ingredientes

4 huevos, 3/4 kg de patatas
1/4 kg de champiñones
2 tomates, 1 cebolla
1 diente de ajo, caldo
aceite de oliva
azafrán, perejil, sal

Preparación

- En una cazuela (preferiblemente de barro) con aceite se hace un sofrito con la cebolla picada, los tomates pelados y troceados y los champiñones cortados en láminas.
- Se agrega al sofrito un poco de caldo y se deja cocer.
- A continuación, se pelan y cortan a dados las patatas, se fríen y se vierten en la cazuela con las verduras, continuando la cocción aproximadamente durante 20 minutos.
- Se pasa por el mortero el diente de ajo junto con unas hebras de azafrán, perejil y sal; se diluye con un poco de caldo y se vierte en la cazuela.
- Por último, se incorporan los huevos, previamente cocidos y cortados en trozos, y se sirve.

Huevos escalfados a la bilbaína

Tiempo 60 minutos
Comensales 4 personas
Dificultad media

Ingredientes

4 huevos
guisantes tiernos
puntas de espárrago
pimiento choricero
2 dientes de ajo, cebolletas
1 cucharadita de harina
aceite, perejil
pimienta, sal

Preparación

- Se cuecen las cebolletas y las puntas de espárragos en agua con sal.
- Se escurren bien y se reservan.
- Aparte, en una cazuela de barro con aceite puesta al fuego se rehogan dos dientes de ajo y un pedacito de pimiento choricero, previamente remojado en agua tibia para ablandarlo.
- Cuando el aceite empiece a hervir, se frota el pimiento con una cuchara para que suelte toda la pulpa.

- Luego se sacan la piel del pimiento y los ajos cuando se hayan dorado; éstos se reservan en un mortero.
- Entonces se echan el perejil picado y los guisantes (tiernos y finos).
- Se agrega la harina y se remueve para que se fría sin dorarse; se añade un poco de agua y los ajos bien machacados y se deja cocer.
- Cuando se haya consumido el agua y estén cocidos los guisantes, se añaden los huevos, rompiéndolos con el borde de la misma cazuela y con mucho cuidado para que no revienten las yemas.
- Se sazona con sal y una pizca de pimienta molida y se deja que hiervan hasta que la clara se cuaje bien.
- Entonces se añaden al guiso las cebolletas y las puntas de espárrago reservadas.
- Se da un hervor a todo junto y se sirve.

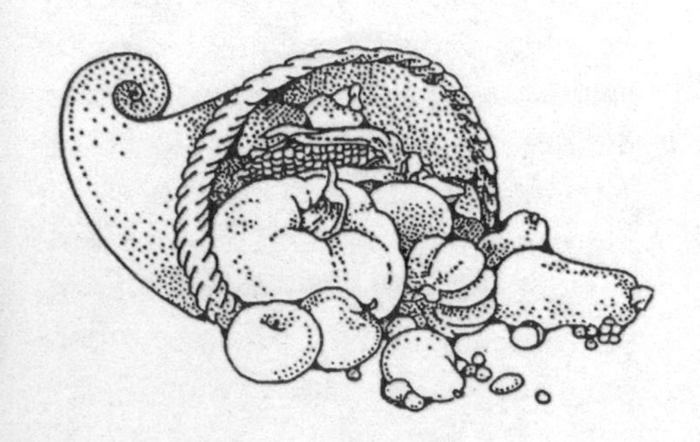

Huevos rellenos de atún y jamón

Tiempo 30 minutos
Comensales 4 personas
Dificultad media

Ingredientes

4 huevos
50 g de jamón serrano
1 lata de atún
1 lata pequeña de aceitunas
salsa mahonesa ligera
pimiento morrón (opcional)

Preparación

- Se cuecen los huevos y, una vez fríos, se les quita la cáscara y se parten en dos, cuidando de no estropearlos al retirar las yemas, que se reservan.
- Se pica finamente el jamón, se desmenuza el atún y se mezclan ambos ingredientes con las aceitunas y tres de las yemas de huevo reservadas.
- Se hace una pasta con la que se van rellenando cada una de las mitades de las claras de huevo vacías.
- Se colocan estos huevos rellenos en una fuente, se vierte por encima la mahonesa y se espolvorea por encima la otra yema de huevo rallada.

- Si se quiere, también se pueden decorar con aceitunas partidas y trocitos pequeños de pimiento morrón.

Huevos revueltos a la manchega

Tiempo 60 minutos
Comensales 6 personas
Dificultad media

Ingredientes

6 huevos
100 g de jamón
6 pimientos
1/4 kg de cebollas
1/4 kg de calabacines
1/2 kg de tomates
1/4 l de aceite
50 g de pan
pimienta
sal

Preparación

- Se prepara un pisto con trocitos de jamón, cebolla, pimientos, calabacines y tomates, friendo todo el conjunto hasta que se reduzca y quede bien seco.
- Entonces se cascan los huevos en la misma sartén, revolviéndolos con el pisto para que queden bien mezclados.
- Cuando hayan cuajado, se pueden servir acompañados por rebanadas de pan frito.
- Para preparar el pisto se pueden seguir las indicaciones de la receta «Pisto manchego», pero sin añadir el final de los huevos batidos.

Huevos revueltos con ajetes

Tiempo 30 minutos
Comensales 4 personas
Dificultad media

Ingredientes

1 manojo de ajetes
8 huevos
50 g de mantequilla
4 cucharadas de aceite de oliva
pimienta, sal

Preparación

- Se limpian los ajetes retirando las capas superiores y la parte verde y se cortan en rodajas finas.
- Se rehogan en una sartén con aceite, procurando que no se doren excesivamente.
- Aparte, se baten los huevos, se salpimentan y se añade la mantequilla reblandecida y los ajetes escurridos de aceite.

- Esta mezcla se pone en un cazo al baño María, dejándola cocer suavemente, sin dejar de remover, hasta que adquiera una consistencia cremosa y espesa.
- Los huevos se sirven calientes sobre tostadas de pan frito.
- El único secreto para que los huevos revueltos queden sueltos y cremosos es cocinarlos a fuego muy suave.

Intxaursalsa

Tiempo 45 minutos
Comensales 4 personas
Dificultad media

Ingredientes

1/4 l de leche
400 g de nueces picadas
2 rodajas de pan tostado
150 g de azúcar

Preparación

- En un cazo se pone a hervir la leche, junto con el azúcar, las nueces y el pan tostado triturado, durante tres cuartos de hora.
- A continuación se retira del fuego y se deja enfriar.
- Se sirve en tazas o cuencos.

Jamón al jerez

Tiempo 30 minutos
Comensales 6 personas
Dificultad media

Ingredientes

6 lonchas gorditas de jamón de York
1 copa de jerez seco u oporto
100 g de mantequilla
4 cucharadas de puré de tomate
1 cucharada de harina
1 cebolla, 1 zanahoria
pimienta, sal

Preparación

- Se unta una fuente refractaria con 25 g de mantequilla y se ponen en ella el jamón y el jerez, metiéndolo unos minutos al horno.
- Mientras, en una sartén se calientan 50 g de mantequilla y se rehoga la cebolla picada.
- Cuando esté dorada, se incorpora la zanahoria, también picada, y la harina, rehogándolo todo un poco.
- Se añade luego el puré de tomate, sal, pimienta y un chorrito de agua, dejándolo cocer unos minutos.
- Se pasa esta salsa por el chino, se le añade el jerez del asado, que se habrá reducido, los otros 25 g de mantequilla y se cubre el jamón con esta salsa.

- El plato se puede servir adornado con puré de patata y champiñones salteados.

Jamón serrano con melón

Tiempo 30 minutos
Comensales 6 personas
Dificultad media

Ingredientes

12 lonchas de jamón serrano
1 melón, 100 ml de nata líquida
1/2 l de mahonesa muy espesa
pasas de Corinto (opcional)
pimienta, sal

Preparación

- Se parte el melón horizontalmente en dos partes.
- Se saca la carne con un cuchillo afilado y se trocea en cuadritos pequeños, que se unen con la mitad de la mahonesa.
- Con ello se rellenan las lonchas de jamón, enrollándolas después.
- Se aclara la mahonesa restante con la nata líquida, se prueba y rectifica de sal y pimienta.
- Las lonchas de jamón rellenas se presentan en una fuente, acompañadas de la mahonesa en salsera aparte.
- Junto con el melón, también se pueden incluir en el relleno unas pasas de Corinto, previamente puestas a remojo con agua fría.
- Esta receta resulta muy refrescante en los meses estivales.

Judías verdes a la andaluza

Tiempo 1 hora y 30 minutos
Comensales 5 personas
Dificultad media

Ingredientes

1 y 1/4 kg de judías verdes
150 g de jamón serrano
400 g de cebollas
500 g de tomates maduros
4 dientes de ajo
200 ml de aceite de oliva
hierbabuena, clavo
pimienta blanca
sal

Preparación

- Se limpian las judías verdes, dejándolas enteras, se lavan y se escurren.
- Se corta el jamón en trozos pequeños.
- Se pelan las cebollas y se parten en juliana; se pelan también los ajos.

- Los tomates se pican bien. Se machaca clavo y pimienta en el mortero.
- Se ponen a cocer las judías en agua hirviendo con sal y, a media cocción, se añaden las cebollas, los ajos enteros, el ramillete de hierbabuena y las especias machacadas.
- Se fríen los tomates en el aceite, a fuego suave para que se hagan bien y, al final, se añade el jamón. Cuando las judías estén listas, se escurren, se separan los ajos y la hierbabuena, y se mezclan con el tomate y el jamón.
- Se deja cocer todo junto suavemente 10 minutos.
- Se sirve en fuente o legumbre caliente.

Judías verdes a la levantina

Tiempo 60 minutos
Comensales 4 personas
Dificultad media

Ingredientes

1 kg de judías verdes
1/4 kg de tomates
2 cebollas, 1 diente de ajo
100 ml de aceite de oliva
perejil, sal

Preparación

- En una cazuela con aceite se rehogan las cebollas cortadas en rodajas muy finas; se añade a continuación el ajo picado, los tomates pelados y troceados y las judías verdes lavadas y troceadas.
- Se sazona con sal y se deja cocer a fuego lento hasta que las judías estén tiernas.
- Se agrega el perejil finamente picado y se sirve inmediatamente.

Judías verdes a la riojana

Tiempo 60 minutos
Comensales 4 personas
Dificultad media

Ingredientes

1 kg de judías verdes
150 g de costilla de cerdo
100 g de chorizo
100 g de tocino
2 cucharadas de harina
1 cebolla
2 dientes de ajo
aceite, pimienta, sal

Preparación

- En un puchero al fuego se ponen el tocino, las costillas y el chorizo, se

cubren con agua y se dejan cocer.

- Se quitan las hebras de las judías y se añaden al puchero.
- Tardan en cocerse una media hora.
- Aparte, en una sartén, se calientan unas cucharadas de aceite y se sofríen la cebolla y los dientes de ajo bien picados; después se incorpora la harina, dándole unas vueltas.
- Se retiran las judías del puchero, se escurren y se añaden al sofrito.
- Luego, se agregan el tocino, el chorizo y la costilla.
- Se prueba el punto de sal y, si es necesario, se sazona.

Lacón con grelos

Tiempo 3 horas
Comensales 4 personas
Dificultad media

Ingredientes

500 g de lacón fresco
400 g de grelos (brotes tiernos de los nabos)
250 g de alubias blancas
2 cucharadas de manteca
sal

Preparación

- Se ponen la noche anterior las alubias a remojo.
- Se llena un recipiente, preferiblemente de barro, con agua, se añaden las alubias y se ponen a hervir; cuando estén a media cocción.
- Aproximadamente unos quince minutos después, se añade la manteca de cerdo.
- Se deja que hierva un poco más, se espuma si es necesario, y se agrega el lacón cortado en trozos.
- A continuación, se incorporan los grelos, sin quitarles el tallo y en grandes hojas.
- Se sazona y se deja que cueza hasta que se ablande todo.

Langosta al Levante

Tiempo 60 minutos
Comensales 6 personas
Dificultad media

Ingredientes

1 langosta, 1 cebolla mediana,
3 tomates, 3 pimientos morrones
1 vaso de vino blanco
50 ml de brandy
200 ml de aceite de oliva
unas hebras de azafrán
perejil, pimienta, sal

Preparación

- Se parte la langosta cruda en trozos (debe estar viva y hacer esta operación del modo adecuado).
- Se fríen los trozos en el aceite a fuego vivo, se sacan y reservan.
- En el mismo aceite se echa la cebolla muy picada y se deja dorar; se añaden los tomates escaldados, pelados y sin semillas, cortados a trozos pequeños.
- Cuando esté medio hecho, se añaden los pimientos troceados.
- Se incorporan los trozos de langosta y el vino blanco (de buena calidad).
- En un mortero se maja el azafrán con la sal y se añade al guiso.
- Se deja cocer tapado durante media hora aproximadamente.
- Pasado ese tiempo, se sacan los trozos de langosta y la salsa se deja que siga cociendo, añadiéndole la pimienta y el brandy prendido.
- Una vez reducida la salsa, se pasa por el pasapurés y se deja enfriar.
- Se ponen en una fuente los trozos de langosta cubiertos por la salsa y se sirve.
- Puede acompañarse con arroz blanco en ensalada.

Leche frita

Tiempo 45 minutos
Comensales 2 personas
Dificultad media

Ingredientes

1/2 l de leche, 1 huevo
3 cucharadas de azúcar,
más un poco para espolvorear
2 cucharadas de harina
1 cucharadita de maizena
1 cucharada de anís, canela
Para el rebozado:
harina
huevos batidos
aceite

Preparación

- Se hierve un cuarto de litro de leche y se agrega el azúcar.
- El resto de la leche, fría, se mezcla despacio con la harina y la maizena, hasta conseguir una pasta homogénea.
- Encima se añade la leche caliente sin dejar de remover; se vuelve a colocar al fuego y se agrega el anís mientras hierve un poco más.
- Una vez preparada la masa, se retira del fuego y se mezcla con la yema de huevo, siempre removiendo para que no se pegue.

- A continuación, en una fuente espolvoreada con harina, se vierte la masa y se deja enfriar.
- Una vez fría, se corta en cuadrados y se pasa por harina y huevo batido; se fríe en abundante aceite, se escurre y se coloca en una fuente.
- Se sirve espolvoreada con azúcar y canela.
- Se toma caliente o frío.

Lengua de vaca a la turolense

Tiempo 3 horas y 30 minutos
Comensales 6 personas
Dificultad media

Ingredientes

1 lengua de vaca, 3 pimientos verdes
3 zanahorias, 1 cebolla
2 tomates, ajo, chocolate
125 ml de aceite
perejil, tomillo, clavo
pimienta, sal

Preparación

- Se lava la lengua de vaca.
- Seguidamente se sumerge en agua hirviendo y se deja cocer durante 10 minutos, pasados los cuales, se enfría y corta en pedazos.
- En una cazuela se calienta aceite para rehogar los trozos de lengua.
- Luego se le añaden los pimientos verdes, las zanahorias, la cebolla y los tomates, todo ello debidamente trinchado y limpio de pieles y semillas.
- Se agrega una cabeza de ajos, perejil, un poco de tomillo, pimienta, clavo, sal y un trocito de chocolate, dejando cocer todo junto durante unas 3 horas.
- Pasado ese tiempo, se colocan los trozos de lengua en una fuente y se vierte sobre ellos la salsa; se adorna con rodajas de zanahoria.

Lengua estofada a la zaragozana

Tiempo 3 horas y 30 minutos
Comensales 6 personas
Dificultad media

Ingredientes

1 lengua de ternera
1 cebolla grande
4 zanahorias
2 tomates
4 pimientos verdes, ajo
chocolate. 200 ml de aceite
perejil, tomillo, clavo
pimienta, sal

Preparación

- Se lava la lengua y se hierve por espacio de 10 minutos, luego se enfría con agua y se pela con un cuchillo de buen corte.
- Se calienta el aceite en una cacerola y se rehoga la lengua, agregándole después la cebolla, las zanahorias, los tomates, un par de clavos de especia, 1/2 cabeza de ajo, tomillo, perejil, un poco de chocolate, sal y pimienta.
- Se tapa la cacerola herméticamente y se deja cocer a fuego lento durante unas 3 horas, destapándola de vez en cuando para dar la vuelta a la lengua, dejando escurrir en el guiso el vapor de agua depositado en la tapadera.
- Cuando falte poco para que la lengua esté cocida, se añaden los pimientos verdes, pelados, sin pepitas y troceados.
- Terminada la cocción, se saca la lengua y se corta en rodajas que se van colocando en una fuente, previamente calentada.
- Se adorna con unas rodajas de zanahoria cocida y, pasando la salsa por un colador, se vierte por encima del guiso.

Lenguas de gato

Tiempo 30 minutos
Comensales 4 personas
Dificultad media

Ingredientes

150 g de harina, 150 g de azúcar glas
3 claras de huevo
150 g de mantequilla más un poco para engrasar
vainilla en polvo

Preparación

- Se ponen la harina y el azúcar en un cuenco amplio; se añaden la vainilla y la mantequilla, previamente derretida.
- Se trabaja un poco y se agregan las claras de huevo batidas a punto de nieve fuerte. Se mezcla bien y, cuando esté todo bien ligado, se mete en una manga pastelera con boquilla lisa, no muy ancha.
- Se unta ligeramente con mantequilla una placa de horno y se van colocando en ella tiras de masa de unos cinco centímetros de largo hechas con la manga pastelera. Hay que dejar una separación entre una y otra de cinco centímetros una de otra.

- Se meten al horno a temperatura fuerte hasta que estén coloreadas.
- Se quitan de la placa enseguida y se dejan enfriar. Al quitarlas de la placa, hacerlo con una paleta y con mucho cuidado para que no se rompan.

Lentejas a la burgalesa

Tiempo 30 minutos
Comensales 6 personas
Dificultad media

Ingredientes

1/2 kg de lentejas
100 g de morcilla de Burgos
1 cebolla picada, 1 diente de ajo
1 cucharada de harina
100 ml de aceite de oliva
1 cucharadita de pimentón
pimienta, sal

Preparación

- Se ponen a remojar las lentejas la víspera.
- En olla exprés, con la rejilla, se ponen las lentejas y la morcilla.
- Aparte, se calienta el aceite en una sartén y se fríen la cebolla y el ajo picados.
- Una vez dorados, se agrega la harina y se dora también. Se retira del fuego y se añade el pimentón.
- Se echa este refrito sobre las lentejas, con dos tazas de agua.
- Se sazonan de sal y pimienta, se tapa la olla y se deja cocer a presión 20 minutos.
- Se retira, se enfría y se abre la olla.
- Se deja reposar un rato al calor y se sirve con la morcilla trinchada encima.

Lentejas al modo del Alto Aragón

Tiempo 1 hora y 30 minutos
Comensales 6 personas
Dificultad media

Ingredientes

1/2 kg de lentejas
2 puerros
150 g de setas o champiñones
1 cebolla
2 tomates
1 hueso de jamón, 1 morcilla
aguardiente anisado
vino moscatel de Cariñena
aceite, sal

Preparación

- Se ponen en remojo las lentejas desde el día anterior; se les cambia el agua y se ponen a cocer con el hueso de jamón.

- Aparte, se rehogan con unas cucharadas de aceite los puerros, la cebolla, las setas, los tomates y la morcilla, todo picado.
- Cuando las lentejas se hayan cocido, se les agrega este sofrito y se dejan en el fuego 10 minutos más.
- Se prueban y se rectifica el punto de sal si es necesario.
- Antes de retirarlas del fuego se les añaden unas gotas de aguardiente anisado y una copa de vino moscatel de Cariñena.

Lentejas con chorizo y tocino

Tiempo 1 hora y 30 minutos
Comensales 6 personas
Dificultad media

Ingredientes

1/2 kg de lentejas
200 g de chorizo, 200 g de tocino
2 puerros, 2 cebollas
2 zanahorias, 2 dientes de ajo
aceite de oliva, sal

Preparación

- Se limpian las lentejas y se ponen a remojo la noche anterior.
- Se escurren y se ponen a cocer en agua fría con los puerros, las zanahorias, los ajos, el chorizo, el tocino, un chorreón de aceite y sal.
- Se cuecen a fuego lento hasta que espesen.
- Mientras, se prepara un sofrito de cebolla muy picada en aceite.
- Se añade a las lentejas, se deja hervir todo ello hasta que las lentejas estén tiernas (aproximadamente una hora y media).

Lentejas estofadas con codornices

Tiempo 1 hora y 30 minutos
Comensales 4 personas
Dificultad media

Ingredientes

4 codornices
1/4 kg de lentejas
1/2 kg de patatas en trozos
1 cebolla picada, 1 cabeza de ajos
1 cucharada de harina
1 vasito de vino tinto
2 cucharadas de vinagre
1 cucharada de pimentón
aceite, 1 hoja de laurel, sal

Preparación

- Se dejan las lentejas en remojo la noche anterior. Al día siguiente se ponen a cocer en una cazuela con agua fría.

- Se limpian las codornices y se parten por la mitad.
- Se pica la cebolla menudita y se fríe en un poco de aceite. Se añaden la harina y el pimentón y se da unas vueltas a todo junto para que se rehogue.
- Se añade este refrito a las lentejas.
- Cuando estén a medio hacer, se añaden las patatas enteras, las codornices, el laurel, la cabeza de ajos y un poco de sal.
- Al cabo de 20 minutos se agregan el vino y el vinagre y se deja que continúe la cocción hasta que esté tierno.

Lentejas guisadas

Tiempo 30 minutos
Comensales 6 personas
Dificultad media

Ingredientes

1/2 kg de lentejas
2 chorizos
100 g de panceta
100 g de puntas de jamón
1 diente de ajo
1 cebolla mediana
1 tomate
1 cucharada de pan rallado
100 ml de aceite
pimentón, pimienta, sal

Preparación

- Se limpian las lentejas y se ponen a remojo la víspera.
- Se hierven con el jamón, la panceta y el chorizo.
- Se salpimentan.
- Si se hacen en la olla a presión tardan 15 minutos.
- Mientras, se fríe en aceite el ajo y la cebolla picados.
- Se añade el tomate, y por último, el pan rallado y un poco de pimentón.
- Se agrega este refrito a las lentejas y se deja hervir el conjunto unos minutos.

Lentejas manchegas

Tiempo 1 hora y 30 minutos
Comensales 6 personas
Dificultad media

Ingredientes

1/2 kg de lentejas
2 dientes de ajo
200 g de pan cortado a dados
o a rebanadas
1 chorrito de vinagre
100 ml de aceite, sal, agua

Preparación

- Se echan las lentejas a remojo, una vez limpias, durante 5 o 6 horas, se

escurren, se aclaran y se ponen, cubiertas de agua fría con sal, a cocer durante una hora y media.

- Mientras tanto, se calienta el aceite en una sartén y en él se fríen los dientes de ajo y el pan.
- Se aparta este sofrito y el aceite que queda se echa en las lentejas y se sala.
- Se machaca en un mortero el pan y los ajos y se deshacen con un chorrito de vinagre. Se vierte el majado del mortero sobre las lentejas y se deja hervir un poco para que cojan el gusto.
- Las lentejas han de hacerse en el mínimo de agua posible, por lo que tendrán que cocer a fuego muy lento y uniforme, tapándolas para evitar la pérdida de vapor.

Lentejas sencillas

Tiempo 60 minutos
Comensales 4 personas
Dificultad media

Ingredientes

1/2 kg de lentejas, 100 g de tocino
1 cebolla grande, 2 dientes de ajo
1 tomate grande maduro
aceite de oliva
1 cucharadita de pimentón
perejil, laurel, pimienta, sal

Preparación

- Se limpian con cuidado las lentejas para quitar las piedrecitas que, si son a granel, suelen llevar.
- Se ponen a remojo en agua fría abundante durante algunas horas.
- Pueden, perfectamente, dejarse en remojo desde la noche hasta el día siguiente, aunque lo cierto es que las lentejas actuales cada vez necesitan menos remojo.
- Se ponen a cocer en una olla con agua fría sin sal, un chorro de aceite, los ajos, el perejil y el laurel.
- Cuando empiecen a hervir, se agrega un chorrito de agua fría y se vuelve a esperar el hervor.
- Cuando comience de nuevo, se repite la operación (ésta de romper el hervor tres veces es la mejor manera de que cuezan las legumbres).
- Mientras las lentejas cuecen lentamente, se calienta un poco de aceite en una sartén y se fríe el tocino, cortado en porciones.
- Cuando esté tostado, se retira y, en el mismo aceite, se sofríen la cebolla picada, los tomates pelados y sin semillas (se deja que la cebolla dore un poco antes de echar los tomates), y el pimentón.
- Luego se añaden el sofrito y el tocino a las lentejas y se deja cocer despacio un poco más.
- Se salpimentan y ya están listas.

Lombarda con manzanas reineta

Tiempo 60 minutos
Comensales 4 personas
Dificultad media

Ingredientes

1 lombarda mediana
2 manzanas reinetas
100 g de mantequilla
1 cucharadita de vinagre de manzana
1 cucharadita de azúcar
sal

Preparación

- Se corta la lombarda, una vez lavada, en tiras muy finas, se mezcla con las manzanas, peladas y troceadas, y se sazona con el vinagre de manzana y una pizca de sal.
- Se coloca todo en una cazuela untada de mantequilla, se añade un vasito de agua y se deja cocer a fuego lento durante 40 minutos.
- Finalmente, se añade el resto de la mantequilla y la cucharadita de azúcar.
- Se remueve muy bien y se sirve enseguida.
- Si la cocción se ha realizado correctamente, a fuego muy lento y removiendo de cuando en cuando, la manzana quedará totalmente deshecha y la verdura tierna.

Lomo a la sal

Tiempo 60 minutos
Comensales 6 personas
Dificultad media

Ingredientes

1 kg de lomo
2 kg de sal fina

Preparación

- El lomo tiene que estar bien limpio de grasa.
- En el fondo de una cazuela se pone 1 kilo de sal, encima el lomo y, cubriendo, el otro kilo de sal.
- Se tapa y se mete al horno tres cuartos de hora.
- Una vez hecho se saca de la cazuela, se le quita la sal con un paño y, en frío, se corta como fiambre.
- Puede servirse como plato frío con ensaladilla, o en caliente, con salsa bechamel o de tomate y costrones de pan frito.
- A la bechamel conviene ponerle una pizca de canela.

Lubina al horno

Tiempo 60 minutos
Comensales 4 personas
Dificultad media

INGREDIENTES

1 lubina de 1 y 1/2 kg
200 g de mantequilla
1 cebolla
1 limón
1 cucharadita de perejil, sal

PREPARACIÓN

- Se abre y limpia la lubina, retirándole las tripas.
- Se sazona y se mete en el horno en una fuente, echándole por encima la cebolla picada y la mantequilla.
- A mitad del asado, se añaden el perejil y el zumo del limón y se deja que termine de hacerse en el horno.

Lubina con salsa verde

Tiempo 60 minutos
Comensales 7 personas
Dificultad media

INGREDIENTES

1 lubina de 1 y 1/2 kg
6 cigalas o langostinos cocidos
2 yemas de huevo
5 huevos cocidos
1/4 kg de espinacas
100 ml de caldo
100 ml de vino blanco
25 g de mantequilla
1 limón, aceite de oliva
perejil, sal

PREPARACIÓN

- La lubina se escama y se lava, se le quita la espina del centro y se deja la cabeza; se cose, habiéndole puesto antes dentro un poco de sal, el zumo de 1/2 limón y unas bolas de mantequilla.
- En una placa untada de aceite de oliva se pone a horno no muy fuerte la lubina cubierta de sal.
- Cuando se hinche la piel (10 minutos), se le arranca.
- Se cubre con el caldo, el vino, el zumo de medio limón y un poco de mantequilla y se escalfa en el horno.

- Mientras, se prepara la salsa verde.
- Primero se hace una mahonesa espesa con 2 yemas de huevo, sal y 1/4 litro de aceite de oliva.
- Aparte se cuecen 1/4 de kg de espinacas con un ramito de perejil en agua hirviendo, con sal y destapadas; cuando estén cocidas, se pasan por un tamiz muy fino y se unen a la mahonesa (pueden triturarse con la batidora).
- En una fuente alargada se pone la lubina, se cubre con la salsa verde y se decora con las cigalas y los huevos duros.

Macarrones con chorizo

Tiempo 60 minutos
Comensales 6 personas
Dificultad media

Ingredientes

500 g de macarrones cortos
400 g de chorizo
350 g de tomate frito
1 cebolla pequeña
150 g de queso rallado
pan rallado
1 cucharada de aceite
1 cucharadita de orégano
pimienta
sal

Preparación

- Se cuecen los macarrones en la forma acostumbrada y se reservan.
- Aparte, se calienta el aceite en una sartén grande y se fríe la cebolla despacio; cuando esté blanda, se añaden el chorizo en rodajas y el orégano.
- Se salpimenta.
- Se engrasa ligeramente una fuente de horno, se espolvorea de pan rallado y se van colocando capas de macarrones, chorizo, salsa de tomate y queso.
- Se repiten estas capas hasta terminar con los macarrones y se cubre la superficie con queso rallado.
- Se hornea unos 20 minutos hasta que estén dorados por encima y se sirven muy calientes.

Macarrones marineros

Tiempo 30 minutos
Comensales 2 personas
Dificultad media

Ingredientes

250 g de macarrones, 250 g de gambas o langostinos pelados
300 g de almejas o chirlas
2 dientes de ajo, 50 g de queso parmesano rallado
aceite de oliva, sal

Preparación

- Se cuecen los macarrones de la forma acostumbrada y se reservan.
- Mientras, se caliente un poco de aceite en una sartén y se fríen los dientes de ajo bien picados; cuando estén dorados, se añaden las almejas y se espera a que se abran.
- Una vez abiertas, se agregan las colas de gambas o langostinos, se sazona y se rehoga unos minutos.
- Cuando todo esté listo, se añaden los macarrones cocidos y bien escurridos y se mezcla bien.
- Se coloca el guiso en una fuente de horno y se espolvorea con queso rallado.
- Se gratina un par de minutos y se sirve.

Manos de cerdo al horno

Tiempo 1 hora y 45 minutos
Comensales 3 personas
Dificultad media

Ingredientes

3 manos de cerdo
100 ml de leche
50 g de manteca de cerdo
4 huevos
50 g de azúcar
pimienta, sal

Preparación

- Se limpian bien las manos de cerdo y después se cuecen.
- Una vez cocidas se deshuesan, se sazonan con sal y pimienta y se meten en una cacerola en cuyo fondo se habrá puesto un poco de manteca de cerdo.
- Por encima se echan los huevos batidos, de modo que queden bien cubiertas.
- Se añade la leche y se espolvorean con el azúcar, se rocían con el resto de la manteca derretida y se meten en el horno hasta que estén costradas.
- La mejor forma de limpiar las manos de cerdo o de ternera es lavándolas varias veces en agua y raspándolas con un cuchillo para quitarles bien los pelos. Después, se dejan a remojo con agua fría durante dos horas.

Mantecadas caseras

Tiempo 60 minutos
Comensales unas 30 unidades
Dificultad media

Ingredientes

9 huevos
1/4 kg de mantequilla
1/4 kg de azúcar, 1/4 kg de harina

Preparación

- Se bate la mantequilla con el azúcar en una batidora (no demasiado tiempo, pues se puede cortar).
- Se vuelca la mezcla en un bol, que previamente se habrá introducido en otro más grande con agua fría y hielo.
- Se van añadiendo los huevos de uno en uno, sin dejar de batir.
- La harina se agrega de golpe y se sigue trabajando hasta conseguir una masa homogénea.
- Se preparan varios moldes de papel del estilo de los de las magdalenas, pero grandes, y se rellenan en sus tres cuartas partes (para que con la cocción no se salga), a continuación, con la masa obtenida.
- Se meten al horno a temperatura media hasta que la masa suba y esté dorada.
- Se sirven con helado o macedonia de fruta.

Manzanas al horno acarameladas

Tiempo 60 minutos
Comensales 6 personas
Dificultad media

Ingredientes

6 manzanas golden
3 higos picados, 3 dátiles picados
50 g de nueces picadas
50 g de azúcar moreno
150 g de azúcar
mantequilla, agua

Preparación

- Se les quita el corazón a las manzanas sin llegar a destapar del todo, de modo que quede un agujero en el centro de la manzana, pero tapado por un lado. Se rellena ese hueco con los higos y los dátiles picados.
- Se pone el azúcar blanco con un vaso de agua a hervir durante 5 minutos.
- Se colocan las manzanas rellenas en una tartera, se rocían con este jarabe y se meten al horno durante 45 minutos, regándolas de vez en cuando con el jugo que vayan soltando.
- Mientras, se ponen la mantequilla y el azúcar moreno en un cacillo al fuego durante 5 minutos, moviendo

constantemente; se añaden las nueces.

- Cuando éstas estén horneadas, se cubren con esta pasta y se dejan en el horno 5 minutos. Se sirven calientes.

Manzanas rellenas

Tiempo 45 minutos
Comensales 4 personas
Dificultad media

Ingredientes

4 manzanas
1/4 kg de arroz, 1/2 l de leche
10 pasas de Corinto
4 cucharadas de nueces picadas
4 cucharadas de miel
25 g de azúcar
60 g de mantequilla
1 cucharadita de canela
corteza de limón (opcional)

Preparación

- Se cuece el arroz en la leche durante unos 20 minutos, añadiendo el azúcar y una nuez de mantequilla.
- También puede agregarse una corteza de limón, pues da muy buen gusto.
- Mientras tanto, se corta la parte superior de las manzanas, se vacían con la ayuda de una cucharita y la pulpa, troceada y espolvoreada con canela, se rehoga en una sartén con mantequilla.
- Una vez cocido el arroz, se añaden la miel, las nueces picadas, las pasas previamente remojadas y la pulpa de manzana rehogada. Con esta mezcla se rellena el interior de las manzanas y se meten en el horno, a temperatura moderada, durante un cuarto de hora.
- Se sirven templadas o frías.

Marmitako

Tiempo 1 hora y 30 minutos
Comensales 4 personas
Dificultad media

Ingredientes

1 kg de atún fresco
1 kg de patatas
4 tomates
4 pimientos
1 cebolla grande
ajos
1 lata pequeña de guisantes
1 vaso de caldo de pescado
pan frito
aceite
perejil picado, laurel
pimienta negra molida
sal

Preparación

- Se dora la cebolla bien picada en una cazuela con un poco de aceite y, cuando esté transparente, se añade el atún partido a trozos; se rehoga bien y se siguen añadiendo el resto de los ingredientes: los ajos y el perejil bien machacados en un mortero con un poco de sal gorda (marina) y los tomates pelados y sin semillas.
- Se mezcla bien y se agregan las patatas partidas en trozos grandes y los pimientos troceados.
- Se riega con un vaso de caldo de pescado y se agrega una hoja de laurel.
- Se salpimenta.
- Todo esto se deja cocer a fuego lento por espacio de una hora.
- Quince minutos antes de terminar la cocción, se incorporan los guisantes.
- Se sirve acompañado con rebanadas de pan frito.

Marmitako al estilo de Lequeitio (Vizcaya)

Tiempo 60 minutos
Comensales 6 personas
Dificultad media

Ingredientes

1 kg de bonito, 1 kg de patatas
1 cebolla grande, 3 tomates
3 pimientos choriceros
2 puerros
1 y 1/2 l de caldo de pescado
2 vasos de vino blanco seco
125 ml de aceite
perejil, pimienta, sal

Preparación

- Se fríe la cebolla hasta que se dore; seguidamente se rehogan las patatas, cortadas en dados, y se añaden dos vasos de vino blanco. Pasados un par de minutos, se moja con el caldo de pescado hirviendo y se deja cocer.
- Cuando la patata esté casi tierna, se añaden los tomates hechos puré, la pulpa de los pimientos choriceros y los puerros.
- Por último, se incorpora el bonito, cortado en dados como las patatas y se deja hervir el conjunto durante otros 3 minutos.

• Se sazona y se le agrega una cucharada de perejil picado Se deja reposar un cuarto de hora y se sirve.

Mazapán navideño

Tiempo 60 minutos
Cantidad 2 kg, aproximadamente
Dificultad media

Ingredientes

1 kg de almendras molidas
12 yemas de huevo
1 kg de azúcar tamizado
más un poco para espolvorear

Preparación

- Se mezcla bien el azúcar con las almendras y se van añadiendo las yemas de huevo, de una en una y sin dejar de remover, hasta conseguir una masa compacta, ni dura ni blanda.
- Con las manos, o con ayuda de un rodillo, se extiende la masa hasta darle la forma deseada.
- Se coloca en una fuente de horno, se le añaden montoncitos de azúcar por encima y se cubre con papel aceitado o de aluminio para que no se queme.
- Se cuece a 240 ºC, se deja enfriar y se puede servir.

Mejillones a la marinera

Tiempo 30 minutos
Comensales 4 personas
Dificultad media

Ingredientes

1 kg de mejillones, ya abiertos
1 cebolla, 2 tomates
3 dientes de ajo
1 vaso de vino
almendras
1 cucharada de aceite
perejil, pimienta, sal

Preparación

- Se calienta el aceite en una cazuela de barro y se ablanda en él la cebolla, finamente picada, sin llegar a dorarla.
- Se añaden 2 dientes de ajo y el perejil picados, sal y pimienta en poca cantidad.
- Se incorporan a la cazuela los mejillones, sin separar la valva vacía, y después el vino y los tomates, que se habrán pasado por un tamiz.
- Se mantiene la cocción a fuego lento hasta que el tomate esté totalmente cocido.
- Estos mejillones no deben quedar excesivamente caldosos.

• Unos pocos minutos antes de apartarlos del fuego, se añade un majado hecho con el otro diente de ajo, unas cuantas almendras, perejil y aceite, y un poco del jugo de cocción de los mejillones.
• Se da un hervor a todo ello y se sirven en la misma cazuela.
• Este plato se puede preparar con anterioridad y calentarlo después en el microondas o a fuego directo.

Mejillones en chanfaina al modo de la Barceloneta

Tiempo 30 minutos
Comensales 6 personas
Dificultad media

Ingredientes

2 kg de mejillones
1/4 kg de cebollas
1/2 kg de tomates, 4 pimientos
1/4 l de vino blanco
125 ml de aceite de oliva
pimienta molida, sal

Preparación

• Se limpian los mejillones escrupulosamente, arrancándoles las «barbas» que tengan adheridas y se ponen al fuego en una cacerola con el vino blanco.
• Mientras, se prepara una fritada con la cebolla, el tomate y los pimientos, todo ello picado.
• Se sala adecuadamente.
• Cuando los mejillones se abran, se les añade el refrito antes preparado y se les deja hervir un par de minutos, espolvoreándolos con un poco de pimienta molida; si la salsa hubiera quedado clara, se espesa con un puñadito de miga de pan recién rallada.
• Se deben servir recién hechos.
• De esta manera también pueden prepararse las almejas.

Melocotones al vino tinto

Tiempo 45 minutos
Comensales 4 personas
Dificultad media

Ingredientes

1 kg de melocotones
1/2 l de vino tinto
75 g de azúcar, 1 limón
8 cucharadas de agua
canela en rama

Preparación

• Se ponen en una cazuela el vino, el agua, el azúcar, el zumo de un limón y un trocito de canela en rama, y se

cuecen en esta mezcla los melocotones, pelados o con piel.

- Se mantienen al fuego unos 20 minutos aproximadamente.
- Se sirven en compotera a temperatura ambiente y se pueden acompañar con nata montada en recipiente aparte.
- Si se desea, también se les puede añadir una copita de coñac. En lugar de cocerlos, los melocotones también quedan exquisitos dejándolos en maceración durante 4 días con todos los ingredientes mencionados en la lista.

Menestra a la bilbaína

Tiempo 1 hora y 30 minutos
Comensales 6 personas
Dificultad media

Ingredientes

1/2 pollo
100 g de lomo de cerdo curado
100 g de jamón curado
2 mollejas de ternera
1/2 coliflor
16 patatas pequeñas nuevas
250 g de guisantes nuevos
1 manojo de espárragos
8 alcachofas
1 lechuga
3 cebollas
setas, 3 huevos, harina
manteca de cerdo
aceite, sal

Para la salsa:

1 cebolla
1/2 zanahoria
1 tomate
1 vasito de vino blanco
caldo
perejil, pimienta
sal

Preparación

- Se limpian muy bien todas las verduras y se ponen a cocer con agua y sal, excepto los guisantes, las patatas y las setas.
- Cuando estén cocidas, se escurren y se reservan.
- Se derrite la manteca en una cacerola y, cuando esté caliente, se echa el jamón cortado en cuadraditos.
- Se fríe, se retira y se escurre.
- En la misma grasa se fríen el pollo (preparado como para guisar) y el lomo.
- Cuando esté bien rehogado todo, se deja reposar junto al jamón.
- Mientras, se prepara la salsa.
- Primero se pican muy menuditas la cebolla y la zanahoria y se sofríen en la misma grasa anterior; se añade harina, removiendo hasta que se dore y entonces, se moja con un poco de caldo.

- Se añaden el vino blanco, el tomate pelado y sin semillas, una rama de perejil, sal y pimienta.
- Se deja cocer durante 30 minutos y se va espumando de vez en cuando.
- Se pasa la salsa por un colador muy fino (el mejor para esto es el chino) y se vuelve a colocar en la misma cacerola.
- Se agregan entonces el pollo, el lomo y el jamón, y se deja cocer hasta que esté todo tierno.
- Casi al final se añaden las setas, las mollejas bien limpias y cortaditas, las patatas (que tienen que ser muy pequeñas) y los guisantes.
- Mientras, se cuecen dos huevos, se descascarillan y se parten en dos mitades.
- Después se pasan por harina y por el otro huevo batido, y se fríen en aceite bien caliente.
- Se reservan.
- Se hace lo mismo con las verduras ya cocidas, menos con los espárragos, y se escurren.
- Se mezcla todo en la cazuela grande y se le da un hervor.

Menú gitano

Tiempo 3 horas
Comensales 6 personas
Dificultad media

Ingredientes

300 g de garbanzos
1 kg de callos
2 manos de ternera
2 chorizos
1 morcilla
50 g de jamón
1 hueso de jamón
1/4 kg de tomates
2 cebollas
1 zanahoria
2 pimientos verdes
4 dientes de ajo
3 cucharadas de aceite
vinagre
zumo de limón
1 cucharada de pimentón
azafrán
perejil
hierbabuena
sal

Preparación

- Se ponen los garbanzos en remojo con agua la noche anterior.
- Se limpian los callos, se cortan en trozos de tamaño mediano y se ponen en un barreño.

- Las manos de ternera se abren por la mitad, se cortan en trozos y se ponen también en el barreño.
- Se agrega el vinagre, la sal y el zumo de limón, removiendo el contenido del barreño con las dos manos para que se impregne bien; después, se pasa a otra vasija y se repite la operación, añadiéndole agua.
- Así se hace tres o cuatro veces hasta que el agua quede muy clara.
- Se echa todo en una olla, se cubre con agua y se pone a hervir, momento en el que se añaden los garbanzos, una cebolla picada, la zanahoria cortada en rodajas, los ajos picados, el pimentón, unas hebras de azafrán, el perejil y la hierbabuena atados en un manojo, y el hueso de jamón.
- Se cubre todo con agua, se sazona y se deja cocer hasta que esté tierno.
- Cuando esté casi a punto, se añaden los chorizos y la morcilla, dejándolo cocer 15 minutos más.
- Mientras tanto, se prepara un refrito con la otra cebolla, los pimientos verdes, los tomates y el jamón cortado en trocitos.
- Cuando todo se haya dorado, se vierte en la olla rectificando de sal.
- Una vez preparado el guiso se sirve en una fuente honda, trinchando los chorizos y las morcillas.

Menudillos (dentros) de pollo a la vizcaína

Tiempo 1 hora y 15 minutos
Comensales 6 personas
Dificultad media

Ingredientes

1/2 kg de menudillos de ave
2 pimientos asados
2 tomates
ajos
100 ml de aceite, sal

Preparación

- Se asan los pimientos, se pelan y se cortan en tiras.
- Se limpian muy bien los menudillos.
- Se calienta aceite en una sartén y se fríe un diente de ajo.
- Cuando esté dorado, se retira y se sofríen las tiras de pimiento asado.
- Se sacan y se reservan al calor.
- En esa misma sartén, con el aceite muy caliente, se saltean los menudillos a fuego vivo; cuando estén bien refritos, se les añade el tomate, hecho salsa, y se retiran.
- Se prueba de sal.
- Los menudillos se sirven acompañados de la fritada de pimientos asados reservada.

• En Vizcaya se llaman «dentros de pollo» a los menudillos de estas aves (hígado, riñones, corazón).

Merluza a la marinera

Tiempo 30 minutos
Comensales 4 personas
Dificultad media

Ingredientes

1 kg de merluza
20 almejas
400 g de guisantes
2 dientes de ajo
1 cebolla, puré de tomate
2 pimientos rojos
caldo de pescado
1 chorrito de brandy
aceite, pimentón, perejil picado
pimienta, sal

Preparación

• Se calienta en una cazuela un poquito de aceite y en él se fríen los ajos picados, la cebolla picada muy menuda y el perejil; se añade una cucharadita de pimentón, agua, puré de tomate, sal y pimienta.
• Se deja que cueza durante unos minutos y se incorporan la merluza cortada en rodajas y los pimientos a tiras.
• Se deja que siga cociendo todo junto durante 20 minutos.
• Luego se añade un chorrito de brandy.
• Las almejas, ya abiertas y preparadas, se incorporan al guiso, a la vez que se moja con un poco de caldo de pescado.
• Se sirve en la misma cazuela.

Merluza a la sidra

Tiempo 60 minutos
Comensales 4 personas
Dificultad media

Ingredientes

4 ruedas de merluza
de 150 g cada una
8 langostinos
125 g de jamón serrano
1 vaso grande de sidra
1 cebolla mediana
ajos, harina
aceite
perejil, pimienta, sal

Preparación

• La merluza se sazona y se pasa por harina, salteándola en aceite.
• Se retira y se reserva.
• En ese mismo aceite se dora la cebolla y, cuando esté transparente, se

añaden el ajo picado, el jamón cortado a tiras, sal y pimienta.

- A continuación las colas de langostinos, la sidra y un poco de perejil picado.
- Se rehoga todo junto unos minutos y se añade la merluza reservada.
- Se deja hacer a fuego lento.
- La salsa debe quedar reducida.
- Si se quiere que el pescado tenga un sabor más intenso, se puede añadir a la sidra 2 cucharadas de brandy.

Merluza a la vasca

Tiempo 60 minutos
Comensales 6 personas
Dificultad media

Ingredientes

1 kg de rodajas de merluza
3/4 kg de almejas
150 g de guisantes cocidos
200 g de espárragos de lata
6 dientes de ajo
1/2 vaso de caldo de las almejas
2 huevos cocidos
6 cucharadas de aceite de oliva
perejil fresco picado, sal

Preparación

- Las almejas se lavan muy bien y se ponen en una cacerola con agua y sal, lo justo para cubrirlas; se dejan hervir y, una vez abiertas, se retiran y se cuela el caldo por una servilleta húmeda.
- Se calienta el aceite en una cazuela de barro y se fríen los dientes de ajo picados, se añaden las ruedas de merluza sazonadas con sal y se mueve la cazuela continuamente para que la salsa se ponga espesa.
- Se riega con el caldo de las almejas; se añade el perejil fresco picado y los guisantes cocidos. Se mueve la cazuela hasta que la salsa esté trabada.
- Para servir, se decora la cazuela con los espárragos y rodajas de huevo duro.

Merluza a la viguesa (Pontevedra)

Tiempo 60 minutos
Comensales 6 personas
Dificultad media

Ingredientes

3/4 kg de merluza, 1 kg de patatas
1 cebolla, ajos
caldo de pescado
zumo de limón, 100 ml de aceite
perejil, pimentón
pimienta, tomillo, sal

Preparación

- Se calienta un poco de aceite en una sartén y se fríen la cebolla picada menuda y unos dientes de ajo, que previamente se habrán machacado; se añade una rama de perejil picado y media cucharada de zumo de limón.
- Cuando el refrito esté dorado, se agregan las patatas, partidas en rodajas y espolvoreadas con sal, se cubren con caldo, y se condimentan con un poco de pimentón y de tomillo; se deja que el conjunto cueza durante 15 minutos.
- La merluza, partida en rodajas, se aliña con sal y unas gotas de zumo de limón.
- Pasados diez minutos, cuando haya penetrado el aliño, se coloca sobre las patatas y se deja hervir hasta que esté en su punto.

Merluza con fritada

Tiempo 1 hora y 30 minutos
Comensales 6 personas
Dificultad media

Ingredientes

1 y 1/2 kg de centro de merluza
3 cebollas grandes
2 calabacines, 12 tomates
1 kg de patatas, cocidas y hechas puré
2 copas de brandy
50 g de mantequilla
50 ml de aceite, limón, cayena, sal

Preparación

- La merluza se hace filetes gorditos y se pone en besuguera con sal, mantequilla y unas gotas de zumo de limón, metiéndola unos minutos al horno.
- En un sartén se pone aceite y mantequilla y se echa la cebolla picada; cuando esté dorada, se añaden el calabacín y los tomates pelados y sin pepitas, y se deja hacer a fuego lento.
- Cuando la fritada esté blanda, se pasa por el pasapurés y se le añade el brandy y la cayena, volviéndolo a poner al fuego para que se reduzca.
- En una fuente de servir se coloca el puré de patatas cubriendo el fondo, encima la merluza y se cubre con la fritada pasada.
- Puede acompañarse con una salsa holandesa.

Merluza en salsa verde

Tiempo 45 minutos
Comensales 6 personas
Dificultad media

Ingredientes

1 kg de centro
de merluza
almejas
guisantes cocidos
3 dientes de ajo
1 cucharada
de harina
200 ml de aceite
perejil, sal

Preparación

- Se calienta el aceite en una cazuela de barro y se echan los ajos majados; a continuación, las ruedas de merluza sazonadas y pasadas por harina.
- Se agita la cazuela en forma de vaivén, se da la vuelta a las ruedas y se añade el perejil.
- Se sigue moviendo la cazuela hasta que la merluza tome un color blanquecino.
- En ese punto, se añaden los guisantes cocidos y unas almejas gordas sin abrir, para que suelten en la salsa su jugo.
- Fuera del fuego se continúa el mismo movimiento de vaivén para que se forme gelatina.

Mero en salsa verde

Tiempo 30 minutos
Comensales 4 personas
Dificultad media

Ingredientes

4 rodajas de mero
1 cabeza de merluza
3 dientes de ajo
harina, aceite de oliva
perejil fresco picado
aceite, pimienta blanca, sal

Preparación

- En una cazuela con un poco de aceite se doran los ajos, se añade el perejil picado y una cucharada de harina.
- Una a una se van depositando las rodajas de mero (con cuidado de no romperlas) alrededor de la cazuela y, por último, se pone en el centro la cabeza de merluza.
- Se tapa bien la cazuela y se deja cocer a fuego vivo.
- Durante toda la cocción hay que mover mucho la cazuela con un suave vaivén, pues toda la ciencia de esta receta consiste en eso.

- Cuando haya pasado un ratito, se destapa, se voltea el pescado con mucho cuidado, se rectifica de sal y se añade un poco de pimienta.
- Se deja que siga cociendo a fuego suave unos pocos minutos más.
- Se sirve en la misma cazuela.

Migas toledanas

Tiempo 30 minutos
Comensales 6 personas
Dificultad media

Ingredientes

1/2 kg de pan sentado
100 g de tocino
150 g de chicharrones
2 pimientos rojos
ajos
1/4 l de aceite de oliva
cominos, sal

Preparación

- Se corta en pedazos pequeños el pan, que debe ser del llamado candeal y tener más de 24 horas.
- Se humedecen los pedacitos de pan con agua.
- En una sartén se calienta un poco de aceite y se fríen el tocino y los chicharrones.
- Se reservan.
- Aparte, se rehogan en aceite caliente unos ajos y los pimientos, pelados y desprovistos de semillas.
- Cuando estén, se rehogan bien las migas de pan humedecidas y se les añaden unos cominos.
- Una vez fritas, se les agrega el tocino y los chicharrones reservados y se mezcla todo bien.

Mojicones castizos

Tiempo 60 minutos
Comensales 4 personas
Dificultad media

Ingredientes

9 huevos
1/4 kg de azúcar
150 g de harina
150 g de levadura en polvo o almidón

Preparación

- Se baten los huevos mezclados con el azúcar y se deja templar un poco la mezcla sin dejar de batir.
- Tiene que enfriarse del todo.
- Entonces, se añaden la harina y la levadura, previamente mezcladas, sin dejar de batir con una espátula.
- Se trabaja la masa hasta que trabe perfectamente.

- Estos bizcochos se hacen en unos moldes especiales, más anchos de arriba que de abajo, engrasados previamente.
- Se vierte la mezcla en ellos, llenándolos hasta la mitad, y se meten a horno a temperatura elevada para que suban bien.

Mojo de cerdo al estilo de Canarias

Tiempo 1 hora y 30 minutos
Comensales 6 personas
Dificultad media

Ingredientes

1/2 kg de asadura de cerdo
1 corazón de cerdo
1/4 kg de tocino
150 g de carne
1 cucharada de harina
1/4 kg de cebollas
2 tomates
2 cabezas de ajo
1 vaso de vino blanco
100 g de manteca de cerdo
vinagre
clavo, cominos
pimentón
tomillo, orégano
pimienta negra
sal

Preparación

- Se cortan en pequeños trozos la carne, el tocino, el corazón y la asadura y se van friendo todos con un poco de manteca.
- Una vez fritos, se echan en una cazuela que se tendrá a la lumbre con agua hirviendo.
- Con la manteca que haya quedado, se rehoga la cebolla picada, los tomates, pelados y picados, y los ajos.
- Cuando todo esté bien rehogado, se le añade la harina y, cuando ésta se dore, un poco de vinagre.
- Seguidamente se incorpora todo el contenido de la sartén a la cazuela donde se tiene la carne.
- Aparte, en un mortero, se majan unos clavos de especia, unos granos de pimienta, cominos, una cucharadita de pimentón, una rama de orégano y tomillo y, cuando todo esté bien majado, se echa también a la cacerola.
- Finalmente, se añaden el vino y la sal necesaria, dejándolo cocer tapado hasta que todo esté a punto.

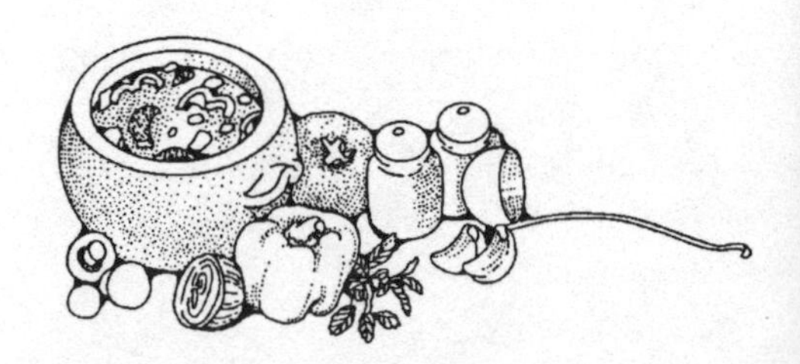

Mojo picón

Tiempo 15 minutos
Comensales 4 personas
Dificultad media

Ingredientes

1 cabeza de ajo
1 tomate pasado por las llamas
1 taza de aceite
vinagre
1 cucharada sopera de cominos
pimentón
pimienta, sal

Preparación

- Se machacan los cominos y el ajo en el almirez, y se pasan, junto con el resto de los ingredientes, al vaso de la licuadora.
- Se mezclan hasta que todo esté bien ligado.
- Para que el mojo canario resulte más o menos picante, basta con variar la proporción de ajos y cominos, y utilizar pimentón dulce o picante.

Mojo verde

Tiempo 15 minutos
Comensales 4 personas
Dificultad media

Ingredientes

2 dientes de ajo
50 g de miga de pan
8 cucharadas de aceite de oliva
3 cucharadas de vinagre
1 cucharada de perejil picado (o cilantro)
1 cucharadita de cominos
sal gorda

Preparación

- Se machacan los dientes de ajo pelados junto con un pellizco de sal gorda y una cucharada de perejil picado.
- Se agrega la miga de pan remojada en aceite o en agua tibia y bien escurrida.
- Se continúa machacando y se añaden los cominos.
- Se vierten, poco a poco, el aceite y el vinagre tratando que la salsa amalgame, pues puede quedar un poco disgregada.
- Se sirve fría.

Mona de Pascua con crema de praliné

Tiempo 2 horas
Comensales 6 personas
Dificultad media

Ingredientes

7 huevos
235 g de harina, más un poco para espolvorear
235 g de azúcar, mantequilla
azúcar glas, figuras de chocolate

Para la crema de praliné:
2 huevos
100 g de azúcar, más 6 cucharadas
100 g de almendras
150 g de mantequilla
1 cucharadita de cacao amargo

Para el enrollado:
3 huevos enteros
1 yema de huevo cocido
50 g de harina, 50 g de maizena
100 g de azúcar, frutas confitadas

Preparación

- Se comienza preparando el bizcocho.
- Se baten muy bien los huevos hasta que queden esponjosos; se mezclan despacio con la harina y después, con el azúcar.
- Se sigue moviendo la masa hasta conseguir una mezcla homogénea.
- Entonces, se vierte en un molde grande untado con mantequilla y espolvoreado de harina y se hornea a temperatura moderada.
- Mientras, se prepara la crema.
- Se baten los dos huevos con las seis cucharadas de azúcar durante 10 minutos y después, se cuece al baño María 20 minutos; se echa el cacao, se mezcla y se deja enfriar la crema en un bol.
- Aparte, se mezclan los 100 gramos de azúcar con las almendras tostadas, se acercan al fuego, se hace un guirlache y se deja enfriar. Después, se tritura muy fino con el rodillo.
- Cuando la crema esté fría, se une la mantequilla, que estará a punto de pomada, se trabaja y, cuando esté todo unido, se le añade el guirlache.
- Para preparar el enrollado se baten los huevos con el azúcar hasta que no se note el granulado de éste; se añaden la maizena y la harina mezcladas.
- Se echa la masa en una lata engrasada y con papel, y se hornea a temperatura fuerte.
- Cuando esté, se rellena con la yema de huevo cocido y frutas escarchadas, se enrolla y se lía en papel de plata.
- Se deja enfriar bien y se corta en ruedas.

• Para montar la mona de Pascua, se corta por la mitad el bizcocho y se rellena de crema praliné, se cubre con azúcar glas, se decora con figuritas de chocolate y se adorna alrededor con las ruedas del enrollado.

Moros y cristianos

Tiempo 3 horas
Comensales 8 personas
Dificultad media

Ingredientes

1/2 kg de alubias rojas
4 tacitas de arroz, 100 g de tocino
2 chorizos, 1 morcilla
1 tomate. 1 cebolla grande
1 diente de ajo, 50 ml de aceite
1 rama de perejil, sal, agua

Preparación

• Se ponen las alubias a remojo de agua la víspera.
• Se escurren, se colocan en una cazuela y se cubren de agua fría.
• Cuando rompa el hervor, se corta con un chorrito de agua fría, repitiendo la operación hasta tres veces.
• Se añade el tocino y un chorro de aceite y, cuando estén a medio cocer, se incorporan los chorizos, la morcilla y la sal.
• Aparte, se pican la cebolla y el ajo y se estofan en el aceite, con el perejil picado también.
• Se añade este sofrito a las alubias rojas y se da un hervor, moviendo la cazuela para que espese la salsa.
• La cocción debe ser suave para que no se rompa el pellejo de las judías.
• El arroz se cuece aparte en abundante agua hirviendo salada, durante quince minutos; se escurre.
• En el momento de servir, se une el arroz a las alubias guisadas, o se sirve en una fuente aparte.
• El tocino y el chorizo se cortan en trocitos antes de llevarlos a la mesa.

Morteruelo

Tiempo 2 horas y 30 minutos
Comensales 6 personas
Dificultad media

Ingredientes

1 conejo o liebre
250 g de hígado de cerdo
1 pechuga de gallina
1 codillo de jamón serrano
250 g de manteca de cerdo
6 nueces, 1 cucharada sopera de pimentón, 3 cucharadas soperas de pan rallado, pimienta en grano
clavo, canela
alcaravea, sal

Preparación

- Se lavan el conejo, la pechuga de gallina y el codillo.
- Se ponen a cocer en una olla grande con abundante agua y sal.
- Se añade el hígado de cerdo.
- Cuando las carnes estén tiernas, se sacan de la olla y se deshuesan, dejando únicamente la carne magra, que se pica a máquina y se reserva.
- Se reserva también el caldo de cocción.
- En un mortero se majan unos granos de pimienta, clavo, canela y un poco de alcaravea.
- Se reserva.
- Aparte, se calienta la manteca de cerdo en una sartén grande y, cuando se haya derretido, se incorpora el pan rallado y el pimentón.
- Se remueve bien con una cuchara de madera para que no se quemen y se agrega el picado de carnes y el majado de especias.
- Se baña con un cazo del caldo de cocer las carnes y se dejan hervir a fuego lento hasta que el conjunto esté muy espeso y se haya consumido todo el líquido.
- Mientras, se pelan las nueces y se machacan en el mortero, incorporándolas a la sartén unos minutos antes de servir.
- Se reparte el morteruelo en cazuelas de barro individuales y se sirve.

Naranjas heladas

Tiempo 3 horas
Comensales 6 personas
Dificultad media

Ingredientes

1 bote de 400 g de leche condensada
6 naranjas

Preparación

- Se corta la parte superior de las naranjas, conservando los casquetes.
- Se vacía la pulpa con cuidado de no estropear las cáscaras.
- La pulpa conseguida se prensa para extraer el jugo, al que se agrega el contenido de la lata de leche condensada.
- Con esta mezcla se rellenan las cáscaras de naranja vacías y se meten en el congelador de la nevera, donde se mantienen a la temperatura más baja durante 3 horas.
- Cuando la mezcla de zumo y leche esté congelada, se tapan las naranjas con los casquetes reservados.
- Se sirven heladas.

Natillas

Tiempo 60 minutos
Comensales 4 personas
Dificultad media

INGREDIENTES

6 yemas de huevo
1 l de leche
125 g de azúcar
1 cucharada de maizena
1 canutillo de canela en rama
corteza de limón

PREPARACIÓN

- En un cazo se pone la leche a hervir junto con la canela y la corteza de limón.
- Aparte, en otro recipiente, se mezclan las yemas de huevo con el azúcar y la maizena.
- Esta mezcla se incorpora, poco a poco, a la leche hirviendo, sin dejar de remover.
- Cuando esté a punto de comenzar a hervir de nuevo y la leche se espese, se retira el cazo del fuego para que no hierva, se retiran la corteza de limón y la rama de canela y se vierte la crema en platos individuales; se dejan enfriar y se sirve.
- Los bordes de los platos se pueden adornar con bizcochos, galletas, canutillos de barquillo, etc.
- Por encima se pueden espolvorear con canela en polvo.

Olla fresca de Albacete

Tiempo 3 horas
Comensales 6 personas
Dificultad media

INGREDIENTES

1/2 kg de alubias blancas
250 g de espinazo de cerdo
1 rabo de cerdo
250 g de tocino fresco
2 morcillas frescas
1/2 kg de repollo
1/4 kg de patatas
1 nabo, sal, agua

PREPARACIÓN

- Después de tener las alubias en agua salada durante 12 horas, se ponen a cocer con el espinazo de cerdo, el tocino fresco, el rabo y la sal.
- Cuando haya pasado una hora y media de hervor suave, para que no se abran las judías, se añaden las patatas peladas y troceadas, el nabo pelado y el repollo cortado y limpio.
- Pasada otra hora más, se habrán cocido las judías y entonces se añade la morcilla para que dé un hervor de cuarto de hora.

- Se rectifica el punto de sal y se sirve: primero las alubias blancas con las patatas troceadas, el nabo en ruedas gruesas y el repollo en salsa y, como segundo plato, las carnes.

Olla gitana

Tiempo 2 horas y 30 minutos
Comensales 4 personas
Dificultad media

INGREDIENTES

200 g de garbanzos,
100 g de alubias blancas,
1/2 kg de patatas, 1/4 kg de judías verdes, 1/4 kg de calabaza
2 zanahorias, 2 cebollas
1 tomate maduro, 3 peras
1 cucharada de pimentón
unas hebras de azafrán
hierbabuena
sal, agua

PREPARACIÓN

- Se ponen en remojo los garbanzos y las judías blancas la noche anterior.
- Al día siguiente, se ponen a cocer las alubias en una olla con agua fría.
- Cuando hiervan, se echan los garbanzos y la calabaza cortada en trocitos.
- Se deja cocer.
- Se prepara un sofrito con una de las cebollas y pimentón, y se vierte en la olla.
- Se pelan y parten a trocitos las zanahorias y las judías verdes; se incorporan a la olla.
- A la vez, se echan las peras enteras, un tomate entero y una cebollita. Se le echa sal, el azafrán y la hierbabuena.
- Se pelan las patatas, se cortan en trocitos pequeños y se echan en la olla, dejando que terminen de cocer.

Ópera de pescados

Tiempo 60 minutos
Comensales 6 personas
Dificultad media

INGREDIENTES

2 lenguados de 150 g cada uno
1/4 kg de rape
1/4 kg de carabineros
1/4 kg de calamares
6 almejas grandes
6 mejillones, 6 langostinos
2 dientes de ajo, 1 cebolla
8 cucharadas de puré de tomate
1 cucharada de harina
2 copas de brandy
agua o caldo de pescado
100 g de mantequilla o aceite
perejil, pimienta

Preparación

- Se reserva una bolita de mantequilla y el resto se derrite en una sartén; allí se rehogan los ajos y la cebolla.
- Cuando estén un poco dorados, se añade el perejil y después, las cáscaras de los mariscos crudos machacadas en un mortero.
- Se rehoga bien y se incorpora el brandy; se prende éste con una cerilla para que se queme el alcohol (el brandy prende con más facilidad si está caliente).
- Una vez que se apague, se echa el puré de tomate y el caldo.
- Mientras cuecen, se mezcla la mantequilla reservada con la harina y se echa en la salsa, moviéndola hasta que espese.
- Después se cuela.
- En esta salsa se ponen los pescados, ya partidos, y los mariscos (las almejas y los mejillones con cáscara) y se dejan cocer unos 5 minutos.
- Se sirve caliente y en cazuela de barro.

Paella de pescado

Tiempo 60 minutos
Comensales 6 personas
Dificultad media

Ingredientes

1/2 kg de arroz, 200 g de congrio
200 g de rape, 200 g de sepia
12 mejillones
8 gambones rojos
1 tomate, aceite de oliva
azafrán, sal

Preparación

- Se limpian los pescados y mariscos y, por separado, se ponen a cocer, menos la sepia y los gambones. Cuando estén, se reservan en su propia agua.
- Se unta bien de aceite la paella o paellera y se rehogan los gambones y la sepia, partida en trozos pequeños.
- Después se pone el arroz, teniendo en cuenta que por cada medida se habrá echado una cuarta parte de aceite, así como el tomate pelado y en trozos, unas hebras de azafrán y un poco de sal.
- Se sofríen estos ingredientes de 3 a 5 minutos sin parar de remover.
- Luego se añade el caldo del pescado, poniendo 3 medidas de caldo por cada medida de arroz.

- Cuando empiece a hervir, se agregan los pescados y los mejillones, dejándolo de 20 a 25 minutos al fuego.
- Antes de servir, se deja la paella en reposo, cubierta con un paño.

Paella de verduras

Tiempo 1 hora y 15 minutos
Comensales 4 personas
Dificultad media

Ingredientes

3 tacitas de arroz
300 g de judías verdes
300 g de zanahorias
300 g de alcachofas
300 g de tomates
1 cebolla
1 lata pequeña de pimientos morrones
aceite de oliva
sal, agua

Preparación

- En una paellera con aceite se fríe la cebolla pelada y picada.
- A continuación, se rehogan todas las verduras, previamente peladas y finamente picadas.
- Seguidamente, se incorpora el tomate pelado y troceado.
- Una vez sofrito todo el conjunto, se añade el arroz, se remueve durante unos minutos y se moja con agua hirviendo (doble cantidad que de arroz).
- Finalmente, cinco minutos antes de finalizar la cocción, se decora la paella con los pimientos morrones cortados en tiras.
- Esta forma de preparar el arroz es muy típica de las comunidades autónomas de Valencia y Murcia.

Paella marinera

Tiempo 1 hora y 15 minutos
Comensales 4 personas
Dificultad media

Ingredientes

400 g de arroz, 200 g de sepia
200 g de rape
100 g de gambas
4 cigalas, 8 mejillones
50 g de guisantes
1 cebolla
2 tomates
2 dientes de ajo
1 limón
caldo de pescado
(doble volumen que de arroz)
aceite de oliva, perejil
azafrán
pimentón, sal

Preparación

- Se hace un sofrito con la cebolla, los ajos, los tomates y el perejil, todo ello muy picadito.
- Se añade la sepia limpia y cortada en arandelas, el rape troceado, las gambas, las cigalas, los mejillones, los guisantes y un poco de pimentón.
- Se incorpora el arroz, se da unas vueltas al conjunto y se añade el caldo de pescado necesario (doble volumen que de arroz), se agrega el azafrán y se deja cocer hasta que el grano esté en su punto.
- Se decora con el limón troceado y se sirve.

Paella valenciana

Tiempo 1 hora y 15 minutos
Comensales 4 personas
Dificultad media

Ingredientes

400 g de arroz, 1 pollo pequeño
150 g de magro de cerdo
100 g de jamón, 4 salchichas
200 g de anguilas
12 mejillones, 12 almejas
4 langostinos
1 calamar mediano
150 g de judías garrafó
2 alcachofas
50 g de guisantes cocidos
1 pimiento, 2 tomates
2 dientes de ajo, aceite de oliva
azafrán, pimentón
perejil, sal
agua caliente o caldo

Preparación

- Se pone sobre el fuego una paellera con aceite bien caliente y se fríe el pollo y el magro de cerdo, ambos troceados, añadiendo a continuación el jamón cortado a dados y las salchichas troceadas.
- Una vez rehogado el conjunto, se reserva.
- En el mismo aceite se echa el pimiento cortado a cuadritos, los ajos picados y el tomate, las judías garrafó, los corazones de alcachofas, previamente cocidos y partidos en cuatro, y el calamar limpio y cortado en arandelas.
- Se agrega el pimentón.
- Por último, se incorpora el arroz, la anguila troceada, los langostinos, los mejillones y las almejas (estos últimos ligeramente hervidos para que se abran y retirada una de las conchas), el perejil y los guisantes.
- Se rehoga el conjunto, se añaden las carnes reservadas y el caldo o agua caliente (doble volumen que de arroz).

- Se deja cocer vivamente al principio y suave después, hasta que el grano esté en su punto.
- Se rectifica de sal, se sazona con azafrán y, antes de servir, se deja reposar unos minutos.

Paella valenciana mixta

Tiempo 1 hora y 15 minutos
Comensales 4 personas
Dificultad media

Ingredientes

400 g de arroz
1 pollo troceado
150 g de lomo
100 g de longaniza
(o salchichas)
100 g de langostinos
150 g de calamares
150 g de congrio
10 almejas
150 g de guisantes
150 g de tomates
100 g de judías verdes
4 alcachofas
2 pimientos encarnados
1 cebolla , 3 dientes de ajo
2 tazas de aceite
2 ramas de perejil
una pizca de pimentón dulce
5 hebras de azafrán
pimienta, sal

Preparación

- *En la olla:* Se calienta el aceite en una cacerola al fuego y se fríen el pollo, el lomo y la longaniza (o salchichas), troceados.
- Ya frito, se agrega la cebolla muy picada y dos dientes de ajo majados.
- Se rehoga durante unos minutos y se añaden los tomates y pimientos, pelados y sin semillas.
- Se les da unas vueltas y se añaden los calamares bien limpios, los langostinos, el congrio troceado y las almejas, quitando las conchas vacías.
- Se pone sal y pimienta y se añade el pimentón.
- Se deja cocer a fuego muy lento durante unos minutos.
- Mientras tanto, se prepara la misma cantidad de agua o caldo que de arroz y se tiene al fuego para que esté caliente.
- En otra cacerola se echa un poco de aceite, se calienta y se rehoga el arroz, removiéndolo con una cuchara de madera.
- Cuando cueste mover la cuchara y suene como si fuera arena, estará en el punto.
- En ese momento, se añade la fritanga preparada anteriormente y el resto de las verduras y hortalizas y, tras darle unas cuantas vueltas, a continuación se moja con el agua que estaba caliente al fuego.

- Aparte, se maja un diente de ajo, las hebras de azafrán y el perejil, y se deshace con un poco de agua o caldo.
- Se añade al guiso.
- Cuando rompa el hervor, se deja cocer durante quince minutos, después de los cuales hay que dejarlo reposar otros quince minutos antes de servir.
- *En paella valenciana* (paella, y no paellera, como habitualmente se denomina este recipiente).
- La paella valenciana es de hierro, amplia, no muy honda y con dos asas): se pone la paella (el recipiente) de hierro sobre el fuego.
- Se echa en ella parte del aceite.
- Primero se fríen el pollo tierno bien cortadito, el jamón y las longanizas también en trozos pequeños.
- Se remueve bien todo con el fin de que se vayan dorando por igual.
- Una vez hecho esto, sc pone la cebolla trinchada, los pimientos troceados y las alcachofas partidas en cuatro trozos.
- Se sigue rehogando y se añaden el resto del aceite, los ajos y el perejil picado.
- Se incorporan los calamares, los langostinos, el congrio y las almejas.
- Se les da unas vueltas.
- Luego se ponen los tomates pelados, sin semillas y partidos.
- Al terminar de sofreírlo todo, se incorporan el arroz y el pimentón dulce.
- Se vuelve a rehogar y se añade el agua hirviendo (la misma cantidad de agua que de arroz).
- Para terminar, se agregan los guisantes cocidos, se vuelve a remover, y se echan la sal y el azafrán.
- Cuando haya terminado de cocer, se deja reposar durante unos minutos.
- Para que la paella quede en su punto, es muy importante que todos los ingredientes se fríen por igual.

Paella valenciana típica de la huerta

Tiempo 60 minutos
Comensales 6 personas
Dificultad media

Ingredientes

1/2 kg de arroz
1 pollo
1 conejo
18 caracoles
1/4 kg de garrofó
1/4 kg de tavella
1/4 kg de bajoqueta
1 tomate, ajo
limón, 125 ml de aceite
azafrán, pimentón, sal

Preparación

- Las legumbres denominadas garrofó, tavella, bajoqueta son típicas de la huerta valenciana y difíciles de encontrar fuera de ella; pero pueden sustituirse por guisantes, habas, judías verdes o alcachofas.
- Se limpian y trocean el pollo y el conejo y se sazonan.
- Se pone aceite en la paella y, cuando esté caliente, se sofríen las carnes y seguidamente, el tomate y un diente de ajo, ambos bien picados; después, se añaden las legumbres, que se habrán preparado y hervido previamente, y una cucharadita de pimentón.
- Cuando todo esté bien sofrito, se agrega agua caliente, en doble cantidad que el volumen del arroz, utilizando el agua de cocción de las legumbres.
- Cuando esté hirviendo, se añaden unas hebras de azafrán y los caracoles, después de ponerlos a cocer a fuego lento para que salgan de su concha, y la sal, dejándolo cocer unos minutos.
- Cuando todo esté a punto, se echa el arroz y, en el momento de echarlo, se aviva el fuego, pues los primeros momentos conviene que el arroz hierva deprisa; luego se pone a fuego lento durante otros 10 minutos más y finalmente, se deja reposar otros 5 minutos sobre el rescoldo.
- Se sirve en la misma paella, adornado con unas rodajas de limón.

Paella vegetariana

Tiempo 60 minutos
Comensales 4 personas
Dificultad media

Ingredientes

400 g de arroz
100 g de guisantes desgranados
100 g de habas desgranadas
2 dientes de ajo
1 cebolla
2 pimientos verdes
2 tomates
aceite de oliva, azafrán, sal

Preparación

- En una paellera con aceite se doran la cebolla y los ajos bien picados, añadiendo a continuación los tomates pelados y troceados.
- Se sofríe durante unos minutos y entonces se incorporan todas las verduras y hortalizas, rehogándolas durante unos minutos más.
- Se añade seguidamente el arroz, la sal y unas hebras de azafrán.
- Se mezcla muy bien y se vierte el agua (aproximadamente el doble del volumen de arroz).

- Casi al final de la cocción, se adorna con los pimientos verdes cortados a tiritas.
- Se deja reposar unos minutos y se sirve.

Palometa frita en salsa

Tiempo 60 minutos
Comensales 6 personas
Dificultad media

Ingredientes

1 y 1/4 kg de palometa
1/4 kg de cebollas
1/2 kg de tomates
300 g de guisantes
1 pimiento morrón
4 dientes de ajo
2 huevos cocidos, aceite
pimienta blanca, sal

Preparación

- Se parte la palometa en trozos no muy grandes, se salan y se pasan por harina. Se fríen en una sartén con aceite caliente. Se reservan.
- En ese mismo aceite se fríe la cebolla, pelada y picada fina.
- Cuando esté blanda, se añaden los tomates, sin piel ni semillas, el pimiento morrón partido a tiras y los guisantes.
- Se deja cocer bien la salsa y entonces se añaden los trozos de palometa reservados.
- Se deja cocer todo junto a fuego lento 15 minutos, aproximadamente.
- Antes de servir, se parten los huevos cocidos en rodajas y se colocan por encima del pescado.

Palometa guisada con tomate

Tiempo 60 minutos
Comensales 6 personas
Dificultad media

Ingredientes

1 kg de palometa en filetes
3 tomates, 2 dientes de ajo
2 cebollas grandes, 1/4 l de vino blanco
100 ml de aceite, tomillo
laurel, sal, una pizca de azúcar

Preparación

- Se limpian y salan los filetes de palometa. Se reservan.
- Se pone el aceite a calentar en una cazuela, se añaden la cebolla muy picada y los ajos picados también; se dejan estofar tapados. Se añaden los tomates, pelados, sin semillas y picados.

- Se dejan hacer. Se condimenta con tomillo, laurel y sal.
- Si el tomate estuviera un poco ácido, se puede poner un poco de azúcar hasta conseguir el gusto adecuado.
- Se riega con el vino blanco y se deja cocer unos minutos. Entonces, se añaden los filetes de palometa y se deja cocer todo junto unos 10 minutos.
- Si hiciera falta, se podría añadir un poco de agua para que la salsa no quede demasiado espesa. Se sirve muy caliente y acompañada de patatas fritas.

Papas arrugadas

Tiempo 35 minutos
Comensales 6 personas
Dificultad media

Ingredientes

1 kg de patatas pequeñas
1 kg de sal

Preparación

- Se lavan las patatas y, sin pelar, se colocan en una cazuela amplia.
- Se añade la sal, se cubre con agua y se deja cocer hasta que estén tiernas.
- Se retira la cazuela del fuego, escurriendo el líquido que no se haya evaporado y se vuelve a poner al fuego, moviendo continuamente la cazuela para que las patatas estén siempre rodeadas de sal; se dejan hasta que la piel se arrugue.
- Se sirven sin pelar y acompañadas de mojo picón o mojo verde.

Patatas a la malagueña

Tiempo 60 minutos
Comensales 6 personas
Dificultad media

Ingredientes

3/4 kg de patatas
1/2 kg de acelgas
2 dientes de ajo
aceite de oliva
pimienta (opcional)
sal

Preparación

- Se limpian y trocean las acelgas y se ponen a cocer en agua con sal, junto con las patatas peladas y troceadas.
- Aparte, en una sartén con aceite de oliva se fríen los ajos picados y, cuando empiecen a dorarse, se echan las acelgas y las patatas cocidas y escurridas.
- Se saltean a fuego vivo y se sirven.

Patatas a la riojana

Tiempo 45 minutos
Comensales 4 personas
Dificultad media

Ingredientes

1 kg de patatas
100 g de chorizo (tipo riojano)
pimientos rojos secos
2 dientes de ajo
1 cebolla, 1 puerro
aceite, sal

Preparación

- En una fuente de barro se calienta bastante aceite.
- Cuando esté en su punto, se añaden el ajo picado, la cebolla picada y el puerro (la parte blanca) y se sofríen.
- Mientras, se pone a calentar agua en una cazuela.
- Aparte, se pelan y cascan las patatas (o sea, no se terminan de trocear con el cuchillo, sino que al final se «arrancan» a mano, para que suelten mejor el almidón y queden más rugosas, lo cual beneficia la cocción).
- Cuando el sofrito ya esté hecho, se añaden las patatas lavadas y se cubren con el agua caliente.
- Se echa también el chorizo cortado en rodajas y los pimientos rojos secos en tiras.
- Se sala y se deja cocer hasta que las patatas estén tiernas.

Patatas a lo pobre

Tiempo 45 minutos
Comensales 4 personas
Dificultad media

Ingredientes

1 kg de patatas nuevas
3 dientes de ajo
1 cebolla mediana
aceite
vinagre
sal

Preparación

- Se cortan las patatas en láminas de unos 3 milímetros y se salan.
- En la sartén se calienta bastante aceite, pero no tanto como si fuera para freír, o sea que no las cubra.
- Cuando el aceite esté caliente, se añaden el ajo bien picadito, la cebolla troceada normal y las patatas.
- Se deja hacer, pero no a fuego muy vivo porque sólo tienen que freírse por fuera, quedando blanditas por dentro.
- Se les va dando vueltas con cuidado de que no se rompan.
- Es conveniente taparlas.

- Cuando estén hechas, se retiran del fuego y se les añade un chorrito de vinagre: cuidado con no acercar demasiado la cara a la sartén, porque el vinagre cuando se mezcla con el aceite caliente suelta un gas muy molesto.
- Ya están listas para servir.

Patatas al estilo de Canarias

Tiempo 60 minutos
Comensales 6 personas
Dificultad media

Ingredientes

1 kg de patatas
4 dientes de ajo
1/2 vaso de agua
1 vaso de aceite
1/2 vaso de vinagre
1 cucharadita de cominos
1 cucharada de pimentón picante
sal

Preparación

- Se cuecen las patatas con piel en abundante agua con sal.
- Una vez cocidas, se escurren, se colocan en una fuente de horno y se hornean a temperatura muy suave hasta que se les arranque la piel.
- Se pelan dos de las patatas y, en caliente, se pasan por el pasapurés.
- Se majan en el mortero los cominos con el ajo, se añade el pimentón, el aceite, el vinagre y el agua.
- Se une este majado al puré de patata y se hace una salsa bien ligada.
- Las patatas, ya secas en el horno, se parten por la mitad sin quitarles la piel, se rocían con la salsa y se presentan en la mesa.

Patatas asadas

Tiempo 1 hora y 15 minutos
Comensales 4 personas
Dificultad media

Ingredientes

4 patatas, ajo
aceite de oliva
mantequilla
sal gorda (marina)

Preparación

- Se lavan y secan las patatas y se frotan con mucha suavidad con un diente de ajo y aceite de oliva.
- Se pinchan un poco con un tenedor en distintos sitios.
- Se envuelven en papel de aluminio y se meten en el horno (previamente calentado) durante diez minutos a

fuego lento y después, una hora aproximadamente a fuego medio.

- Se sabe cuando están hechas si se les clava bien un tenedor.
- Se sirven con el papel metalizado, partidas a la mitad, y se untan con mantequilla y sal gorda.

Patatas con pescado

Tiempo 30 minutos
Comensales 4 personas
Dificultad media

Ingredientes

1 kg de patatas
1/4 kg de pescadilla, 2 cebollas
200 ml de caldo de pescado
1/4 l de mahonesa
4 hojas de laurel
perejil picado, sal

Preparación

- Se pelan, lavan y cuecen las patatas troceadas a cascos, con agua que las cubra, sal, las cebollas cortadas en juliana y las hojas de laurel.
- A mitad de cocción, se añade la pescadilla y se deja cocer todo junto.
- Se escurre y se reserva el caldo.
- En una fuente de loza se colocan las patatas, las cebollas y el pescado desmenuzado.
- Se cubren con la mahonesa aclarada con un poco de caldo de pescado y se espolvorea con perejil picado.
- Se sirve templado.

Patatas con pimientos

Tiempo 45 minutos
Comensales 6 personas
Dificultad media

Ingredientes

1 kg de patatas
2 pimientos
1/4 kg de tomates
4 cucharadas de aceite
azafrán, pimienta
sal

Preparación

- Se pelan, lavan y cortan las patatas a cascos para que suelten de este modo el almidón.
- Se calienta el aceite en una cacerola, se añaden los pimientos, sin semillas y cortados en trocitos, y se rehogan un momento.
- Se añaden las patatas troceadas y se sazona.
- Se incorporan los tomates escaldados, sin piel ni semillas y troceados, y se deja hacer todo junto unos minuos.

- Se cubre con agua y se cuece lentamente para evitar que se deshagan las patatas.
- Durante la cocción, se añaden unas hebras de azafrán majadas en el mortero con un poquito de sal.
- Se sirven muy calientes.

Patatas con pimientos rojos

Tiempo 45 minutos
Comensales 4 personas
Dificultad media

Ingredientes

1 kg de patatas
2 pimientos rojos
(pueden ser de lata)
2 dientes de ajo
5 cucharadas de aceite
2 cucharadas de vinagre
1 cucharada de pimentón, sal

Preparación

- Se asan los pimientos, se pelan y se parten en tiras (pueden sustituirse por pimientos rojos de lata).
- Se lavan las patatas, se cuecen con su piel en agua con sal y se escurren; cuando estén frías, se pelan y parten en rodajas.
- Aparte, se dora el ajo cortado en láminas en una sartén con aceite.
- Se retira ésta del fuego y se añade el pimentón, removiendo para que no se queme; entonces, se incorpora el vinagre de golpe.
- Se colocan las patatas y los pimientos en una fuente y se echa el refrito por encima.
- Se sirve templado.

Patatas con rape

Tiempo 60 minutos
Comensales 4 personas
Dificultad media

Ingredientes

600 g de patatas, 1 kg de rape
1 lechuga, 1 cebolla
8 cucharadas de salsa mahonesa
2 cucharadas de brandy
4 cucharadas de ketchup
aceite, pimentón dulce, sal

Preparación

- Se quita la espina al rape y se atan los lomos como si se tratase de un asado.
- Se sala, se unta con aceite y después, con sal y pimentón, de modo que quede rojizo todo el exterior.
- Se cuece con agua, la cebolla partida por la mitad y sal.
- Una vez cocido, se saca del caldo y se deja enfriar.

- En el caldo de cocción del rape se cuecen las patatas cortadas a cascos.
- Una vez cocidas, se escurren.
- Se lava la lechuga y se corta menuda.
- Se le quita la cuerda al rape y se corta en rodajas.
- Para servir, se cubre el fondo de una fuente con la lechuga cortada, se colocan las rodajas de rape en el centro y, alrededor, los cascos de patata.
- Se adereza con la salsa mahonesa mezclada con brandy y ketchup.

Patatas de acompañamiento para cordero

Tiempo 45 minutos
Comensales 4 personas
Dificultad media

Ingredientes

1/2 kg de patatas, 1 cebolla
1 vaso de aceite, perejil, sal

Preparación

- Se pelan, lavan y trocean las patatas como para tortilla.
- Se salan ligeramente.
- Se pela y pica en tiras la cebolla.
- Se calienta el aceite en una sartén amplia y se echan las patatas y la cebolla.
- En cuanto el aceite empiece a burbujear, se reduce el fuego y se fríe muy despacio durante media hora.
- Durante la fritura, se da una vez vuelta a las patatas.
- En el último momento, se espolvorean con el perejil muy picado y se da un calentón a la sartén.
- Se sacan las patatas a un colador para que escurra bien el aceite.
- Estas patatas son una guarnición excelente para el cordero asado.

Patatas de pueblo

Tiempo 45 minutos
Comensales 6 personas
Dificultad media

Ingredientes

1 kg de patatas
1/2 kg de costillas de cerdo
100 g de arroz
1 cebolla grande
2 dientes de ajo
100 ml de aceite, perejil, sal

Preparación

- Se pelan y lavan las patatas, y se cortan en trozos no demasiado grandes.
- Se calienta el aceite en una cazuela de barro y se rehoga la cebolla muy picada.

- Cuando esté un poco dorada, se añaden las costillas y después, las patatas.
- Una vez rehogado todo, se añade el arroz y un majado de ajo y perejil.
- Se sala y se cubre con agua, dejándolo cocer lentamente durante unos 35 minutos.
- Pasado ese tiempo, se retira del fuego, se deja reposar y se sirve.

Patatas en camisa

Tiempo 60 minutos
Comensales 4 personas
Dificultad media

INGREDIENTES

1 kg de patatas, 3 huevos batidos
100 g de harina
1 cebolla grande, 1 l de caldo
aceite, perejil, sal

PREPARACIÓN

- Se pelan, lavan y cortan las patatas en rodajas como de un centímetro.
- Se pasan por harina y por huevo batido y se fríen en abundante aceite caliente.
- A medida que estén, se van colocando en una cazuela de barro.
- Aparte, se hace la salsa, estofando en un vasito de aceite caliente la cebolla finamente picada; cuando esté dorada, se añade una cucharada de harina, se tuesta y se moja con el caldo caliente.
- Se rectifica el punto de sal, se espolvorea con perejil picado y se vierte sobre la cazuela donde están las patatas.
- La cazuela se mete en el horno, precalentado unos 15 minutos, para que cueza todo junto y terminen de hacerse las patatas.
- Se sirven calientes.

Patatas guisadas con bacalao

Tiempo 60 minutos
Comensales 4 personas
Dificultad media

INGREDIENTES

1 kg de patatas, 1/4 kg de bacalao
1 cebolla, ajo
1 cucharada de pimentón
1/2 vaso de vino blanco, aceite
laurel, perejil, sal

PREPARACIÓN

- Se desala el bacalao, teniéndolo en remojo desde la víspera en agua fría. Se escurre y se pone al fuego en una cacerola con agua fría y una hoja de laurel.

- Cuando el agua rompa a hervir, se retira y se desmiga el bacalao, quitándole piel y espinas.
- En un fondo de aceite se estofa la cebolla cortada en juliana. Cuando esté en su punto, se añade el ajo picado y después, las patatas peladas y partidas a cascos.
- Se rehogan y se espolvorean de pimentón. Se les da una vuelta y, sin que se queme el pimentón, se añade el vino blanco.
- Se cubren con agua y se añaden las migas de bacalao. Se deja que cueza.
- Cuando esté hecho, se espolvorea con abundante perejil picado y se deja reposar unos minutos antes de servir.

Patatas guisadas con chirlas

Tiempo 60 minutos
Comensales 4 personas
Dificultad media

INGREDIENTES

1 kg de patatas, 1/4 kg de chirlas
1 cebolla, 2 tomates, ajo
1 cucharada de harina
aceite, perejil, azafrán, sal

PREPARACIÓN

- Se lavan las chirlas en agua con sal.
- Se cuecen, también en agua con sal, hasta que se abran.
- Se retiran las conchas y se cuela el caldo de cocción por un trapo fino para que no lleve nada de arena.
- En un fondo de aceite se estofa la cebolla picada fina, se añade el ajo picado y los tomates, sin piel ni semillas.
- Se estofa todo suavemente y, cuando el tomate esté hecho, se agregan las patatas peladas, partidas en cascos y espolvoreadas con harina para que luego trabe la salsa.
- Se rehogan y cubren con el caldo de cocción de las chirlas.
- Cuando están casi cocidas, se añaden las chirlas junto con unas hebras de azafrán majadas en el mortero.
- Se sirven caldosas, en fuente de barro y espolvoreadas con perejil.

Patatas guisadas con huevos

Tiempo 60 minutos
Comensales 4 personas
Dificultad media

Ingredientes

1 kg de patatas, 5 huevos
100 g de almendras molidas
2 dientes de ajo, caldo
vinagre, aceite, perejil fresco, sal

Preparación

- Las patatas se pelan y parten a cascos.
- Se cuecen los huevos 12 minutos, se dejan enfriar y después, se pelan.
- En un fondo de aceite se doran los 2 dientes de ajo, se retiran y se reservan en un mortero.
- En ese mismo aceite se rehogan las patatas y se cubren con caldo.
- En el mortero se majan los dientes de ajo con un poco de sal, la yema de uno de los huevos duros y las almendras molidas.
- Se deslíe todo con un poco de vinagre y caldo y se añade a las patatas casi al final de la cocción.
- Se añaden también los huevos duros partidos en rodajas y el perejil picado.
- Se deja dar un hervor a todo ello y se sirve caliente en fuente de barro.

Patatas guisadas con níscalos

Tiempo 1 hora y 15 minutos
Comensales 4 personas
Dificultad media

Ingredientes

1 kg de patatas
1/2 kg de níscalos
1 cebolla, 2 dientes de ajo
un trocito de guindilla
100 ml de vino blanco
agua, aceite, perejil, sal

Preparación

- Se pelan las patatas, se parten en cascos y se fríen en abundante aceite caliente.
- Se reservan.
- En un fondo de aceite se estofa la cebolla picada fina.
- Se añaden el ajo, la guindilla y el perejil picados y, cuando hayan tomado color, los níscalos bien limpios de tierra y partidos en trozos grandes.
- Se rehoga todo, se añade el vino y se deja cocer hasta que los níscalos estén en su punto.

- En este momento, se incorporan las patatas fritas y un poco de agua si lo necesita, para que quede todo unido.
- Se cuece unos minutos y se sirve caliente.

Patatas paja

Tiempo 45 minutos
Comensales 6 personas
Dificultad media

Ingredientes

1 kg de patatas
sal, aceite

Preparación

- Se pelan las patatas y se rallan o se pasan por el molinillo de verduras de modo que queden en tiras muy finas.
- Se lavan y se ponen en remojo, ya que de esta manera pierden fécula y quedan luego más crujientes.
- A la hora de freírlas, se escurren bien y se secan con un paño o servilleta de papel.
- Se fríen por tandas no muy abundantes, en aceite muy caliente, para que se doren enseguida sin pegarse entre sí.
- Después, se escurren y sazonan.
- Aunque todas las variedades de patatas pueden utilizarse para fritas, las mejores son las gallegas y las holandesas, ya que con ellas se consigue el punto exacto de fritura.

Patatas rellenas de carne

Tiempo 1 hora y 30 minutos
Comensales 4 personas
Dificultad media

Ingredientes

4 o 8 patatas según el tamaño
250 g de carne picada, 1 cebolla
15 cucharadas de caldo
1/2 vaso de vino blanco
1 cucharada de harina
25 g de mantequilla
1 cucharada de aceite, pimienta, sal

Preparación

- Se lavan, secan y asan las patatas en el horno, dándoles la vuelta para que se hagan por igual.
- El tiempo dependerá del tamaño de las patatas.
- Mientras, se pone en una sartén al fuego una cucharada de aceite con la cebolla muy picada y se deja dorar; se espolvorea con harina, se tuesta ligeramente y se diluye con el caldo y el vino blanco.

- Se rectifica el punto de sal y se agrega una pizca de pimienta.
- Cuando llegue a ebullición, se reduce el fuego al mínimo y se deja así durante 10 minutos.
- Se abren las patatas asadas por la parte superior en sentido longitudinal y se reserva el copete.
- Se vacían con cuidado y se pone la pulpa en una cazuelita con 25 g de mantequilla; se rehoga y se agrega la carne picada.
- Se pasa la salsa por el pasapurés, se vierte sobre el puré y la carne, y se mezcla.
- Se retira del fuego, se rellenan las patatas con esta mezcla y se tapan con el copete reservado.
- Se meten en el horno durante 15 minutos.
- Se sirven muy calientes.

Patatas viudas

Tiempo 45 minutos
Comensales 6 personas
Dificultad media

Ingredientes

1 kg de patatas
3 dientes de ajo, 1 cebolla
1 cucharada de harina, 100 ml de aceite, 1 cucharada de perejil picado, sal, agua

Preparación

- Se pelan, lavan y cortan las patatas en ruedas no demasiado finas.
- Se pone el aceite a calentar en una cacerola.
- Se añade el ajo picado y se deja dorar un poco; se incorpora la cebolla muy picada y también se deja dorar.
- Se añade el perejil y después, la cucharada de harina.
- Se rehogan en este refrito las patatas y, una vez bien rehogadas, se cubren con agua y se dejan hervir añadiendo la sal en este momento.

Pavo relleno

Tiempo 2 horas y 30 minutos
Comensales 4 personas
Dificultad media

Ingredientes

1 pavo de unos 2 y 1/2 kg
1 hígado de pavo
8 salchichas
200 g de jamón
300 g de ciruelas negras
3 cucharadas de piñones
2 vasos de jerez seco, más un poco para rociar el pavo
15 castañas asadas y peladas
3 trufas

caldo de carne o de verduras
hierbas aromáticas
(laurel,
orégano, albahaca y tomillo)
canela en polvoperejil
pimienta blanca en polvo, sal

Preparación

- El relleno es conveniente prepararlo con antelación, para que esté frío en el momento de rellenar el pavo.
- Para preparar el relleno se fríen en una sartén el jamón, el hígado de pavo, las salchichas troceadas, las ciruelas, las castañas, los piñones, las trufas, un poco de pimienta blanca, el perejil, la canela y el jerez.
- Se mezcla bien y se deja que hierva.
- El pavo, ya vaciado, se sazona y se rocía con un poco de jerez seco, se introduce el relleno y se cose la abertura para que quede todo bien sujeto.
- Una vez rellenado y cosido el pavo, se unen sus muslos y alones con aguja e hilo, para sujetarlo bien y darle forma abombada.
- Se deposita el pavo en una fuente con laurel, orégano, albahaca y tomillo; se sazona y cuece durante 2 horas.
- Durante ese tiempo hay que ir dándole la vuelta de cuando en cuando y rociarlo con su propio jugo y con el caldo preparado.
- Estará en su punto cuando logre un color doradito.

Pepinos a la española

Tiempo 30 minutos
Comensales 4 personas
Dificultad media

Ingredientes

4 pepinos medianos
100 g de arroz blanco cocido
200 g de atún en aceite
100 g de aceitunas negras
1 lata pequeña de anchoas
2 huevos cocidos
50 g de alcaparras
2 tomates
1 pimiento rojo
1 pimiento verde
1 cebolla
3 dientes de ajo
100 ml de aceite
2 cucharadas de vinagre
pimienta, sal

Preparación

- Se pelan los pepinos, se parten por la mitad a lo largo y se quitan las semillas.
- Se espolvorean con sal y se dejan macerar durante 30 minutos.
- Mientras, se limpian los pimientos, se les quitan las semillas y se cortan en cuadritos; se pelan los tomates, se les quitan las semillas y se trocean; se pelan y pican la cebolla y los

ajos; se deshuesan las aceitunas y se cortan en trocitos 4 filetes de anchoas.

- Se reservan unas aceitunas con hueso y unos filetes de anchoas enteros.
- Se prepara una emulsión con el aceite, el vinagre y sal, y cuando esté bien batida se añaden el arroz, los pimientos, los tomates, la cebolla, los ajos, las aceitunas, las anchoas, las alcaparras, los huevos y el atún desmenuzado; se salpimenta y mezcla bien.
- Se enjuagan las mitades de los pepinos en agua, se secan y se rellenan con la mezcla preparada.
- Se adornan con las aceitunas y las anchoas reservadas.
- Se guarda en el frigorífico hasta el momento de servir.
- Esta ensalada, además de muy nutritiva, tiene una excelente presentación. Puede dejarse preparada con antelación y rellenar las barquitas de pepino en el momento de servir.

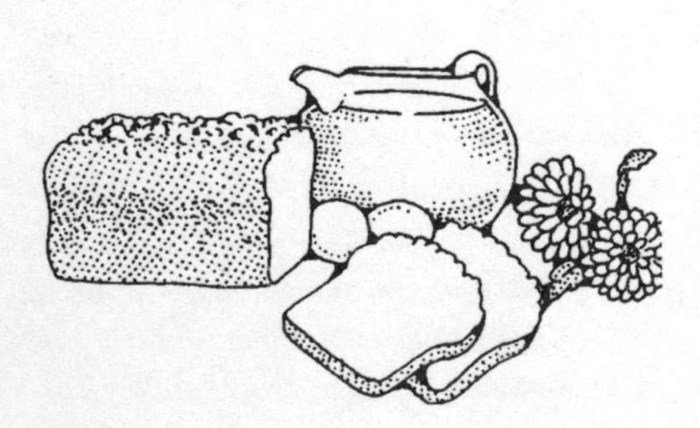

Pepitoria de gallina a la zaragozana

Tiempo 2 horas
Comensales 6 personas
Dificultad media

Ingredientes

1 gallina
2 yemas de huevo
1 cucharada de harina
12 cebollitas, 12 champiñones
1 cacillo de caldo de ave
50 g de manteca de cerdo
1 limón, azafrán, perejil
pimienta, sal

Preparación

- Después de limpia, se corta la gallina en trozos no muy grandes.
- Estos pedazos se escaldan en agua hirviendo durante 3 minutos y después, se ponen a escurrir.
- Se calienta la manteca de cerdo en una cazuela de barro y se echan en ella los trozos de gallina en compañía de las cebollitas, el perejil, los champiñones y un poco de azafrán, y se rehoga todo bien.
- Seguidamente se agrega la harina, se revuelve y se moja con un cacillo de caldo, sazonando con sal y pimienta y dejándolo cocer.

- Cuando la gallina esté tierna, se retira y se deja que la salsa siga cociendo para que se reduzca.
- Cuando alcance el volumen deseado, se cuela y se deslíen en ella las yemas de huevo, que no deben dejarse cocer.
- Se vierte esta salsa sobre la gallina y se rocía todo con zumo de limón, sirviéndolo bien caliente.

Peras a la crema

Tiempo 30 minutos
Comensales 4 personas
Dificultad media

Ingredientes

4 peras, 100 g de azúcar glas
125 ml de nata
50 g de margarina, más un poco para engrasar
30 g de almendras tostadas picadas

Preparación

- Se pelan las peras y se trocean en dados grandes.
- Se colocan en una fuente previamente engrasada, se espolvorea con el azúcar glas y se pone por encima la margarina en pequeños trozos.
- Se introduce la fuente en el horno caliente y, cuando las peras comiencen a dorarse, se cubren con la nata y se vuelven a meter en el horno durante 3 minutos más.
- Se espolvorean con las almendras picadas y se sirven.

Peras al vino

Tiempo 1 hora y 30 minutos
Comensales 4 personas
Dificultad media

Ingredientes

8 peras de agua
1/2 l de vino tinto
1/2 l de agua
200 g de azúcar
1 palito de canela
ralladura de limón

Preparación

- Se pelan las peras enteras y se colocan en un cazo sin apretarlas.
- Se añade el azúcar, la canela, la ralladura de limón y el agua, y se dejan macerar durante media hora.
- Se añade entonces el vino y se vuelve a dejar en reposo el mismo tiempo.
- Por último, se ponen las peras al fuego hasta que queden tiernas.
- Se sirven adornadas con nata.

Peras con pasas

Tiempo 25 minutos
Comensales 6 personas
Dificultad media

Ingredientes

6 peras grandes
75 g de pasas sin semillas
325 g de azúcar
1 copa de jerez dulce
1 palito de canela

Preparación

- Se ponen a macerar las pasas en el jerez dulce.
- Se diluye el azúcar en 1 litro de agua y se pone a hervir al fuego hasta conseguir un jarabe ligero.
- Mientras, se pelan las peras y se parten por la mitad, retirándolas el corazón. Cuando el jarabe esté a punto, se añaden la canela y las peras, se deja que siga cociendo durante 12 minutos más.
- Se sacan las peras del almíbar, con mucho cuidado para que no se rompan, y se dejan enfriar en la fuente donde vayan a servirse. Mientras, se deja reducir el almíbar a fuego muy vivo durante otros 5 minutos.
- Pasado ese tiempo, se vierte sobre las peras.
- Se sirven las peras cuando estén totalmente frías, si se desea, acompañadas con un poco de nata.

Percebes cocidos con laurel

Tiempo 15 minutos
Comensales 4 personas
Dificultad media

Ingredientes

3 kg de percebes
1 hoja de laurel
sal gorda (marina), agua

Preparación

- Los mejores percebes son los cortos y gordos.
- En una olla grande se echa agua, el laurel y un buen puñado de sal gorda.
- Cuando el agua empiece a hervir, se añaden los percebes bien lavados y, desde el momento que vuelva a recuperarse la ebullición, se cuentan 5 minutos.
- Se apaga el fuego y se dejan enfriar los percebes en el mismo agua, para que queden sabrosos y tomen bien la sal.
- Se pueden servir templados o del tiempo, pero jamás directamente del frigorífico.

Perdices a la cazuela

Tiempo 60 minutos
Comensales 4 personas
Dificultad media

Ingredientes

4 perdices
3 dientes de ajo, 1 cebolla
1 vaso de vino blanco
harina, aceite
hoja de laurel
nuez moscada
pimienta negra, sal

Preparación

- Se salan bien las perdices, se pasan por harina y se colocan en una cazuela.
- Se añade la cebolla bien picada, un poco de pimienta y de nuez moscada, los dientes de ajo pelados y enteros, el laurel, el vaso de vino blanco, un vaso de agua y un chorrito de aceite.
- Se tapa la cazuela y se deja hacer a fuego lento.
- Las perdices se sirven con su salsa.
- Para que ésta resulte más fina, puede pasarse por un chino o por un colador.

Perdices con coles al estilo del Ampurdán (Gerona)

Tiempo 3 horas
Comensales 6 personas
Dificultad media

Ingredientes

3 perdices, 1 col
300 g de tocino
1/2 kg de lomo de ternera
150 g de jamón magro
150 g de butifarra
100 g de tocino entreverado (en lonchas)
150 g de zanahorias, 150 g de cebollas, 1 vaso de vino blanco
1/2 l de caldo
nuez moscada, clavo, orégano
tomillo, estragón, pimienta, sal

Preparación

- Se limpian las perdices y se embridan, mechando las pechugas con unas tiras de tocino muy delgadas, que antes se habrán tenido en salmuera, con pimienta y unas ralladuras de nuez moscada.
- Se colocan las perdices en una cacerola no muy alta, provista de un fondo móvil agujereado, colocando cada perdiz entre dos delgadas lonchas de tocino.

- Se añade la ternera cortada en lonchas, las zanahorias y las cebollas, en las que se clavarán unos clavos de especia, sal, pimienta, las hierbas, el vino y unos cacillos de caldo.
- Aparte se blanquea la col, escaldándola 2 o 3 minutos en agua hirviendo, previamente salada.
- Se escurre bien y se airea, procurando que no conserve ni una gota de agua.
- Una vez preparada la col, se pone encima de las perdices en la cacerola, con el tocino entreverado, recortado en tiras, la butifarra y el jamón.
- Se moja todo con el caldo necesario y se pone a cocer a fuego lento durante un par de horas con la cazuela tapada.
- Pasado ese tiempo, se saca el fondo móvil de la vasija y se extrae muy despacio todo el contenido.
- Se disponen las perdices en una fuente y en otra se dejan las zanahorias, la ternera, la butifarra, el jamón, etc., separando la col, que se dejará en la parte móvil, sobre un plato, para extraer bien su jugo, exprimiéndolo con una espátula.
- Entretanto, se deja reducir la salsa a la mitad.
- Se coloca en la misma cacerola, durante un cuarto de hora, la col sobre las perdices y encima la butifarra y el jamón, partidos en trozos pequeños e iguales. Con el resto de los ingredientes se hace un picadillo.
- Se sirven las perdices rodeadas de este picadillo, acompañadas de la col, la butifarra y el jamón.

Pestiños del convento

Tiempo 45 minutos
Comensales 4 personas
Dificultad media

Ingredientes

500 g de harina
300 g de miel
1/4 l de agua caliente
1/4 l de aceite caliente
1 copita de anís
1 copita de vino blanco caliente

Preparación

- Se hierve durante 5 minutos el agua con la miel.
- Se reserva.
- Se coloca la harina en la mesa, se hace un agujero en el centro y en él se vierten el aceite, el vino y el anís, amasándolo hasta que quede homogénea y fina.
- Después, se estira con el rodillo y se deja finita.
- Se corta en tiras que se fríen con el aceite bien caliente hasta que se doren.
- Antes de servir los pestiños, se bañan con el almíbar de miel.

Pestiños granadinos

Tiempo 60 minutos
Comensales 6 personas
Dificultad media

Ingredientes

1/4 kg de harina flor,
más un poco
para espolvorear
3 huevos
1/4 kg de miel
1/2 l de aceite
1 copa
de aguardiente

Preparación

- Con la harina y el aceite precisos se hace una pasta fina añadiéndole, cuando esté en su punto, una o dos cucharadas de aguardiente.
- Para terminar su preparación, se incorporan los huevos batidos, trabando la pasta con ayuda del rodillo.
- Cuando la pasta esté en su punto, y después de bien extendida, se cortan unos óvalos de unos 10 centímetros en su eje mayor y un grosor de 3 milímetros, que se enrollan en espiral y se fríen en abundante aceite hirviendo hasta que estén bien dorados.
- Se sacan de la sartén y se dejan escurrir hasta que se desprenda todo el aceite y estén bien secos.
- Se rebozan en miel derretida, dejándolos enfriar antes de servirlos.

Picadillo de la matanza

Tiempo 15 minutos
Comensales 4 personas
Dificultad media

Ingredientes

1/2 kg de picadillo
aceite

Preparación

- En una cazuelita de barro se pone un poco de aceite a calentar, se vierte el picadillo fresco de la matanza y se fríe un poco.
- Se sirve en una cazuelita o sobre pequeñas rebanadas de pan.

Pierna de cabrito con judías de La Granja

Tiempo 3 horas
Comensales 4 personas
Dificultad media

Ingredientes

1 pierna de cabrito
400 g de judías de La Granja
1 bolsa pequeña de menestra de verduras congeladas
2 zanahorias
4 dientes de ajo
1 vaso de vino blanco
1/4 l de caldo blanco
100 g de manteca de cerdo
8 cucharadas de aceite
1 hoja de laurel
2 cucharadas de pimentón
pimienta
sal

Preparación

- Se deshuesa una pierna de cabrito, se brida y salpimenta.
- Se dora con un poquito de manteca de cerdo, se añade la menestra de verduras, se moja con un vaso de vino y otro de caldo, y se deja cocer 35 minutos en total.
- Aparte, se cuecen las judías de La Granja, con aceite, zanahoria, ajo y laurel.
- Al recipiente del cabrito se agrega un poquito de pimentón y caldo de la cocción de las judías, y se deja reducir un poco el líquido.
- A todo este conjunto se le agregan las judías y se deja hervir unos 15 minutos más.
- Se rectifica de sal.
- Se sirve el cabrito muy caliente, cortado en medallones, y las judías aparte.
- Para que el asado llegue bien caliente a la mesa, hay que templar la fuente de servir con agua hirviendo.

Pierna de cordero al estilo de Medinaceli (Soria)

Tiempo 1 hora y 30 minutos
Comensales 6 personas
Dificultad media

Ingredientes

1 pierna de cordero
3 dientes de ajo
1/4 l de vino blanco
100 ml de aceite
100 ml de vinagre
sal

Para el acompañamiento:
1/2 kg de patatas
2 pimientos rojos
1/4 kg de tomates
ajo, sal

Preparación

- Se prepara la pierna, que debe ser de cordero pascual, se sazona, se coloca en una placa de asar, se baña con aceite y, sin más, se mete en el horno.
- Cada 5 minutos se le da una vuelta y se riega con su propio jugo.
- Mientras, se prepara un majado machacando en el mortero tres dientes de ajo hasta reducirlos a pulpa.
- Se le añade el vino y el vinagre, mezclándolo todo bien, y se riega con ello el cordero, que se vuelve al horno durante cinco o diez minutos más.
- Cuando el cordero esté asado, se agrega un poco de agua a la salsa y se pasa por el chino.
- El cordero se sirve regado con la salsa y acompañado de patatas asadas y una riojana de pimiento, tomate y ajo picado, refrita en la sartén.

Pierna de cordero con monchetas

Tiempo 1 hora y 30 minutos
Comensales 6 personas
Dificultad media

Ingredientes

1 pierna de cordero
400 g de alubias blancas (monchetas)
1/2 kg de patatas
3 cebollas, 2 dientes de ajo
1 l de caldo
4 cucharadas de aceite
3 clavos
un manojo de hierbas
1 rama de perejil
pimienta en grano sal

Preparación

- Una vez remojadas las alubias desde la noche anterior, se ponen en una cazuela con agua templada, sal y una cebolla pinchada con los clavos, y se dejan cocer durante una hora a fuego lento.
- Mientras, se ata la pierna de cordero y se unta con un majado hecho con los ajos, el perejil, la sal y el aceite.
- Se mete la pierna de cordero en el horno, pintándola cada 10 minutos con el jugo que vaya soltando.

- A la media hora, se añaden las dos cebollas restantes partidas en rodajas, y sazonadas con sal y pimienta.
- Se colocan encima las alubias escurridas y, sobre ellas, las patatas cortadas en ruedas.
- Se salpimentan y se cubren con el caldo.
- Se deja cocer todo junto en el horno durante algo más de media hora.
- El tiempo de horno depende de la calidad del cordero. A veces es suficiente con una hora.
- Para servir, se coloca la pierna de cordero en una fuente y se rodea con la guarnición.

Pimientos del piquillo rellenos de morcilla

Tiempo 30 minutos
Comensales 4 personas
Dificultad media

Ingredientes

12 pimientos del piquillo
1 morcilla grande de arroz
2 huevos batidos
harina, aceite, sal

Preparación

- Se dejan escurrir los pimientos después de lavados y ya sin semillas.
- Se calienta un poco de aceite en una sartén y se fríe la morcilla, quitándole la envoltura.
- Con esta fritada se rellenan los pimientos, pero sin que rebose.
- Seguidamente, se pasan por harina y huevo batido, y se fríen en aceite bien caliente.
- Antes de servirlos, se escurren bien sobre papel de cocina.

Pimientos del piquillo rellenos de rape y gambas

Tiempo 1 hora y 45 minutos
Comensales 4 personas
Dificultad media

Ingredientes

8 pimientos del piquillo
400 g de gambas
400 g de rape
500 g de tomates pelados, picados y sin semillas
2 zanahorias, raspadas y picadas
1 cebolla, finamente picada
1 puerro (sólo la parte blanca) finalmente picado
2 huevos
1 copa de vino de jerez
1/2 l de leche
2 cucharadas de harina, más un poco para rebozar

1 cucharada de mantequilla
una pizca de nuez moscada rallada
aceite, pimienta, sal

Preparación

- Se retiran las cabezas de las gambas y se reservan.
- Se cuecen las colas en un cazo al fuego con dos vasos de agua y sal; se escurren, se reserva el caldo, se pelan las gambas y se pican muy menudas.
- Se calienta la leche con un poco de sal en una cacerola al fuego y se cuece en ella el rape cortado en trozos pequeños.
- Cuando esté, se escurre el pescado y se pica, reservando el caldo.
- Se calienta la mantequilla en una sartén antiadherente al fuego, se añaden las dos cucharadas de harina removiendo constantemente con una cuchara de madera; se vierte, poco a poco, la leche de cocer el rape y se sazona con nuez moscada.
- Se cocina, sin dejar de remover para evitar que se formen grumos, hasta obtener una salsa bechamel espesa.
- Se retira la bechamel del fuego y se añaden las gambas y el rape troceados.
- Se deja enfriar.
- Cuando la bechamel esté fría, se rellenan con ella los pimientos.
- Mientras, en una cacerola se calientan dos cucharadas de aceite, se añaden la cebolla, las zanahorias y el puerro, y se rehogan durante unos minutos, incorporando también las cabezas de las gambas reservadas (estas cabezas se machacan con una cuchara para que suelten el jugo); se cocina durante unos minutos.
- Seguidamente, se agregan los tomates, el jerez y el caldo de las gambas reservado anteriormente, y se continúa cocinando durante unos 30 minutos a fuego moderado.
- Se retira esta salsa del fuego, se pasa por el chino y se reserva.
- Los pimientos rellenos se pasan por harina y huevo batido, y se fríen en aceite bien caliente.
- A medida que vayan estando, se colocan en una cazuela de barro.
- Después, se cubren con la salsa y se cocinan a fuego suave durante unos 20 minutos.
- Se sirven calientes cubiertos ligeramente por la salsa.

Pimientos rellenos de arroz

Tiempo 30 minutos
Comensales 4 personas
Dificultad media

Ingredientes

4 pimientos verdes
200 g de arroz
1 cebolla
1 nuez de mantequilla
aceite de oliva
pimienta
sal

Preparación

- En una cazuela con aceite se rehogan la cebolla y el arroz.
- Después se añade doble cantidad de agua que de arroz y se sazona con sal y pimienta.
- Con este sofrito de arroz se rellenan los pimientos, una vez lavados y vaciados de semillas.
- Se colocan en una fuente untada de mantequilla y se meten a horno medio durante un cuarto de hora.

Pimientos rellenos de bacalao

Tiempo 45 minutos
Comensales 4 personas
Dificultad media

Ingredientes

4 pimientos rojos (o verdes) grandes
250 g de bacalao desmigado
bechamel espesa
huevo batido
harina
pan rallado (opcional)
aceite

Preparación

- Se agrega a una bechamel espesa el bacalao desmigado, previamente desalado y picado.
- Se pone en una cacerola y se deja que cueza hasta que se ponga gordo.
- Se rellenan los pimientos con esa masa y después, se rebozan con harina y huevo batido.
- Luego se fríen en aceite muy caliente.
- También se pueden hacer al horno.
- Para ello, se reserva un poco de bechamel y, después de rellenar los pimientos, se cubren con ella.

- Se espolvorean con un poco de pan rallado y se meten en el horno, previamente calentado.

Pimientos y berenjenas en picadillo

Tiempo 60 minutos
Comensales 4 personas
Dificultad media

Ingredientes

3 pimientos grandes
2 berenjenas
1 diente de ajo
6 cucharadas de aceite de oliva
2 cucharadas de zumo de limón
sal

Preparación

- Se retiran los tallos a los pimientos y las berenjenas, se colocan en una bandeja y se asan en el horno hasta que estén tiernos.
- Una vez asados, se pelan, se quitan las semillas de los pimientos y se trocean finamente ambas verduras.
- Se colocan en una ensaladera y se aliñan con una vinagreta preparada con el diente de ajo, el zumo de limón, el aceite y sal.
- Se deja reposar durante media hora y se sirve.

Piperrada

Tiempo 45 minutos
Comensales 4 personas
Dificultad media

Ingredientes

3/4 kg de tomates
2 pimientos verdes
4 lonchas de jamón serrano
4 huevos
1/2 cucharada de manteca
pimienta, sal, pan frito

Preparación

- Se derrite la manteca en una sartén al fuego y se fríen en ella los tomates troceados, sin piel ni pepitas, y los pimientos cortados en tiras; se salpimenta.
- Se baja la intensidad del fuego y se deja hacer muy despacio durante 25 minutos, vigilando que no se queme.
- Se corta el jamón en tiras.
- Se baten los huevos.
- En el último momento, se liga el guiso con los huevos batidos, se agrega el jamón y se remueve muy bien hasta que se cuaje.
- Se sirve acompañado de pan frito en triángulos.
- Este plato, originario del País Vasco, es similar al pisto tradicional de

La Mancha y, al igual que en él, se pueden introducir otras verduras, como la cebolla.

Pisto manchego

Tiempo 60 minutos
Comensales 6 personas
Dificultad media

Ingredientes

1/2 kg de calabacines
1/2 kg de tomates
6 pimientos verdes
1 cebolla
150 g de jamón (opcional)
3 huevos batidos (opcional)
125 ml de aceite, sal

Preparación

- Se asan los pimientos y se pelan.
- Después se asan los calabacines y aparte, el tomate y la cebolla, también pelados y cortados.
- Se une todo, se sazona y se fríe, después de agregar el jamón cortado en daditos (se puede prescindir de él).
- Si se quiere, se pueden añadir unos huevos batidos y, cuando empiecen a cuajar, se sirve.

Pochas con codornices a la riojana

Tiempo 1 hora y 30 minutos
Comensales 6 personas
Dificultad media

Ingredientes

1/2 kg de pochas
6 codornices
1 oreja (o mano) de cerdo
1 tomate
1 cebolla, ajo
4 cucharadas de aceite
vinagre
laurel, perejil
pimienta en grano
sal

Preparación

- Las pochas son alubias blancas planas, que se utilizan sin dejarlas secar, dentro de su vaina.
- Las pochas, una vez desgranadas, se ponen en una cazuela cubiertas con agua fría; se les añade una hoja de laurel, un tomate fresco, un par de dientes de ajo, cebolla y la oreja o mano de cerdo.
- Aparte, en otra cazuela, se disponen las codornices con laurel, perejil, bastantes ajos, cebolla, pimienta en grano, vinagre, aceite y un poco de

agua, dejándolas que se vayan haciendo lentamente.

- De cuando en cuando se añade a las pochas algo del jugo de cocción de las codornices.
- Cuando todo esté guisado, se pasa el jugo de las judías y se ponen éstas en una fuente, rodeadas por las codornices y la oreja.

Pollo al ajillo

Tiempo 45 minutos
Comensales 4 personas
Dificultad media

Ingredientes

1 pollo tierno
2 dientes de ajo
1/2 vaso de aceite
sal

Preparación

- Se trocea y sazona el pollo.
- Se calienta el aceite en una sartén y, cuando esté en su punto, se fríen los trozos de pollo hasta que estén bien dorados; luego se añaden enteros los dientes de ajo pelados y se remueve con una cuchara de madera.
- Se deja la sartén destapada durante 15 minutos al fuego y después, otros 15 minutos con la tapadera puesta.
- Se escurre el pollo y se sirve en una fuente, derramando por encima un poco de su jugo.
- Para darle un sabor más fuerte se pueden poner los ajos muy picaditos.

Pollos al chilindrón de Zaragoza

Tiempo 1 hora y 15 minutos
Comensales 6 personas
Dificultad media

Ingredientes

2 pollos de 600 g cada uno
150 g de jamón fresco
4 tomates grandes
4 pimientos verdes pequeños
1 cebolla grande, ajo
1 vaso de vino blanco
aceite, guindilla
sal

Preparación

- Después de limpios y troceados, se sofríen los pollos hasta que se doren; una vez fritos, se reservan.
- Se prepara una fritada con los tomates, los pimientos verdes, abundantes ajos picados y la guindilla.

- Se mezcla este refrito con los trozos de pollo y se deja cocer el conjunto durante 5 minutos.
- Luego se añade el jamón cortado en láminas delgadas y el vaso de vino blanco, y se sigue cocinando durante otros 5 minutos.

Polvorones toledanos

Tiempo 1 hora y 45 minutos
Comensales 4 personas
Dificultad media

Ingredientes

400 g de harina tamizada
200 g de manteca de cerdo
150 g de azúcar glas
mantequilla para engrasar

Preparación

- Se calienta el horno a temperatura suave y se mete en él una bandeja con la harina para dorarla ligeramente; se saca del horno y se deja enfriar.
- Se derrite la manteca, en un cuenco grande, se va incorporando a la harina, ya fría, sin dejar de remover para que se mezcle perfectamente.
- Se termina de amasar con las manos durante unos 10 minutos y se deja reposar 25 minutos.
- Si queda muy graso, se puede añadir más harina después del reposo.
- Se moldean los polvorones con las manos y se colocan en una bandeja de horno, engrasada y enharinada.
- Se meten al horno durante unos 30 minutos a fuego medio; no deben quedar muy dorados, pero sí cocidos.
- Se sacan del horno y se espolvorean con azúcar glas.
- A la masa también se le puede añadir 200 g de almendras molidas.

Potaje canario

Tiempo 3 horas, más el remojo
Comensales 6 personas
Dificultad media

Ingredientes

200 g de garbanzos
400 g de pecho de buey
200 g de tocino
100 g de chorizo
100 g de morcilla
200 g de boniatos
200 g de patatas
150 g de calabaza
100 g de habichuelas
100 g de peras
1 repollo pequeño, 3 dientes de ajo
unas hebras de azafrán
1 clavo de especia, sal, agua

Preparación

- Se ponen en remojo los garbanzos la noche anterior.
- Se lava y pica en juliana el repollo.
- Se pelan la calabaza, las patatas, los boniatos y las peras, y se trocean.
- Se llena de agua fría (aproximadamente 3 litros) una olla grande y se pone al fuego. Se añaden la carne, el tocino, el chorizo y la morcilla.
- Se lleva despacio a ebullición y, antes de que comience a hervir, se incorporan los garbanzos.
- Se agregan después las habichuelas, la calabaza, el repollo y las peras.
- Se sazona ligeramente y se deja cocer despacio durante 2 horas. A media cocción, incorporamos las patatas y boniatos.
- Mientras, se majan en el mortero los dientes de ajo, el clavo y el azafrán, se diluye con un poco de caldo y se agrega al puchero. Se deja cocer otros 20 minutos y se sirve en una fuente con los garbanzos y las verduras en un lateral, y las carnes en el otro.

Potaje de alubias blancas a la leridana

Tiempo 3 horas
Comensales 6 personas
Dificultad media

Ingredientes

300 g de alubias blancas
600 g de patatas
200 g de butifarra catalana
100 g de cebollas
1 repollo
2 dientes de ajo
1 cucharón de aceite
unas hebras de azafrán
pimienta
sal

Preparación

- Se ponen las alubias blancas en un puchero con 1/2 litro de agua, la cebolla, la sal y el aceite, y se dejan cocer durante media hora.
- A media cocción, se añaden la butifarra, las patatas y el repollo, cortados a trozos, y el ajo y el azafrán, estos dos últimos machacados en el mortero y disueltos en un poco de agua, y se deja cocer con el conjunto hasta que estén en buen punto.

Potaje de alubias blancas con jamón y tocino

Tiempo 2 horas y 45 minutos
Comensales 4 personas
Dificultad media

Ingredientes

300 g de alubias blancas
100 g de jamón magro
100 g de tocino, 1/2 kg de col
1/4 kg de patatas
1/2 cebolla pequeña, ajo
2 l de agua, 20 g de manteca de cerdo (o aceite de oliva)
1 hoja de laurel, sal

Preparación

- Se ponen las alubias en remojo la víspera.
- Se echan en un puchero, una vez escurridas, con un litro de agua fría, una hoja de laurel, media cebolla partida en dos, dos dientes de ajo enteros, manteca (o aceite de oliva), tocino y jamón.
- Se deja cocer durante una hora, cortando la ebullición tres veces con pequeños chorros de agua fría cada quince minutos, más o menos.
- Cuando lleven una hora, se apartan unas cuantas alubias con un poco de caldo y se reservan.
- Se separan otras pocas y se pasan por el pasapurés; se devuelven a la olla para que sigan cociendo un poco y espesen el guiso.
- Se añade un litro más de agua (mejor templada que fría) y, cuando rompa a hervir de nuevo, se echa la col picada y, una hora después, las patatas cortadas y la sal.
- Cuando las patatas estén cocidas, se añaden las judías reservadas y se deja que siga cociendo el potaje un cuarto de hora más.

Potaje de alubias de Malagón

Tiempo 2 horas
Comensales 6 personas
Dificultad media

Ingredientes

1/2 kg de alubias
150 g de panceta de cerdo
1 oreja de cerdo
1 morcilla
1 patata, 1 tomate, 1 pimiento
1 cabeza de ajos, 1 guindilla verde
1 hoja de laurel, sal

Preparación

- Se ponen las judías a remojo de agua con sal la víspera.

- Al día siguiente se escurren y se ponen en el puchero con la cabeza de ajos, la guindilla, la oreja de cerdo bien limpia y chamuscada, y la panceta. Se acerca al fuego y, cuando rompa el hervor, se corta con un chorro de agua fría.
- Se añade la patata, el pimiento y el tomate, todo bien limpio y pelado. Se deja cocer a fuego lento, hasta que las judías estén casi hechas, entonces se sazonan con sal y se añade la morcilla.
- Se mueve la cazuela para que engorde la salsa y, si no es suficiente, se machacan unas cuantas judías en el mortero y se añaden. Se sirve caliente.

Potaje de garbanzos

Tiempo 2 horas
Comensales 6 personas
Dificultad media

Ingredientes

1/2 kg de garbanzos
1/2 kg de bacalao desalado
1/2 kg de espinacas (pueden ser congeladas), 1/2 kg de patatas
1 diente de ajo, 1 rebanada de pan
1 huevo cocido, 1/2 vaso de aceite, unas hebras de azafrán, sal

Preparación

- En una olla con agua hirviendo se ponen los garbanzos y el bacalao.
- En un cazo con agua se ponen las espinacas, si son frescas se limpian y trocean, sin son congeladas no es necesario. Se dejan hervir 5 minutos.
- En una sartén se pone el aceite, se fríe una rebanada de pan y el diente de ajo. Se retiran y se machacan.
- En el mismo aceite se rehogan las espinacas y se echan en la olla de los garbanzos. Luego se añaden las patatas cortadas en cuadraditos.
- En el mortero se ponen unas hebras de azafrán, se deslíe con un poco de caldo caliente y se echa a los garbanzos, se sazona y se deja hervir lentamente. Antes de servir, se pica el huevo duro y se echa por encima.

Potaje de garbanzos a la catalana

Tiempo 2 horas
Comensales 6 personas
Dificultad media

Ingredientes

1/2 kg de garbanzos
250 g de butifarra catalana
2 cebollas medianas, 3 o 4 tomates
pimienta, sal, manteca de cerdo

Preparación

- Los garbanzos, puestos a remojo el día anterior, se cuecen el agua hirviendo con sal.
- Se pica fina la cebolla y se fríe en manteca, se agregan los tomates pelados, cortados y sin pepitas y se rehogan un poco, se añade la butifarra cortada en rodajas gruesas y se fríe un poco.
- Entonces se agregan los garbanzos escurridos y se da al conjunto un par de vueltas, con cuidado de no reventar los garbanzos.
- Después se vierte caldo de los garbanzos para ponerlo en su punto y se deja cocer despacio.
- Ténganse unos huevos cocidos y cuando se vaya a servir el potaje córtense en rodajas y colóquense en él.

Potaje de garbanzos y acelgas a la sevillana

Tiempo 3 horas
Comensales 6 personas
Dificultad media

Ingredientes

1/2 kg de garbanzos
1/4 kg de alubias blancas
1 kg de acelgas
1/2 kg de carne, 1/4 kg de tocino
200 g de chorizo, 1 morcilla
50 g de manteca de cerdo
pimentón, sal

Preparación

- La noche anterior se ponen a remojo, por separado, los garbanzos y las alubias.
- En una olla con agua fría se ponen las alubias y el tocino y se dejan a la lumbre hasta que se inicie la ebullición, agregando entonces los garbanzos, y se deja cocer todo lentamente hasta que estén casi tiernos.
- Entonces se añaden las pencas de acelga picadas, la carne, la morcilla, el chorizo, una cucharada de manteca de cerdo y media de pimentón.
- Se deja cocer todo en conjunto hasta que las legumbres estén tiernas y se haya consumido el caldo.

Potaje de garbanzos y espinacas a la madrileña

Tiempo 2 horas
Comensales 6 personas
Dificultad media

Ingredientes

1/2 kg de garbanzos
1/4 kg de espinacas

150 g de tomates, 1/4 kg de cebollas
1 zanahoria, ajo, 2 huevos cocidos
100 ml de aceite, perejil, laurel
pimienta, sal

Preparación

- Los garbanzos se tienen en remojo con agua salada desde el día anterior.
- Se ponen a cocer en una olla con abundante agua.
- Cuando comience a hervir, se espuma y se añade un poco de aceite, una cebolla, la zanahoria, un ramito de perejil, una hoja de laurel y un par de dientes de ajo; este conjunto se deja cocer hasta que los garbanzos estén tiernos.
- Mientras cuecen, se limpia y lava un manojo de espinacas, se ponen a hervir y, cuando estén en su punto, se escurren y se pican, agregándolas a los garbanzos.
- Entonces se retiran la cebolla y la zanahoria que se pusieron en el potaje y se pasan por un tamiz, acompañadas de una cucharada de garbanzos; el puré que se obtiene se mezcla con el potaje.
- Aparte, en una sartén, se calienta aceite y se fríe un poco de cebolla picada muy fina, un ajo y una ramita de perejil picada.
- También se añade un poco de pimienta y tomate.
- Este refrito se echa en el potaje, después de desleírlo en un poco de caldo.
- El potaje se sirve adornado con los huevos duros cortados en rodajas.

Pote gallego

Tiempo 2 horas y 30 minutos
Comensales 6 personas
Dificultad media

Ingredientes

1/2 kg de alubias blancas
200 g de oreja de cerdo
200 g de pata de cerdo
200 g de jamón, 3 chorizos
1/2 kg de patatas
1 manojo de grelos
o 1 repollo pequeño
1 cucharada sopera de unto, sal

Preparación

- Se ponen en remojo las alubias la noche anterior.
- Se lavan y pican los grelos o el repollo. Se pelan y trocean las patatas.
- Se llena de agua fría una olla grande y se pone al fuego.
- Se añaden las alubias, la oreja y la pata de cerdo, el jamón y el unto y se deja cocer a fuego muy lento.

- Mientras, se escaldan en agua hirviendo durante unos minutos los grelos o el repollo. Se reservan.
- Pasada 1 hora de cocción de la olla, se agregan los chorizos, las patatas y los grelos.
- Se rectifica de sal si fuese necesario y se deja cocer a fuego lento hasta que todo esté tierno.
- Se sirve.

Pulpo a feira

Tiempo 60 minutos
Comensales 4 personas
Dificultad media

Ingredientes

1 pulpo grande
150 g de cebolla, 4 cucharadas de aceite, pimentón, sal

Preparación

- Se limpia el pulpo, quitándole el pico que tiene entre los tentáculos, y se vacía bien la cabeza.
- Se golpea fuertemente con un mazo para ablandarlo.
- Se pone al fuego una olla con abundante agua y la cebolla.
- Cuando rompa a hervir a borbotones, se mete y se saca el pulpo hasta tres veces.
- Cuando rompa a hervir de nuevo, se introduce el pulpo otra vez, dejándolo cocer hasta que esté tierno.
- Se escurre y, cuando esté hecho, se corta en trozos de unos dos centímetros aproximadamente.
- Se sazona con sal y pimentón y se rocía con el aceite.
- Es costumbre típica en Galicia preparar y vender este pulpo en ferias y romerías.

Pulpo a la gallega

Tiempo 60 minutos
Comensales 6 personas
Dificultad media

Ingredientes

1 kg de pulpo, 2 dientes de ajo
2 cucharadas de aceite
1 cucharada de pimentón
1 copa de aguardiente, sal gorda

Preparación

- Bien lavado el pulpo, se le dan unos golpes bien fuertes.
- Se pone el agua a hervir y se escalda el pulpo tres veces, sacándolo y metiéndolo.
- Se pone a cocer en esa misma agua en la olla a presión durante 30 minutos.

- Cuando haya pasado ese tiempo, se abre la olla, se comprueba que está tierno y se echa la copa de aguardiente. (Dicen algunos gallegos que esto evita que se le vaya la piel).
- Se deja unos minutos.
- Se saca, se trocea y se cubre con el siguiente adobo: aceite con el pimentón (ponerlo al gusto, teniendo en cuenta que el pimentón amarga si se pone mucho), los ajos picados y sal gorda.
- Se le deja un rato para que tome el sabor. Se sirve frío o templado, acompañado con patatas cocidas.

Puré a la madrileña

Tiempo 1 hora y 45 minutos
Comensales 8 personas
Dificultad media

Ingredientes

300 g de garbanzos
100 g de tocino
300 g de patatas
200 g de cebollas
1/4 kg de zanahorias
50 g de manteca de cerdo
2 l de caldo
(o agua con una pastilla)
pan en cuadraditos, sal

Preparación

- En una cacerola al fuego se pone la manteca de cerdo y, cuando ésta esté derretida, se añaden el tocino cortado a trozos y la cebolla picada muy fina.
- Se rehoga y, a continuación, se añaden las patatas, las zanahorias y los garbanzos, que previamente habrán estado a remojo.
- Se moja con el caldo y se deja cocer aproximadamente una hora y media.
- Se pasa por el pasapurés o chino, se rectifica de sal y se sirve con unos cuadraditos de pan fritos en la manteca de cerdo.

Puré castellano

Tiempo 1 hora y 45 minutos
Comensales 8 personas
Dificultad media

Ingredientes

100 g de alubias blancas
100 g de garbanzos
75 g de arroz
50 g de fideos finos
2 cebollas medianas, 1 puerro
1 y 1/4 kg de tomates
150 g de patatas
4 cucharadas de aceite
pimentón dulce, sal

Preparación

- Se ponen a remojo los garbanzos y las alubias el día anterior.
- En una cacerola con agua hirviendo se ponen las cebollas enteras, el puerro picado, las patatas partidas en trozos, los tomates lavados, los garbanzos, las judías y el arroz.
- Se deja cocer aproximadamente una hora y media (en olla a presión se reduce el tiempo a unos 20 minutos).
- Mientras, se prepara un sofrito con aceite y pimentón y se añade a la cacerola.
- Aparte, se hierven ligeramente los fideos finos en agua con sal. Se reservan.
- Una vez bien cocido todo, se pasa por un tamiz fino. Se rectifica de sal y se sirve el puré con los fideos finos.

Puré de garbanzos con butifarra

Tiempo 15 minutos
Comensales 4 personas
Dificultad media

Ingredientes

1 tazón de garbanzos cocidos
1 butifarra catalana grande
1/2 cebolla, 1 diente de ajo
1 cucharada de tomate frito
1 l de caldo (o agua con una pastilla)
1 taza de pan frito en daditos
4 cucharadas de aceite
pimienta, sal

Preparación

- Se fríen en el aceite la cebolla y el ajo picados muy finos, hasta que empiecen a tomar color. Mientras se hacen, se mueven constantemente con una cuchara de madera.
- Se añade el tomate frito cuando empiecen a dorarse.
- Se corta la butifarra en rodajas y se rehoga un poco en el refrito.
- Se pasan los garbanzos por el pasapurés con el caldo o el agua (en este caso, se añade una pastilla de caldo) y se cuelan por el chino.
- Se mezcla el puré de garbanzos con el sofrito de butifarra, se da un hervor a todo junto y se rectifica de sal y pimienta.
- Se sirve con los daditos de pan frito.

Puré de lentejas

Tiempo 60 minutos
Comensales 6 personas
Dificultad media

Ingredientes

250 g de lentejas
300 g de patatas
1 cebolla, 2 dientes de ajo
2 zanahorias
1/4 l de leche
25 g de mantequilla
1 cucharada de vinagre
2 cucharadas de aceite
cuadraditos de pan frito
laurel, sal

Preparación

- Se ponen a cocer las lentejas en agua fría (no es necesario ponerlas a remojo) con la cebolla partida en cascos, las patatas enteras, las zanahorias, el ajo, el laurel y un chorro de aceite.
- Se cuecen a fuego vivo hasta que las lentejas estén muy blandas, aproximadamente tres cuartos de hora.
- Después, se pasan por el pasapurés o la batidora.
- Se cuela para que no tenga pellejos.
- Se vuelve a calentar y se añade la leche tibia, la mantequilla y la cucharada de vinagre.
- Se sirve el puré en sopera, acompañado de cuadraditos de pan tostado o frito.

Puré de zanahorias

Tiempo 1 hora y 15 minutos
Comensales 6 personas
Dificultad media

Ingredientes

3/4 kg de zanahorias
3/4 kg de patatas
1 cebolla, 1 rama de apio
1 l de agua, 1/4 l de leche
75 g de queso rallado
3 cucharadas de aceite
50 g de mantequilla
perejil, pimienta blanca, sal

Preparación

- Se raspan las zanahorias, se lavan y se cortan en ruedas gruesas. Se pelan las patatas y se cortan en rodajas.
- En una cacerola se calienta el aceite y se añade la cebolla picada, hasta que se estofe. Cuando empiece a tomar color, se agregan las patatas, las zanahorias y el apio cortado fino.
- Se rehoga unos minutos y se cubre con el agua caliente; se salpimenta y se deja cocer a fuego regular, por lo menos, tres cuartos de hora.

- Se pasa en caliente, se agregan la mantequilla y la leche, y se remueve bien.
- Se vuelve a calentar un poco y se sirve muy caliente en sopera, espolvoreando en el último momento el perejil fresco trinchado.
- El queso rallado se sirve aparte.

Puré otoñal

Tiempo 60 minutos
Comensales 4 personas
Dificultad media

Ingredientes

1/2 kg de puerros
600 g de patatas
300 g de tomates
300 g de zanahorias, 2 cebollas
2 cucharadas de aceite
50 g de mantequilla
perifollo o perejil
costrones de pan frito
pimienta, sal

Preparación

- Se pelan los puerros y las cebollas y se cortan en trozos pequeños.
- En una cacerola se ponen a cocer con el aceite y abundante agua.
- Mientras, se preparan las patatas y las zanahorias y se echan también en la cacerola, junto con los tomates enteros.
- Se deja cocer a fuego lento tres cuartos de hora.
- Se salpimenta y se pasa por el pasapurés o chino.
- Entonces, se mezcla con la mantequilla.
- Se sirve acompañado con costrones de pan frito cortados en dados y salpicado de perifollo o perejil picado.

Purrusalda de Sodupe (Vizcaya)

Tiempo 60 minutos
Comensales 6 personas
Dificultad media

Ingredientes

400 g de bacalao, 1/2 kg de puerros
1/2 kg de patatas, ajos
5 cucharadas de aceite
pimentón, pimienta blanca, sal

Preparación

- Se desala el bacalao y se cuece en 1/2 litro de agua durante 7 minutos, pasados los cuales se desmenuza y se le quitan pieles y espinas.
- En una cazuela honda se pone el aceite al fuego y se fríen un par de dientes de ajo, que se retiran en cuanto se do-

ren, añadiendo después los puerros cortados en rodajas y las patatas en lonchas finas, y se rehoga todo sin que llegue a tomar color. Se incorpora el bacalao y un poco de pimienta en polvo.

- Entonces se moja con el agua de cocción del bacalao, más 3/4 litro de agua hirviendo, o mejor, caldo de pescado.
- Finalmente, se machacan los ajos que se frieron al principio con un poco de pimentón, y se diluye este majado con un poco de agua hirviendo.
- Se une al guiso, se rectifica de sal y se deja cocer despacio más de media hora.

Quesada pasiega

Tiempo 40 minutos
Comensales 6 personas
Dificultad media

Ingredientes

1 cuajada, 2 huevos
2 moldes de cuajada de azúcar
2 moldes de cuajada de harina
4 moldes de cuajada de leche
1 cucharadita de canela en polvo
ralladura de corteza de limón
75 g de mantequilla

Preparación

- Se ponen todos los ingredientes, excepto la mantequilla, en el vaso de la batidora.
- Se baten hasta conseguir una pasta suave y homogénea, que se reserva.
- Se pone la mantequilla en el molde de horno donde se hará la quesada y acercarlo a la entrada del horno.
- Cuando se haya derretido la mantequilla, se incorpora al batido anterior.
- Se vuelve a batir un poco y se vierte la pasta en el molde.
- Se hornea a temperatura suave durante unos 25 minutos.

Queso con frutos secos

Tiempo 60 minutos
Comensales 8 personas
Dificultad media

Ingredientes

16 lonchas finas de queso
250 g de ciruelas pasas
150 g de pasas de Corinto
150 g de nueces
2 manzanas
1/2 l de salsa mahonesa espesa
leche
zumo de limón
sal

PREPARACIÓN

- Se ponen a remojo en agua fría, durante 1 hora aproximadamente, las ciruelas y las pasas. Pasado ese tiempo, se les quitan el hueso y los rabitos.
- Se trituran las nueces. Se pelan las manzanas y se trocean en daditos pequeños, rociándolos con un poco de zumo de limón para que no se ennegrezcan.
- Se mezcla la mitad de la mahonesa con la manzana, las nueces, las ciruelas y las pasas.
- Con esta mezcla se rellenan las lonchas de queso (debe ser un queso flexible), se enrollan y se reservan en la nevera.
- El resto de la mahonesa se aclara con un poco de leche; se rectifica el punto de sal y se vierte un poco por encima del queso.
- El resto de la salsa se presenta en salsera aparte.

Rabo all i pebre

Tiempo 1 hora y 30 minutos
Comensales 4 personas
Dificultad media

INGREDIENTES

1 rabo de vaca, 2 dientes de ajo
1/4 kg de pimientos
100 g de guisantes
4 nueces, 1 vaso de vino blanco
1 cucharada de harina
1 taza de arroz cocido con azafrán
caldo blanco, aceite
1 ramita de perejil
1 cucharadita de pimentón
pimienta blanca, sal

PREPARACIÓN

- Se trocea el rabo, se dora en una sartén con aceite y, después, se cuece con el agua justa hasta que esté tierno.
- Se hace un majado de ajos pelados, pimienta, perejil, nueces y pimentón, y se machaca hasta conseguir una pasta homogénea, que se deslíe con un poco de caldo blanco.
- En el mismo aceite de freír el rabo, se rehoga la harina hasta que tome color, se añade el majado anterior y se hierve todo durante unos 20 minutos.

- Se vierte sobre los trozos de rabo, se echan los guisantes desgranados y los pimientos, limpios y cortados en daditos, se cuece durante 15 minutos.
- Se sirve con el arroz azafranado.

Rabo de toro a la jerezana

Tiempo 5 horas
Comensales 6 personas
Dificultad media

Ingredientes

2 rabos de toro
100 g de jamón serrano
1/2 kg de zanahorias
3 cebollas, ajo, apio
3 cucharadas de harina
1 vaso de vino blanco o tinto
125 ml de aceite, perejil, laurel
tomillo, pimentón picante, sal

Preparación

- Se trocean los rabos haciendo los cortes por las articulaciones de las vértebras y se lavan con agua fría; una vez lavados, se ponen en una cacerola, cubriéndolos con agua fría y agregándoles dos cebollas y las zanahorias, ambas cortadas en rodajas, y un manojo de hierbas formado por perejil, laurel, tomillo y un pedazo de apio; se añade también un poco de sal. Se pone la cacerola al fuego y, cuando el agua rompa a hervir, se espuma y se deja que siga cociendo despacio, con la tapa puesta durante unas 4 o 5 horas.
- Entretanto, en otra cacerola, se pone a calentar el aceite para rehogar unos ajos picados y el jamón cortado en pequeños cuadritos; se añade la cebolla restante, muy picada, una hoja de laurel y el pimentón. Se rehoga todo ello un poco y se añade la harina.
- Cuando ésta comience a tomar color, se moja con el vino y un par de cacillos del caldo en que se han cocido los rabos.
- Se echa este refrito sobre los rabos y, cuando rompa a hervir, se rectifica de sal y se sirve.

Rape estilo langosta

Tiempo 30 minutos
Comensales 4 personas
Dificultad media

Ingredientes

2 lomos grandes de rape
2 cucharadas de pimentón dulce
2 puerros, 1 cebolla
2 zanahorias, 1 clavo de especia
4 granos de pimienta
aceite, sal

PREPARACIÓN

- Se compran dos lomos de rape sin piel ni espina (ésta conviene conservarla para hacer una rica sopa de pescado).
- Se untan los dos lomos con un poco de aceite y, después, con el pimentón dulce hasta que estén bien cubiertos. Se ata cada lomo por separado como si se tratase de un asado de carne.
- En una cazuela grande se pone a calentar agua con todos los demás ingredientes; cuando esté hirviendo, se introduce el rape, bien envuelto en un paño limpio de algodón, y se deja cocer unos 20 minutos.
- Pasado ese tiempo, se deja enfriar en su propio caldo durante una hora; después, se parte en lonchas como si fuera langosta.
- Se presenta acompañado con una salsa mahonesa y se puede adornar con una juliana de lechuga.
- Con el caldo de cocer el rape y los restos de la espina, puede hacerse un fondo de sopa de pescado o de arroz para otro día.

Rape en salsa

Tiempo 45 minutos
Comensales 6 personas
Dificultad media

INGREDIENTES

1 kg de rape
1/4 kg de carabineros
1 huevo cocido
200 ml de caldo de pescado
2 cucharadas de brandy
1 cucharadita de harina
2 cucharadas de tomate concentrado
1 cebolla, 25 g de mantequilla
25 g de aceite de oliva
el zumo de 1 limón, pimienta, sal

PREPARACIÓN

- Al rape se le quita la espina y se parte en trozos largos, se ata, se pone en una besuguera untado con aceite de oliva y aliñado con sal, zumo de limón y pimienta.
- Se mete en el horno 20 minutos y se reserva.
- En la sartén se calienta un poco de aceite, se echa la cebolla picada y, cuando esté dorada, se añaden las cabezas y las cáscaras de los carabineros (crudas y machacadas en el mortero), se les da una vuelta y se-

guidamente se echa el brandy y se prende.

- Se deja consumir y se agrega el tomate y el caldo, dejándolo hervir 10 minutos; después se pasa por el chino.
- Una vez pasado, se le agrega una bolita de mantequilla mezclada con harina.
- Se vuelve a colocar al fuego y se deja hervir unos minutos, moviendo constantemente la salsa con un batidor de varillas.
- Entonces, se echa la carne de los carabineros, se deja unos minutos y se retira.
- En una fuente larga se coloca el rape en el centro y se cubre con la salsa.
- Puede adornarse con un poco de arroz blanco.

Redondo a la española

Tiempo 1 hora y 30 minutos
Comensales 8 personas
Dificultad media

Ingredientes

1 kg de redondo de vaca o ternera
100 g de tocino
100 g de manteca de cerdo
2 tomates, 2 cebollas
2 puerros, 2 dientes de ajo
1/2 vaso de vino blanco o jerez seco
clavo, laurel, pimienta, sal

Preparación

- Se derrite la manteca de cerdo y se añade el tocino cortado en trozos.
- Después, se incorpora el redondo, dorándolo por todos los lados.
- Cuando esté, se añaden las verduras partidas pequeñas y se rehogan.
- Se riega con un poco de caldo y se condimenta con clavo, laurel, pimienta y sal.
- Se mete a horno moderado durante una hora y cuarto aproximadamente.
- Se riega con el vino cuando esté casi hecho.
- Se saca la carne y se trincha cuando esté fría.
- Se pasa la salsa por el pasapurés; si queda algo líquida, se espesa con harina o fécula.
- Se sirve la carne trinchada y la salsa aparte.

Redondo de ternera en salsa

Tiempo 60 minutos
Comensales 4 personas
Dificultad media

Ingredientes

1/2 kg de redondo (puede hacerse también con falda enrollada)
1 cebolla mediana
1 cabeza de ajos
1 tomate grande
1 cucharada de harina
1/2 vaso de vino blanco
1 vasito de aceite, de oliva
sal, agua

Preparación

- Excepto el vino y la harina, se ponen todos los ingredientes en una cazuela de barro, agregando también un poco de agua.
- Una vez cocida la carne a fuego vivo, se saca y se agrega a la salsa la harina disuelta con el vino.
- Se deja cocer a fuego lento durante 8 minutos.
- Luego, se pasa por el pasapurés.
- La carne, ya fría, se corta en rodajas y se sirve con la salsa en salsera aparte.

Redondo de ternera frío

Tiempo 60 minutos
Comensales 7 personas
Dificultad media

Ingredientes

1 kg de redondo de ternera
100 g de manteca de cerdo
100 g de tocino fresco partido en lonchas finas
3 dientes de ajo
8 cucharadas de vino blanco
4 cucharadas de aceite
pimienta negra, sal

Preparación

- Cuando el redondo esté limpio, se frota con pimienta negra y sal, se envuelve en las láminas de tocino y se ata para que no pierda la forma.
- En recipiente hondo se calientan la manteca y el aceite, se doran los dientes de ajo y se pone la carne.
- Se asa a horno fuerte, regándola con frecuencia con su propia grasa.
- A media cocción se añade el vino blanco. Tarda en hacerse 45 minutos.

Redondo mechado

Tiempo 1 hora y 45 minutos
Comensales 6 personas
Dificultad media

Ingredientes

1 kg de redondo
250 g de jamón serrano
100 g de tocino de jamón
1/2 kg de puré de patatas
150 g de guisantes cocidos
1 cebolla, 2 zanahorias
1 diente de ajo, 1 copa de jerez
harina
la piel de 1/2 naranja
aceite, pimienta, sal

Preparación

- Se limpia el trozo de redondo, se corta el tocino a tiras finas y, con una aguja de mechar, se pasan las tiras por dentro de la carne; se ata el redondo con varias vueltas de hilo, se pasa por harina y se pone en una cacerola con aceite bien caliente, hasta que se dore por todos los lados.
- Cuando esté dorado, se añaden una cebolla partida en trozos, 2 zanahorias, 1 diente de ajo, los trozos de jamón y la piel de media naranja.
- Se tapa la cacerola y se mete al horno fuerte, aproximadamente 1 hora.
- Antes de sacarlo del horno, se baña con el jerez y se le deja que cueza unos minutos.
- Se retira la carne y la salsa se pasa por el chino.
- Cuando la carne esté fría, se corta en ruedas finas.
- Para servir, se coloca la carne en una fuente larga, se bordea con puré de patatas y guisantes, y se rocía con la salsa.

Remojón granadino

Tiempo 60 minutos
Comensales 6 personas
Dificultad media

Ingredientes

600 g de lomos de bacalao de calidad
6 naranjas
3 huevos cocidos
6 cebolletas
1 diente de ajo
50 g de aceitunas aliñadas
1 cucharada de vinagre de jerez
4 cucharadas de aceite
1 cucharadita de pimentón dulce
sal

PREPARACIÓN

- Se asan los lomos de bacalao en el horno hasta tostarlos, se dejan enfriar, se les quita la piel y se desmigan, desalándolos entonces en agua fría.
- Mientras, se pelan y cortan las naranjas en trocitos, mezclándolas con las aceitunas y las cebolletas picadas.
- Se aliñan con aceite de oliva y vinagre de jerez, una pizca de pimentón dulce, un poco de sal y el ajo machacado.
- Se añaden dos vasitos de agua y los huevos duros muy picados.
- Se une todo este aliño al bacalao escurrido y se sirve frío.

Revuelto de huevos con morcilla

Tiempo 15 minutos
Comensales 4 personas
Dificultad media

INGREDIENTES

6 huevos
1 morcilla de Burgos
3 cucharadas de aceite de oliva
pan tostado
sal

PREPARACIÓN

- Se corta la morcilla en trozos de unos 2 centímetros de grosor.
- Se baten los huevos, se sazonan y se cuajan en una sartén con una tercera parte del aceite.
- Mientras, en otra sartén, se fríe la morcilla en el resto del aceite.
- Ya frita, se le quita la tripa.
- Poco antes de que el huevo esté cuajado, se echa la morcilla frita y se revuelve con cuidado.
- Se sirve el revuelto sobre rebanadas de pan tostado.
- La presentación mejora notablemente si se rellenan con este revuelto unas tartaletas de hojaldre

Revuelto de níscalos aromatizado

Tiempo 15 minutos
Comensales 6 personas
Dificultad media

INGREDIENTES

10 huevos, 200 g de níscalos
2 hojas de acedera (o de espinaca) cortadas finas
2 cucharadas de crema fresca
40 g de mantequilla
pimienta, sal

Preparación

- Se baten los huevos con medio vasito de agua tibia y se reservan.
- Se lavan bien los níscalos, pero sin dejarlos en agua.
- Lo mejor es hacerlo bajo el grifo de agua, restregándolos enérgicamente.
- Hecho esto, se ponen en una sartén a fuego vivo para que se evapore el agua que hayan podido absorber.
- Una vez bien secos, se añadc la crema, sal y pimienta, dejando la sartén al fuego durante 5 minutos aproximadamente.
- Pasado ese tiempo, se incorpora la mantequilla troceada, los huevos y las hojas de acedera o de espinacas cortadas finas. Se remueve muy bien hasta que los huevos formen una masa bien espesa y jugosa.

Riñones a la jerezana

Tiempo 45 minutos
Comensales 2 personas
Dificultad media

Ingredientes

1 riñón de ternera grande
1 cebolla, ajo
1 vaso de vino de jerez seco
1 rebanada de pan
50 g de manteca de cerdo
perejil picado
laurel
pimienta
sal

Preparación

- Una vez limpio el riñón, se corta en rodajas finas y se escalda en agua hirviendo.
- Apartc, en una sartén, se calienta la manteca de cerdo y se fríen en ella 3 o 4 rodajas de riñón, un diente de ajo y una rebanada de pan.
- Cuando los ingredientes volcados en la sartén estén bien fritos, se sacan, se echan en el mortero y se reservan.
- En la grasa que haya quedado, se echa el resto del riñón, la cebolla picada finamente, una cucharadita de perejil picado, 1/2 diente de ajo muy desmenuzado, un poco de pimienta, una hoja de laurel y el vino de jerez; se deja cocer todo a fuego lento, aañadiéndole una tacita de agua y sazonándolo con sal.
- Los ingredientes que se habían reservado en el mortero se machacan y deslíen con un poco de agua, se echan sobre los riñones, se rectifica de sal y se deja cocer el guiso hasta que los riñones estén tiernos y se haya espesado la salsa.

Riñones al jerez

Tiempo 45 minutos
Comensales 4 personas
Dificultad media

Ingredientes

800 g de riñones
de ternera
1 vaso de jerez
4 tomates, 1 diente de ajo
1 cucharada de harina
1 taza de arroz cocido
aceite, perejil, sal

Preparación

- Se limpian los riñones por el método tradicional, o se sumergen unos instantes en agua hirviendo sacándolos rápidamentc.
- Se pican y se reservan.
- En una sartén, a fuego lento, se tuesta la harina para que tome color durante unos 10 minutos, se añade el aceite y, después de mezclarlo bien, el jerez, el agua y la sal.
- Se deja que cueza durante 5 minutos.
- Seguidamente, se echan los riñones y se les da una última cocción de 10 minutos.
- En una fuente de servir se pone el arroz en forma de corona y se vuelcan en el centro los riñones con su salsa.

Riñones de cordero marinados al ajo

Tiempo 15 minutos
Comensales 2 personas
Dificultad media

Ingredientes

10 riñones de cordero lechal
5 dientes de ajo, 2 tomates
100 ml de aceite, el zumo de 1
limón, tomillo fresco, perejil
pimienta, sal

Preparación

- Se limpian de grasa los riñones, se cortan a la mitad y se ponen en un recipiente amplio.
- Sobre ellos se echan 2 dientes de ajo machacados en el mortero, el aceite, el zumo del limón, el tomillo, sal y pimienta. Se mueve bien y se dejan macerar los riñones durante 2 horas.
- Pasado ese tiempo, se escurren bien y se hacen a la plancha con un poco de grasa.
- A medida que se vayan haciendo, se colocan sobre pequeñas porciones de tomate y se reservan.
- En una sartén se fríen los tres dientes de ajo restantes, muy picados, y se incorpora sobre ellos la marinada de los riñones.

- Se deja reducir un poco esta salsa y se echa por encima de los riñones.
- Se decora con perejil frito y se sirve.

Riñones en brocheta

Tiempo 30 minutos
Comensales 4 personas
Dificultad media

Ingredientes

1/2 kg de riñones
vinagre, aceite, sal

Preparación

- Se lavan los riñones en vinagre y se limpian bien.
- Se corta cada uno a lo largo, ensartándolos en una varilla metálica.
- Se salan y se les echa un poco de aceite, colocándolos encima de la parrilla hasta que se hagan. Se sirven ensartados.

Rodaballo al horno

Tiempo 1 hora y 30 minutos
Comensales 6 personas
Dificultad media

Ingredientes

1 kg de rodaballo (en ruedas)
4 patatas
1/4 kg de cebollitas
200 ml de nata
1 cucharada de azúcar
1 cucharada de mantequilla
caldo, aceite

Preparación

- Se limpia bien el rodaballo.
- Se pelan las patatas y se cortan en ruedas finas.
- En una fuente de horno untada con aceite se colocan, primero las patatas y encima, el pescado.
- Se rocía con aceite y, cubriéndolo con papel de aluminio, se mete a horno fuerte.
- Mientras, se glasean las cebollitas peladas.
- En una sartén se pone una cucharada de mantequilla
- Una vez fundida la mantequilla, se echan las cebollas y una cucharada de azúcar.
- Se acerca a fuego fuerte, hasta que se doren

- En este punto se cubren de agua, metiéndolas a continuación en el horno hasta que estén tiernas.
- Cuando el rodaballo esté hecho (hay que tener cuidado de que no se pase), se retira de la tartera y se pasa a una fuente de servir alargada.
- Al jugo de cocción del rodaballo se incorpora 1/4 l de caldo, dejándolo cocer hasta que se reduzca a la mitad.
- Una vez hecho, se incorpora la nata líquida.
- Se reserva.
- Se sirve el rodaballo en la fuente y, bordeándola, se colocan en uno de los lados las patatas que han cocido con él y, en el otro lado, las cebollitas glaseadas.
- Se cubre con la salsa.

Rodaballo escalfado al vino blanco

Tiempo 1 hora y 30 minutos
Comensales 6 personas
Dificultad media

Ingredientes

1 rodaballo de 1 kg
1/2 botella de vino blanco bueno
4 yemas de huevo
100 ml de salsa de tomate
1 cucharadita de maizena
100 g de mantequilla
1 chalota
zumo de limón
sal

Preparación

- Se escalfa el rodaballo en el horno con 1/2 botella de vino blanco, sal, mantequilla y un poco de zumo de limón, cubriéndolo durante la cocción con un papel aceitado para que quede más jugoso.
- Mientras está en el horno, se riega unas tres veces con su propio jugo.
- Cuando esté, se retira del horno y se quita casi todo el líquido, dejando el pescado con un poco y tapado con el papel.
- El caldo se deja reducir con una chalota picada, se cuela y se liga con la maizena, se aparta y se añaden las yemas y la mantequilla.
- Se pone unos minutos al fuego sin que hierva, para que no sepan a crudo las yemas y se incorpora la salsa de tomate.
- En una fuente larga se coloca el rodaballo, después de quitada la piel y las espinas de los lados, se cubre con la salsa y se adorna al gusto para servir.

Romesco de pescado Costa Brava

Tiempo 45 minutos
Comensales 6 personas
Dificultad media

Ingredientes

1 y 1/2 kg de pescado variado (merluza, rape, etc.), bien limpio y cortado en trozos
2 pimientos romescu (pequeños, redondos y secos)
250 g de tomates pelados y picados
6 dientes de ajo
1 rebanada de pan
1 docena de almendras tostadas y peladas
125 ml de aceite de oliva
2 copas de brandy
sal, agua

Preparación

- Se calienta el aceite en una sartén al fuego y se añaden los ajos, el pan, las almendras tostadas, los pimientos y los tomates; se rehoga todo junto durante unos minutos.
- Se retira con una espumadera, se pasa a un mortero y se maja bien.
- Se diluye el majado con una tacita de agua y se reserva.
- Se pasa el aceite que ha quedado en la sartén a una cazuela de barro al fuego, se deja que se caliente y se dora en él el pescado, troceado y salado.
- Se riega con el brandy.
- Cuando rompa a hervir, se incorpora el majado anterior.
- Se mueve la cazuela para que el preparado se distribuya de manera uniforme y se cocina a fuego lento hasta que el pescado esté en su punto.
- Conviene servirlo muy caliente.

Ropa vieja

Tiempo 45 minutos
Comensales 4 personas
Dificultad media

Ingredientes

600 g de carne de vaca (sobras ya cocinadas)
1/2 kg de tomates
2 dientes de ajo
2 cebollas
2 pimientos rojos
4 cucharadas de harina
miga de pan desmenuzada
1/2 l de aceite (sobrará)
1 guindilla (opcional)
perejil picado
sal

PREPARACIÓN

- Se comienza preparando la salsa.
- Para ello, en una sartén se fríen las cebollas muy picadas, se sazonan y se añaden las cuatro cucharadas de harina y los tomates pelados y troceados.
- Se deja cocer durante 30 minutos.
- En otra sartén aparte, se hace un sofrito con los ajos y los pimientos rojos cortados en tiras.
- En una cazuela se pone la carne, que puede ser la sobrante del cocido o de un asado, y se añade sal y el contenido de ambas sartenes.
- Si gusta, se pone también un poco de guindilla picante.
- Se espolvorea la carne con miga de pan desmenuzada y se mete al horno por espacio de 15 minutos.

Roscón de Reyes

Tiempo 8 horas
Comensales 4 personas
Dificultad media

INGREDIENTES

500 g de harina
200 g de mantequilla, más un poco para engrasar
4 huevos, más otro para pintar la masa
75 g de azúcar, más un poco para espolvorear por encima
25 g de levadura prensada
2 cucharadas de agua
125 ml de ron
125 ml de agua de azahar
corteza de limón
corteza de naranja
fruta escarchada para adorno
almendras fileteadas
5 g de sal

PREPARACIÓN

- Sobre una mesa se coloca la harina formando un montón, se hace un hueco en el centro y en él se vierte la levadura disuelta en un poco de agua tibia; se amasa bien y se hace una bola, que se deja reposar en sitio templado para que suba la masa hasta el doble, poco más o menos.
- Mientras, se prepara un jarabe cociendo al fuego el agua con el azúcar, el ron, el agua de azahar y las cortezas de naranja y limón.
- Cuando haya subido la masa, se añaden la mantequilla, los huevos y el jarabe preparado anteriormente, trabajando bien la masa antes de incorporar un nuevo ingrediente.
- Se continúa trabajando hasta conseguir una masa muy fina.

- Se coloca entonces en un cuenco hondo, se tapa con un paño y se deja reposar de nuevo en un lugar templado por espacio de 3 o 4 horas.
- Transcurrido ese tiempo, se vuelca la masa sobre una mesa enharinada y se modela el roscón en forma de rosca alargada o redonda con un agujero en el centro.
- Se coloca en una bandeja de horno, se cubre con un papel untado de mantequilla y se deja reposar hasta que haya doblado o triplicado su volumen (aproximadamente 3 o 4 horas).
- Entonces, se pinta con huevo batido y se decora con las frutas escarchadas y las almendras; se pone azúcar por encima y se mete al horno durante unos 30 minutos a 200 ºC.
- El roscón de Reyes es el dulce clásico del día 6 de enero.
- Existe la costumbre de esconder en su interior una pequeña sorpresa.

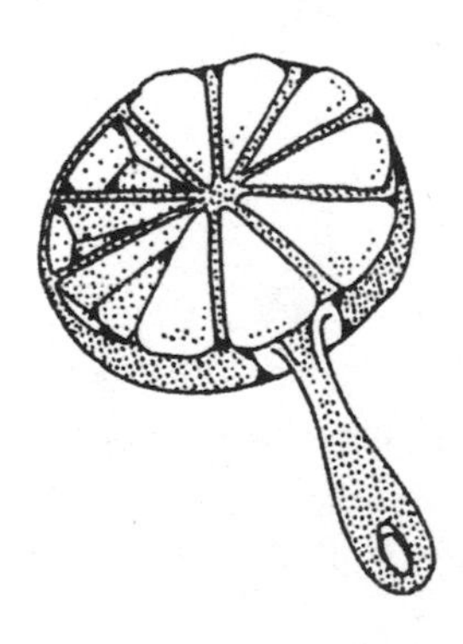

Rosquillas de Candelilla

Tiempo 60 minutos
Comensales 4 personas
Dificultad media

Ingredientes

5 huevos, 1/4 l de miel, harina 1/4 l de aceite, más el necesario para la fritura, ralladura de limón

Preparación

- Se reserva una clara y se baten el resto de los huevos.
- Ya bien batidos, se les añade la mitad del aceite, previamente frito y enfriado, y la ralladura del limón.
- Se bate todo bien y se va agregando, poco a poco, la harina hasta conseguir una masa homogénea y fina.
- Entonces, se moldean con las manos unas tiras de masa como del tamaño de un cigarrillo, se cierran en forma de rosquilla y se fríen en abundante aceite hasta que estén bien doradas.
- Aparte, en una cazuela grande, se vierte la miel y se calienta al fuego, hasta que quede como un almíbar; se añade la clara de huevo reservada y se remueve hasta que la mezcla quede blanca.
- Las rosquillas fritas se bañan con el glaseado y se dejan en una fuente para que se enfríen antes de servirlas.

Rosquillas listas

Tiempo 1 hora y 45 minutos
Comensales 4 personas
Dificultad media

Ingredientes

250 g de harina
100 g de azúcar
3 huevos enteros
1 huevo batido
5 g de levadura
5 cucharadas de aceite frito
1 copa de aguardiente o de anís
1 cucharadita de anises
mantequilla para engrasar
Para el baño:
150 g de azúcar glas
1 cucharada de zumo de limón
1 clara de huevo
1/2 copa de aguardiente o de anís

Preparación

- Se empieza preparando la masa.
- Se baten los huevos con el azúcar hasta que la mezcla quede densa; se añade el aceite frito y enfriado, los anises tostados y machacados, el aguardiente y la harina mezclada con la levadura.
- Se trabaja todo junto hasta conseguir una masa blanda, que se divide en bolas del tamaño de las rosquillas.
- Con las manos untadas en grasa se les da forma y se perfora el centro.
- Se colocan separadas en una placa de horno engrasada y se dejan reposar durante una hora.
- Pasado ese tiempo, se pintan con huevo batido y se meten al horno a fuego fuerte unos 12 minutos.
- Mientras, se prepara aparte el baño, mezclando el azúcar con la clara de huevo y el zumo de limón.
- Se bate unos 10 minutos con una cuchara de madera y, cuando la masa blanquee, se agregan el aguardiente y una cucharadita de agua.
- Se riegan las rosquillas horneadas con este glaseado y se vuelven a meter al horno para secarlas y que cojan color.
- Las rosquillas listas son dulces muy típicos de la fiesta patronal de San Isidro, en Madrid.

Rosquillas tontas

Tiempo 1 hora y 15 minutos
Comensales 4 personas
Dificultad media

Ingredientes

1/4 kg de harina, más un poco para espolvorear
150 g de azúcar, 5 huevos enteros
1 huevo batido, 50 ml de aceite
1 cucharada de anís tostado
mantequilla para engrasar

Preparación

- Se baten los huevos con el azúcar hasta que queden cremosos; entonces, se añaden el aceite y los anises tostados.
- Se mezcla bien y se incorpora la harina. Se amasa hasta conseguir una pasta homogénea.
- Se debe trabajar mucho la masa para que queden esponjosas las rosquillas.
- Después se divide la masa en porciones del tamaño de las rosquillas, se moldean en forma de bolas y, con los dedos, se les hace un agujero en el centro.
- Se engrasa una placa de horno y se colocan las rosquillas separadas.
- Se dejan reposar unos 15 minutos y después, se pintan con huevo batido.
- Se meten al horno hasta dorarlas.

Ruedas de merluza al horno

Tiempo 30 minutos
Comensales 6 personas
Dificultad media

Ingredientes

6 rodajas de merluza
100 g de anchoas
75 g de alcaparras
100 ml de vino blanco
2 limones, 40 g de mantequilla
100 ml de aceite
perejil, sal

Preparación

- Se preparan las ruedas enteras con piel y se sazonan con sal y zumo de limón.
- Se meten al horno, regándolas con el aceite y el vino blanco, durante 15 minutos, aproximadamente.
- Para servir, se colocan las rodajas de merluza en una fuente larga y se adorna cada una de ellas con una rueda de limón, una anchoa enrollada y alcaparras.
- Se salpica de perejil y se rocía con mantequilla.
- Se pueden acompañar con arroz blanco y salsas mahonesa u holandesa, servidas aparte.

Salchichas blancas al vino

Tiempo 15 minutos
Comensales 4 personas
Dificultad media

Ingredientes

1 kg de salchichas blancas pequeñas
2 cebollas grandes
2 vasos de vino blanco
aceite
sal

Preparación

- Se trituran las cebollas con la picadora para que queden bien finas.
- Se pone al fuego una cazuela de barro con un poco de aceite y, cuando esté caliente, se añade la cebolla triturada y se dora.
- Después, se incorporan las salchichas blancas y se fríen durante unos 3 minutos. A continuación, se sazonan al gusto.
- Se agrega el vino, poco a poco, y se deja cocinar unos 5 minutos, aproximadamente.
- Se sirven inmediatamente.

Salmón a la marinera

Tiempo 15 minutos
Comensales 4 personas
Dificultad media

Ingredientes

4 rodajas de salmón
2 o 3 dientes de ajo picados
el zumo de 1 limón
1/2 vaso de aceite de oliva
perejil, sal

Preparación

- Se coloca el pescado, sin amontonar, en una cazuela de barro y se añaden la sal, el perejil, los ajos picados, el aceite y el zumo del limón.
- Se dejan en este adobo, al menos, durante media hora.
- Después, se pone la cazuela a fuego vivo y se rocían las rodajas de salmón con la salsa en que se cuecen.
- Una forma original de servir este plato es acompañado de albóndigas de carne picada, pero de tamaño reducido.

Salmón a la plancha

Tiempo 15 minutos
Comensales 6 personas
Dificultad media

INGREDIENTES

1 kg de salmón
1 cebolla grande
1 limón
100 ml de aceite
1 rama de perejil, sal

PREPARACIÓN

- Una vez limpio, se corta el salmón en rodajas.
- Se salpimenta y se introduce en el adobo siguiente: el aceite, la cebolla picada fina, sal, el perejil y el zumo de limón.
- Se deja en este adobo por lo menos una hora, dándole vueltas para que se impregne bien del aceite.
- Se calienta bien una parrilla y se asan en ella las ruedas de salmón, sacándolas del adobo y procurando que no lleven cebolla ni perejil.
- Se presentan recién hechas, acompañadas de patatas hervidas y, si se desea, con una mahonesa clarita aparte.

Salmón al horno

Tiempo 30 minutos
Comensales 1 persona
Dificultad media

INGREDIENTES

1 rodaja
de salmón fresco
(200 g aproximadamente)
el zumo de un limón
tomillo
hinojo
pimienta
sal

PREPARACIÓN

- Se calienta el horno durante 10 minutos a 220 ºC.
- Mientras el horno alcanza la temperatura, se coloca la rodaja de salmón sobre un trozo de papel de aluminio, se salpimenta al gusto y se rocía con unas gotas de zumo de limón.
- Se aliña con tomillo e hinojo la rodaja de salmón elegida, se cierra el envoltorio de papel de aluminio y se mete en el horno hasta que se haga.
- La situación más conveniente es el centro del horno.
- Puede acompañarse de puré de zanahorias.

Salmonetes con anchoas

Tiempo 30 minutos
Comensales 4 personas
Dificultad media

Ingredientes

4 salmonetes de ración
200 g de anchoas
300 g de cebollas, 2 limones, harina
75 g de mantequilla
aceite, perejil, pimienta, sal

Preparación

- Se limpian los salmonetes quitándoles la espina y se reservan.
- Se prepara una marinada con aceite, zumo de limón, cebolla partida finamente, perejil machacado, sal y pimienta.
- Se cubren los salmonetes con la marinada y se dejan en el frigorífico, por lo menos, dos horas.
- Mientras, se prepara la pasta de anchoas mezclando la mantequilla muy blanda con las anchoas trituradas.
- Pasado el tiempo de maceración de los salmonetes, se rellenan con la pasta de anchoas preparada antes y se cierran con un palillo.
- Se colocan en una fuente de horno, se espolvorean con harina y se meten a horno fuerte diez minutos.
- Se pueden acompañar con patatas cocidas y espolvoreadas de perejil.

Salmorejo

Tiempo 15 minutos
Comensales 4 personas
Dificultad media

Ingredientes

100 g de jamón curado
1 huevo cocido
1 kg de tomates maduros
1 pimiento verde, 1 diente de ajo
300 g de pan
(mejor del día anterior)
200 ml de aceite de oliva virgen
1 cucharada de vinagre de vino
sal

Preparación

- Para elaborar esta variante del gazpacho, se lavan bien los tomates, se les quita la piel y se trocean.
- Se lava el pimiento y se pica muy menudo.
- Se parte el pan en rebanadas finas para triturarlo mejor.
- En el vaso de la batidora se ponen todos estos ingredientes, junto con el ajo, el aceite, el vinagre y un poco de sal. Se trituran hasta que quede una pasta fina.

- Si quedase clara, se añade más pan hasta espesarla un poco .
- Se guarda el salmorejo en el frigorífico hasta el momento de tener que servirlo.
- Se acompaña con una guarnición de huevo duro y jamón, muy picados ambos.

Salpicón de mariscos

Tiempo 30 minutos
Comensales 6 personas
Dificultad media

Ingredientes

6 langostinos
1/2 kg de gambas
1/2 kg de carabineros
400 g de rape
1 kg de mejillones cocidos
200 g de cebollas
2 pimientos morrones
6 pepinillos en vinagre
75 g de alcaparras
Para la salsa:
150 ml de aceite de oliva refinado
50 ml de vinagre
2 dientes de ajos
3 huevos cocidos
1 cucharada de perejil picado
sal

Preparación

- Se cuecen por separado los langostinos, las gambas, los carabineros y el rape.
- Se parten los mariscos y el rape en trozos pequeños.
- La cebolla se pica muy fina y se pone en una ensaladera.
- Se van añadiendo los pescados ya preparados, el pimiento morrón partido en cuadros muy pequeños, los pepinillos en lonchas finas y las alcaparras enteras.
- Se mezcla bien.
- Se prepara la salsa vinagreta machacando en el mortero el ajo con sal y mezclándolo con el aceite y el vinagre.
- A esta salsa se unen los huevos duros picados muy menudos y el perejil.
- Se vierte la salsa en la ensaladera y se mezcla muy suavemente.
- A los mejillones se les saca de la concha; unos cuantos se mezclan con el salpicón y el resto se colocan por encima.

Salsa al vino tinto

Tiempo 30 minutos
Comensales 6 personas
Dificultad media

Ingredientes

1/2 l de vino tinto
2 rebanadas
medianas de pan frito
en aceite
3 dientes de ajos
1 cucharada
de aceite de oliva
4 hojas de salvia
pimienta
sal

Preparación

- En un cazo se hace hervir el vino con los ajos y las hojas de salvia.
- Una vez listo, se agrega el pan frito y se deja hervir un momento más.
- Luego se pasa la salsa por un tamiz fino, se vuelve al fuego en el mismo cazo, se agrega la cucharada de aceite puro de oliva y se sirve muy caliente.
- Esta salsa resulta apropiada para carnes de venado, jabalí y ciervo.

Salsa alioli

Tiempo 15 minutos
Comensales 4 personas
Dificultad media

Ingredientes

1/2 l de aceite
6 dientes de ajo, sal

Preparación

- Se pelan los dientes de ajo y se ponen en un mortero, machacándolos bien.
- Poco a poco, se añaden el aceite y la sal, removiéndolo al mismo tiempo y siempre en la misma dirección.
- La cantidad de aceite dependerá del volumen que se desee conseguir.
- El resultado ha de ser parecido al de la salsa mahonesa.

Salsa andaluza

Tiempo 15 minutos
Comensales 8 personas
Dificultad media

Ingredientes

2 tazones de mahonesa
salsa de tomate muy reducida
2 pimientos morrones, sal

PREPARACIÓN

- Se agrega a la mahonesa la quinta parte de su volumen de puré de tomate muy reducido; se cortan los dos pimientos morrones en fina juliana y se mezcla todo suavemente.
- Se rectifica el punto de sal.

Salsa bechamel

Tiempo 30 minutos
Comensales 4 personas
Dificultad media

INGREDIENTES

20 g de harina
1 cucharada de mantequilla
1/2 l de leche, sal

PREPARACIÓN

- Se pone un cazo al fuego y se derrite la mantequilla. Cuando esté sin quemarse, se incorpora la harina, se le da vueltas con una cuchara de madera durante unos minutos para que se tueste un poco, sin llegar a dorarse.
- Se va añadiendo la leche, poco a poco y sin dejar de remover, al tiempo que se pone a fuego lento.
- Se sazona y se revuelve la masa con brío para que no se hagan grumos y quede una salsa fina.
- No todas las harinas embeben igual, lo que puede variar la cantidad de leche.
- Además, esta cantidad también depende de si la bechamel se desea espesa o ligera.
- Se sigue removiendo hasta que cueza un par de minutos.
- Para darle un toque especial, se pueden añadir unos piñones, un poco de pimienta negra molida o un pellizco de nuez moscada.

Salsa con jerez y aceitunas

Tiempo 30 minutos
Comensales 6 personas
Dificultad media

INGREDIENTES

1/2 vaso de jerez
50 g de aceitunas sin hueso
1 cucharada de harina
1 cucharada de salsa de tomate
1 cebolla mediana
1 y 1/2 vasos de agua
2 cucharadas soperas de aceite
sal

Preparación

- En una sartén se calienta el aceite y se dora la cebolla picada; cuando esté dorada, se agrega la harina, dándole vueltas durante dos minutos.
- Se echa el tomate y, poco a poco, el agua sin dejar de mover; luego el jerez y se sigue moviendo hasta que todo se una bien.
- Se agregan las aceitunas cortadas en redondeles y se deja cocer unos seis minutos.
- Si le hiciera falta sal, se le pondrá al gusto.

Salsa de jerez con champiñones

Tiempo 15 minutos
Comensales 6 personas
Dificultad media

Ingredientes

150 g de champiñones frescos
1/2 vaso de jerez
1 cucharada de mantequilla
1 cucharadita de concentrado de carne
1 cucharada de harina
1 vaso de agua
1 cucharada de aceite
1 cucharada de perejil picado
el zumo de 1/2 limón
sal

Preparación

- Los champiñones se lavan y cortan en láminas, se ponen en un cazo al fuego y se les añade algo menos de la mitad de la mantequilla, el zumo de limón y sal. Aparte, se calientan juntos el aceite y la mantequilla restante y se agrega la harina, dándole vueltas hasta que se dore un poco.
- Se moja con el jerez y el agua, y se mantiene a fuego mediano durante unos 8 minutos, sin dejar de remover.
- Una vez lista la salsa, se agregan los champiñones con su jugo, el concentrado de carne y el perejil. Esta salsa es ideal para acompañar carnes, huevos cocidos y hortalizas hervidas.

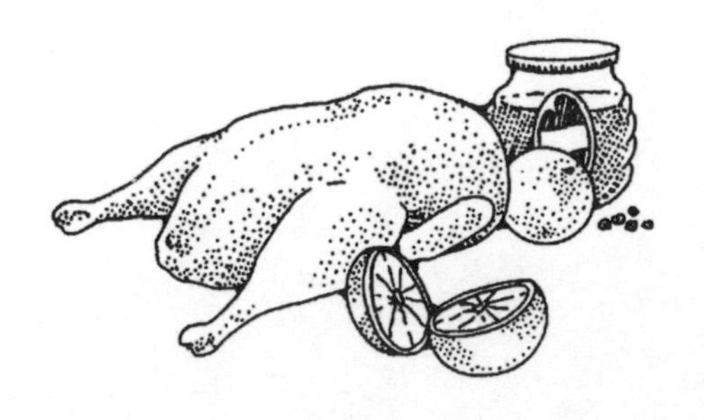

Salsa de limón para el cordero

Tiempo 45 minutos
Comensales 4 personas
Dificultad media

Ingredientes

Zumo de 1 limón
100 g de beicon
3 yemas de huevo
1 pastilla de caldo
1 vaso de vino blanco
1 cebolla picada muy fina
aceite
una pizca de nuez moscada
pimienta , sal

Preparación

- En un cazo se calienta un poco de aceite y se fríen juntos el beicon y la cebolla.
- Se agrega la pastilla de caldo, previamente disuelta en medio vaso de agua, y el vaso de vino y se deja hervir durante 30 minutos.
- En un bol se disuelven las yemas con el limón.
- Se retira el cazo del fuego y se espesa con las yemas de huevo.
- No se deja cocer más.
- Se sazona con la nuez moscada, la sal y la pimienta al gusto.

Salsa de queso de Cabrales

Tiempo 15 minutos
Comensales 4 personas
Dificultad media

Ingredientes

150 g de queso de Cabrales
100 g de mantequilla
2 tazas de nata
1 diente de ajo majado
1 cucharadita de orégano
una pizca de nuez moscada
pimienta negra
sal

Preparación

- En un cazo se aplasta el queso de Cabrales y la mantequilla hasta que estén bien mezclados.
- Se coloca al fuego y, antes de que hierva, se añade la nata.
- Se cuece bien a fuego lento y se condimenta con orégano, nuez moscada, ajo majado, pimienta molida y sal al gusto.
- Se deja cocer 10 minutos, aproximadamente, hasta homogeneizar la salsa.

Salsa de requesón con hierbas

Tiempo 15 minutos
Comensales 6 personas
Dificultad media

Ingredientes

2 tazas de requesón
7 cucharadas de hierbas frescas picaditas (perejil, cebollino, berros, melisa, eneldo)
3/4 l de crema de leche
1 punta de cucharadita de comino
una punta de cucharadita de pimienta
una punta de cucharadita de sal

Preparación

- Se baten el requesón y la crema, se añaden las hierbas, el comino, pimienta y sal.
- Se mezcla bien y ya está lista para servir.

Salsa de tomate simple

Tiempo 45 minutos
Comensales 2 personas
Dificultad media

Ingredientes

250 g de tomates maduros
1 cucharada de cebolla picada
1/2 pastilla de caldo de carne o de pollo
2 cucharadas de aceite
una pizca de azúcar
sal
agua

Preparación

- Se dora la cebolla en el aceite y se agregan los tomates, previamente lavados, picados y con piel.
- Se deja cocer lentamente y se añade la pastilla de caldo; se prueba y rectifica de sal y, por último, se añade una pizquita de azúcar para contrarrestar lo ácido del tomate.
- Se deja consumir la salsa y nuevamente se le agrega un poco de agua, hasta que la consistencia sea la apropiada.

Salsa escabeche

Tiempo 60 minutos
Comensales 4 personas
Dificultad media

Ingredientes

3 cebollas, 3 nabos, 1 vaso de vinagre, 2 gambones, perejil fresco laurel, pimienta en grano, sal

Preparación

- Se cuecen a fuego bajo los nabos, la cebolla y los dos gambones, bien pelados y troceados; se añade el perejil picado, el laurel, la pimienta en grano y el vaso de vinagre.
- Se cuece una hora y se cuela
- La salsa puede guardarse bastante tiempo, pero antes de servirla hay que darle un nuevo hervor y añadirle un poco de agua.

Salsa española

Tiempo 3 horas y 15 minutos
Comensales 4 personas
Dificultad media

Ingredientes

300 g de harina, 3 zanahorias
1/2 cebolla picada
1/2 envase de tomate triturado
75 g de tocino salado
200 g de manteca de cerdo
1 vaso de vino blanco
2 l de caldo
2 hojas de laurel
tomillo
1 cucharadita de azúcar
sal (si fuese necesario)

Preparación

- Se derrite la manteca en una sartén al fuego, se echa la harina y se remueve hasta que tome un color tostado.
- Se añade entonces el caldo y se mezcla bien con un tenedor.
- Se deja cocer a fuego lento.
- En otra sartén se sofríen la cebolla, las zanahorias, el tomillo, el laurel y el tocino cortado en forma de dados y, cuando esté bien dorado, se añade el contenido de la otra sartén y el vino blanco, y se deja hervir 2 horas, retirando con una espumadera la grasa que vaya apareciendo.
- Pasado ese tiempo, se cuela la salsa, se deja templar y se añade el tomate triturado con una cucharadita de azúcar.
- Se mezcla bien y se vuelve a poner al fuego durante una hora.
- Finalmente, se bate con el brazo eléctrico o se pasa por el chino.

Salsa española a la mostaza

Tiempo 15 minutos
Comensales 6 personas
Dificultad media

INGREDIENTES

4 tazas de salsa española
1 y 1/2 cucharadas de mostaza

PREPARACIÓN

- Una vez preparada la salsa española en la sartén, se le agrega la mostaza y se deja en ebullición diez minutos.

Salsa española con carne

Tiempo 60 minutos
Comensales 6 personas
Dificultad media

INGREDIENTES

300 g de carne de falda
1 hueso de codillo, 1 cebolla picada
3 zanahorias, 1 diente de ajo
1 cucharada de harina, 1 vaso de vino tinto, 1 l de agua, 1/2 taza de aceite, perejil, laurel
pimienta, sal

PREPARACIÓN

- En una sartén con el aceite se dora la cebolla picada y se le añade la carne partida en trozos; una vez rehogada, se agregan las zanahorias cortadas en daditos y, al minuto, la harina y el vino, se deja al fuego 5 minutos y se incorporan el agua, el hueso de codillo, perejil, laurel, pimienta, sal y el ajo. Se deja cocer media hora.
- Se retira del fuego y se pasa por un colador apretado, haciendo presión con una cuchara. Se limpia el colador y se vuelve a colar.
- Se separa una taza de la salsa y se deja enfriar; el resto se coloca a fuego suave en una cacerola limpia.
- En la taza de salsa separada se deslíe la harina y se añade al resto que está cociendo.
- Se deja cocinar diez minutos más.
- Si está espesa, se aligera con agua y se corrige de sal.

Salsa española de vigilia

Tiempo 45 minutos
Comensales 4 personas
Dificultad media

INGREDIENTES

1 kg de pescado
100 g de mantequilla

100 g de harina
1 vaso de vino blanco
1 cebolla, 1 zanahoria
perejil, tomillo, laurel
pimienta, sal, 2 l de agua

Preparación

- Se limpia y desescama el pescado, y se corta en trozos.
- Se pelan y trocean la cebolla y la zanahoria, y se cortan en rodajas.
- Se ponen en una cazuela y se coloca encima el pescado ya limpio.
- Se rocía todo con el vino blanco.
- Se calienta hasta que el líquido se reduzca a la mitad.
- Entonces, se baña con dos litros de agua hirviendo, se agrega el ramo de hierbas (tomillo, laurel y perejil) y se sazona con sal y pimienta.
- Cuando rompa el hervor, se reduce el fuego y se deja cocer hasta que el pescado esté hecho.
- Se retira.
- Aparte, se derrite la mantequilla en un cazo al fuego y se dora en ella la harina.
- Cuando empiece a tomar un ligero color dorado, se vierte el caldo de la cocción del pescado, colado previamente.
- Se remueve continuamente para evitar que se formen grumos y se cuece durante 15 minutos más, espumándolo hasta dejarlo limpio.
- Se cuela de nuevo el caldo o se pasa por el chino o el pasapurés.
- Esta salsa resulta un complemento estupendo para pescados cocidos y asados.

Salsa mahonesa con limón

Tiempo 15 minutos
Comensales 8 personas
Dificultad media

Ingredientes

2 yemas de huevo
1/4 l de aceite fino
unas gotas de limón, sal fina

Preparación

- La mahonesa se puede hacer a mano en un bol o en batidora o licuadora; en cualquiera de los casos, la preparación es la misma.
- Se ponen las yemas de huevo en un recipiente, se exprimen encima unas gotas de limón y se añade la sal.
- Después se vierte, gota a gota, el aceite y se bate sin cesar hasta que la salsa ligue bien. Si se hace en licuadora o batidora pueden utilizarse las claras junto con las yemas pero, en ese caso, se necesitará más aceite para lograr la consistencia adecuada.

Salsa mahonesa con vinagre

Tiempo 30 minutos
Comensales 4 personas
Dificultad media

Ingredientes

1/2 l de aceite
2 yemas de huevo
vinagre, sal

Preparación

- Se baten las dos yemas de huevo removiendo siempre en la misma dirección y se agrega, muy poco a poco, el aceite.
- Seguidamente, se añaden unas gotas de vinagre y la sal.
- La salsa estará en su punto cuando, a fuerza de batir, haya adquirido una consistencia compacta.
- Para que no se corte, el mejor método es agregar en el mortero unas gotas de agua.

Salsa mahonesa rosa

Tiempo 15 minutos
Comensales 8 personas
Dificultad media

Ingredientes

2 huevos
1/ l de aceite
2 cucharaditas de tomate concentrado
1 cucharadita de mostaza
brandy
zumo de limón
sal

Preparación

- Se ponen los huevos en un recipiente, se salan y se añaden encima unas gotas de zumo de limón.
- Se bate bien.
- Después se incorpora, muy poco a poco, el aceite, sin dejar de batir la mezcla.
- Cuando la salsa ya esté bien ligada, se añaden la mostaza, el tomate concentrado y una o dos cucharadas de brandy.
- Se remueve bien para que todos los ingredientes queden bien integrados y la salsa con la consistencia adecuada.

Salsa mahonesa verde

Tiempo 15 minutos
Comensales 6 personas
Dificultad media

Ingredientes

2 tazas de salsa mahonesa
2 cucharadas de perejil
2 cucharadas de alcaparras
2 cucharadas de pepinillos en vinagre, pimienta, sal

Preparación

- A la mahonesa ya preparada se le agregan el perejil majado previamente , las alcaparras y los pepinillos en vinagre picados en trocitos.
- Se prueba de sal y se agrega pimienta al gusto.

Salsa nacional con laurel

Tiempo 15 minutos
Comensales 6 personas
Dificultad media

Ingredientes

2 tazas de salsa de tomate frito
2 hojas de laurel
1/2 taza de leche evaporada
una pizca de comino
pimienta
sal

Preparación

- En una sartén se ponen la salsa de tomate frito y las hojas de laurel.
- Una vez caliente, se agrega la leche poco a poco dándole vueltas, el comino, la sal y la pimienta.
- Esta salsa acompaña variedad de platos, pero en especial a la tortilla de verduras.

Salsa pipirrana

Tiempo 15 minutos
Comensales 6 personas
Dificultad media

Ingredientes

Unas hojas de lechuga
1 pepino mediano
2 tomates grandes
1 pimiento rojo
o verde mediano
1 diente de ajo
1 cebollita
3 cucharadas de vinagre
6 cucharadas de aceite
pimienta
sal

Preparación

- Se pelan los tomates y se les quitan las semillas.
- Se pela el pepino, el ajo y la cebollita.
- Se quitan las simientes al pimiento.
- Se lavan 4 o 5 hojas de lechuga.
- Se pica todo muy menudo y se mezcla bien.
- Se prepara una vinagreta con el aceite, el vinagre, sal y pimienta.
- Se le incorpora el picadillo de verduras.
- Esta salsa se utiliza para acompañar pescados o mariscos hervidos y carnes asadas.

Salsa romesco

Tiempo 15 minutos
Comensales 4 personas
Dificultad media

Ingredientes

2 pimientos rojos secos
1/2 guindilla
1 tomate maduro
2 dientes de ajo
1/2 taza de miga de pan
2 cucharadas de aceite
1 cucharada de vinagre
pimienta negra, sal

Preparación

- Los pimientos rojos se ponen en remojo la noche anterior a su preparación. En una taza se remoja el pan con un poco de agua templada.
- En un mortero, se machacan los dientes de ajo con un poco de sal.
- Los pimientos se abren, se les quitan las semillas y se raspa la carne que se pondrá en el mortero, así como el trocito de guindilla.
- Se machaca todo y se agrega el tomate cortado en trozos y sin semillas.
- Se agrega a esto el migajón de pan escurrido (apretándolo con la mano).
- Se hace con todo una crema, a la cual se añade el aceite y el vinagre.
- Se pasa por el pasapurés. Se le echa sal y pimienta y se deja macerar por espacio de 3 horas.
- Esta salsa es fuerte y acompaña muy bien los mariscos a la plancha.

Salsa vinagreta

Tiempo 15 minutos
Comensales 4 personas
Dificultad media

Ingredientes

3 tazas de aceite, 1 taza de vinagre
5 huevos cocidos, 1 cebolla

2 dientes de ajo
1 tomate (opcional)
1 pimiento morrón (opcional)
nuez moscada, perejil
pimienta blanca en polvo, sal

Preparación

- Se pelan y pican los ajos, la cebolla y un poco de perejil.
- Se pone todo en una salsera con el vinagre y se va añadiendo poco a poco el aceite, removiéndolo bien durante 5 minutos.
- Seguidamente, se condimenta con sal, pimienta y nuez moscada.
- Cuando todo esté mezclado, se agregan las yemas de huevo aplastadas con el tenedor y se mezcla todo muy bien.
- Antes de servir, se incorporan las claras de huevo muy picaditas.
- Si a todo esto se añade un pimiento morrón bien picado y la pulpa de un tomate, la salsa tomará un sabor exquisito.

Salteado de cordero a la menta

Tiempo 1 hora y 15 minutos
Comensales 6 personas
Dificultad media

Ingredientes

1 y 1/2 kg de pierna, paletilla y falda de cordero, 50 g de menta
50 g manzana
la piel de 3 naranjas
4 cebollas cortadas en juliana
2 tomates, 2 dientes de ajo
2 vasos de vino blanco
200 g de azúcar
1 y 1/2 l de caldo de ternera
1 vaso de nata fresca
12 cucharadas de aceite
pimienta, sal, unas hojas de hierba buena

Preparación

- Se cortan en trozos no muy grandes la pierna de cordero, la paletilla y la falda, y se deshuesa todo ello.
- Se doran con aceite en una sartén.
- Se corta la cebolla en tiritas finas, se pican los ajos y se doran ambas hortalizas a fuego muy lento con el aceite del cordero.
- Al final, se agregan dos tomates pelados, sin semillas y picados.

- Se mezcla todo con el cordero y se rehoga, agregando un vaso de vino blanco y un puñado de azúcar, que se deja caramelizar dentro del recipiente.
- Se añade al preparado el caldo de ternera y se deja cocer unos 25 minutos.
- Al terminar la cocción, se incorpora una juliana muy fina de naranja y el vaso restante de vino blanco, previamente hervido con las hojas de menta y dejado reducir.
- Se liga todo el preparado con un poco de manzana desleída en nata fresca y se deja hervir cinco minutos.
- Se rectifica el punto de sal si es necesario, y se sirve decorado con hojas de hierbabuena.

Salteado de setas

Tiempo 30 minutos
Comensales 4 personas
Dificultad media

Ingredientes

16 setas pequeñas (robellones, níscalos, etc.)
1 cebolla
zumo de limón
aceite
1 cucharadita de perejil
pimienta, sal

Preparación

- Se separan los pedúnculos y se cortan las setas en trozos medianos (también se seleccionan los rabos que estén sanos).
- Se lavan muy bien bajo el chorro del agua fría, quitándoles toda la arenilla y los restos, y se secan a conciencia hasta eliminarles todo el agua posible.
- En una sartén se pone una pequeña capa de aceite y, cuando esté caliente, se añaden las setas y se saltean a fuego vivo hasta que tomen color por todos sus lados.
- Se pica una cebolla pequeña en trocitos bien pequeños y se añade a las setas.
- Se salpimenta y se saltea hasta que la cebolla se ponga transparente.
- Entonces, se rocía con el zumo de un limón, se añade un poco de perejil picado y se vuelve a saltear.
- Se sirven inmediatamente.

Sancocho canario

Tiempo 2 horas
Comensales 6 personas
Dificultad media

Ingredientes

1 kg de pescado salado
1 kg de patatas
1/2 kg de batatas
sal

Preparación

- Se pone el pescado a remojo la noche anterior para desalarlo.
- Se pelan y trocean las patatas y las batatas.
- Se colocan todos los ingredientes en un puchero y se cubre con agua.
- Se deja cocer hasta que las batatas estén tiernas.
- Se prueban y rectifica de sal si fuese necesario.
- Se escurre el líquido y se dejan el pescado, las patatas y las batatas en el mismo recipiente, cubierto con un paño de cocina y la tapa del puchero.
- Cuando se hayan secado por completo, se sirve acompañado de mojo picón.

Sardinas a la gitana

Tiempo 45 minutos
Comensales 4 personas
Dificultad media

Ingredientes

16 sardinas, 1 cebolla grande
2 dientes de ajos, 1/2 barra de pan
2 huevos batidos, harina, leche
aceite, perejil, pimienta, sal

Preparación

- Se limpian y descaman las sardinas.
- Se les quita la cabeza y la espina, y se dejan escurrir.
- Se calienta un poco de aceite en una sartén y se doran en él la cebolla finamente picada, los ajos y el perejil, también picados; se deja estofar.
- Se retira del fuego y se escurre para eliminar el aceite sobrante.
- A este refrito se le agrega la miga de pan mojada en leche y un poco escurrida. Se salpimentan las sardinas abiertas, se cubren ocho de ellas con la mezcla anterior y se tapan con las otras ocho sardinas.
- Se pasan por harina y huevo batido y se fríen en abundante aceite caliente.
- Esto debe hacerse con cuidado.
- Se presentan en una fuente alargada, muy caliente y acompañadas de una ensalada.

Sardinas asadas

Tiempo 15 minutos
Comensales 4 personas
Dificultad media

Ingredientes

Sardinas
(con abundante grasa)
mantequilla o aceite

Preparación

- Las sardinas se ponen enteras en la rejilla, sin quitarles la cabeza ni los intestinos, que se eliminan en el momento mismo de tomarlas.
- A continuación, se envuelven en papel de aluminio untado con mantequilla o aceite y se hacen en la parrilla en pocos minutos.
- No es aconsejable darles más de una vuelta sobre las brasas.

Sardinas con cachelos

Tiempo 30 minutos
Comensales 4 personas
Dificultad media

Ingredientes

1 kg de sardinas, 1 kg de patatas
1/2 l de aceite, harina, sal

Preparación

- Se pelan las patatas y se cortan en trozos grandes chascándolas. Se ponen a cocer en agua fría, que las cubra, con sal.
- Se escurren y se reservan al calor.
- Mientras se cuecen las patatas, se limpian y descaman perfectamente las sardinas. Se pasan por harina y se fríen en aceite caliente.
- Se colocan las sardinas en una fuente larga acompañadas de los cachelos de patata, y se rocían con el aceite sobrante de freír las sardinas.
- Se sirven recién hechas y calientes.

Sardinas en cazuela

Tiempo 30 minutos
Comensales 6 personas
Dificultad media

Ingredientes

1 kg de sardinas, 4 dientes de ajo
2 cucharadas de pan rallado
100 ml de vino blanco
100 ml de aceite de oliva
1 limón, perejil, sal

Preparación

- Se limpian las sardinas y se descaman perfectamente, quitándoles la cabeza y la espina central.

- Se lavan, se dejan escurrir y se ponen con sal.
- En una cazuela de barro se calienta el aceite, se añaden los ajos fileteados y el perejil y, cuando se empiece a dorar, se colocan encima las sardinas cerradas, moviendo la cazuela con vaivén para que el aceite las bañe.
- Se añade el vino blanco, se espolvorea de pan rallado y se mete al horno aproximadamente 12 minutos.
- Se presentan en la misma cazuela y acompañadas de gajos de limón.

Sardinas en escabeche

Tiempo 45 minutos
Comensales 6 personas
Dificultad media

Ingredientes

1 kg de sardinas
3 dientes de ajo, 1 cebolla
harina, 1/4 l de agua
1/4 l de vinagre, 1/2 l de aceite
2 hojas de laurel
pimienta en grano, sal

Preparación

- Se limpian y descaman perfectamente las sardinas, quitándoles la cabeza y la espina central. Se secan y salan.
- Se pasan por harina y se fríen en aceite caliente. Se reservan en una cazuela de barro honda.
- Se pone un poco del aceite de freír las sardinas en una cacerola, se fríen los ajos en láminas y la cebolla picada, las hojas de laurel y dos granos de pimienta.
- Fuera del fuego, se añaden el vinagre y el agua.
- Se vuelve a poner al fuego y se cuece unos diez minutos. Se vuelca este preparado sobre las sardinas.
- Se deja enfriar, se meten en la nevera y se sirven pasadas unas horas (mejor al día siguiente).
- Pueden acompañarse de patatas hervidas.

Sardinas fritas

Tiempo 30 minutos
Comensales 4 personas
Dificultad media

Ingredientes

1 kg de sardinas
un trozo de cebolla, harina
1 limón, 1/2 l de aceite, sal

Preparación

- Se limpian las sardinas, quitándoles la cabeza y las tripas, sin abrirlas.

- Se secan y se sazonan.
- Luego, se pasan por harina y se fríen en la sartén con el aceite bien caliente.
- En el aceite se echa también un trozo de cebolla para que no huela tan fuerte.
- Conviene que las sardinas queden holgadas.
- Al servir, se rocían con unas gotas de limón.

Sardinas rellenas

Tiempo 60 minutos
Comensales 6 personas
Dificultad media

Ingredientes

1 kg de sardinas grandes
50 g de pan rallado
25 g de piñones
1 anchoa, aceite de oliva
zumo de limón, perejil, laurel
nuez moscada, pimienta, sal

Preparación

- Se vacían y limpian las sardinas, quitándoles la cabeza y la espina central; se colocan abiertas sobre la mesa.
- Se calienta una cucharada de aceite en una sartén y se rehoga el pan rallado, los piñones, perejil, nuez moscada, una anchoa picada y pimienta.
- Se mezcla todo bien, se retira y se añade una cucharada de aceite crudo.
- Se pone una cucharada de este relleno en cada sardina y se cierran.
- Se unta de aceite una cazuela y se colocan dentro las sardinas alineadas.
- Entre una y otra se pone un trozo de laurel pequeño.
- Se cubren con pan rallado y se meten en el horno durante media hora.
- Cuando se sacan, se rocían de zumo de limón y se sirven.

Sequillos cartujanos

Tiempo 1 hora y 15 minutos
Comensales 4 personas
Dificultad media

Ingredientes

1/2 kg de harina
125 g de manteca de cerdo
125 g de azúcar
2 copas de vino blanco
2 copas de aguardiente dulce
canela molida
azúcar glas

PREPARACIÓN

- Se ablanda la manteca y se bate bien; se añade el vino despacito, siempre sin dejar de mover, después el aguardiente y el azúcar.
- Una vez bien mezclado todo, se va incorporando la harina y la canela hasta conseguir una masa de consistencia uniforme.
- Con un rodillo de pastelero se extiende la masa dejándola, gruesecita.
- Con un molde, al gusto, se van cortando trocitos como galletas pequeñas.
- Se meten al horno hasta que se doran a fuego medio.
- Finalmente, se espolvorean de azúcar glas y se dejan enfriar.

Silla de cordero asada

Tiempo 2 horas y 30 minutos
Comensales 8 personas
Dificultad media

INGREDIENTES

2 kg de silla de cordero
100 g de manteca de cerdo
4 dientes de ajo, cebolla
tomate, apio, puerro
100 ml de vino de Madeira
100 g de mantequillla
caldo
250 g de queso rallado
250 g de arroz cocido
1 kg de espinacas cocidas
8 tomatitos cereza braseados
perejil, pimienta, sal

PREPARACIÓN

- Se prepara la silla desprendiendo las costillas y el hueso central, sin quitarlo del todo.
- Se sazona con sal y pimienta, se ata y se pone a asar.
- Después de dorada, se añaden las verduras, peladas y picadas.
- Se vuelve a meter al horno, regándola con el caldo, hasta que esté bien hecha.
- Se quitan la cuerda y el hueso, y se gratina con la mitad del queso rallado.
- La salsa se pasa por un pasapurés y se le añade el vino de Madeira un poco reducido.
- Mientras se asa el cordero, se prepara el arroz a la milanesa con las espinacas del siguiente modo: se saltean las espinacas, cocidas y escurridas, en mantequilla muy caliente, se añade el arroz cocido y, por último, la mitad del queso, retirándolo enseguida.
- La silla de cordero se sirve sobre un fondo de arroz milanesa, adornándola con tomates braseados y la salsa en salsera.

Sobaos pasiegos

Tiempo 1 hora y 30 minutos
Comensales 4 personas
Dificultad media

Ingredientes

1 kg de azúcar
1 kg de mantequilla
900 g de harina
12 huevos
levadura en polvo
ralladura de limón
1 cucharada de ron o de anís
sal

Preparación

- Se mezcla bien la mantequilla con el azúcar, la sal y la ralladura de un limón.
- Se añaden los huevos, uno a uno, sin dejar de batir; a continuación, el licor elegido y, para terminar la harina, siempre removiendo hasta conseguir que la mezcla sea homogénea.
- Se vierte esta masa en un molde cubierto con papel aceitado y se hornea hasta que el bollo se ponga dorado.
- Los sobaos pasiegos proceden del valle del Pas, en Cantabria.

Soldaditos de Pavía

Tiempo 45 minutos
Comensales 6 personas
Dificultad media

Ingredientes

300 g de bacalao
150 g de harina
10 g de levadura
14 cucharadas de agua
2 cucharadas de aceite, más el de freír
zumo de limón
sal

Preparación

- Se pone el bacalao a remojo el día anterior, cambiándole el agua varias veces hasta conseguir desalarlo.
- Cuando esté desalado, se corta en tiritas y se ponen en un bol con zumo de limón.
- En un recipiente se echa la harina; en el centro se hace un hueco donde se incorporan un poquito de sal, la levadura, el aceite y el agua.
- Se revuelve todo y se deja reposar tapado hasta que la pasta suba.
- Se cogen las tiritas de bacalao, se sumergen en esta pasta y, a continuación, se fríen en aceite bien caliente.

Solomillo asado

Tiempo 45 minutos
Comensales 6 personas
Dificultad media

Ingredientes

1 kg de solomillo
100 g de manteca
vino blanco
pan de molde
maizena
100 ml de aceite
sal, agua

Preparación

- Se limpia el solomillo y, en el fondo de una besuguera, se colocan los recortes del mismo; en el centro se pone el solomillo ya atado.
- Se baña con el aceite y, por último, se añaden la sal y la manteca.
- Se pone sobre el fuego de la cocina hasta que se dore y después se mete al horno, regándolo dos o tres veces.
- Se saca a los 25 minutos.
- A la grasa de hornear el solomillo se le agrega un poco de agua; cuando rompa a hervir, se le añade una cucharadita de maizena disuelta en dos cucharadas de vino blanco.
- El pan de molde se corta en trozos, que se fríen ligeramente en aceite.
- Para servir el solomillo, se trincha, se adorna con los costrones de pan frito y la salsa se sirve en salsera aparte.

Solomillo de añojo a las hierbas

Tiempo 60 minutos
Comensales 7 personas
Dificultad media

Ingredientes

1 y 1/2 kg de solomillo de añojo
350 g de champiñón
350 g de cebollas
200 g de jamón de York
50 g de mantequilla
1 vaso de jerez
1 vaso de oporto
1/2 l de caldo oscuro
5 cucharadas de aceite
40 g de finas hierbas
pimienta
sal

Preparación

- Se brida el solomillo limpio y entero, se salpimenta y se dora en aceite, espolvoreándolo previamente con finas hierbas.
- Una vez en su punto, se añade a la sartén un vaso de jerez seco, un vaso de vino de Oporto y un poco de

caldo oscuro, y se deja reducir todo unos 30 minutos a fuego muy lento.

- Se pasa la salsa por un pasapurés y se vuelve a colocar en la sartén; se agregan los champiñones cortados a cuartos y trocitos de jamón de York.
- Se pone a punto de sal y se deja cocer 15 minutos más.
- Para servir, se corta el solomillo en medallones, que se colocan en una fuente sobre un lecho de cebolla picada en juliana y fondeada aparte con mantequilla y finas hierbas.
- Se salsea levemente.

Sopa al cuarto de hora

Tiempo 15 minutos
Comensales 5 personas
Dificultad media

Ingredientes

1/4 kg de almejas o chirlas
75 g de jamón serrano
1 copa de jerez seco
1 huevo cocido, 1 cebolla
2 dientes de ajo
100 g de pan en rebanadas finas
4 cucharadas de aceite
perejil, sal

Preparación

- En una cacerola se pone a calentar el aceite, se añaden la cebolla picada y los dientes de ajo.
- Se incorpora el pan en rebanadas finas, el jamón hecho dados, las almejas bien lavadas y el jerez.
- Se adiciona un litro y medio de agua, o caldo de pescado si se tiene, sal y se deja cocer 15 minutos.
- Al momento de servirla, se incorpora el huevo duro picado y abundante perejil picado muy fino.
- Se puede sustituir el pan por arroz.

Sopa alicantina

Tiempo 60 minutos
Comensales 6 personas
Dificultad media

Ingredientes

150 g de guisantes
200 g de zanahorias
200 g de nabos
2 puerros
1 cebolla grande
150 g de costrones de pan tostado
5 cucharadas de aceite
perejil
sal
agua

Preparación

- Se pone el aceite en una sartén y, cuando esté caliente, se rehoga en él la cebolla picada, un par de puerros y los guisantes, que deben ser frescos.
- Después de darles unas vueltas en el aceite, se les añade la cantidad de agua necesaria, sazonada con sal.
- Se acerca al fuego y se deja cocer hasta que todo esté en su punto; entonces se pasa el caldo por un tamiz, procurando que su consistencia sea bastante líquida.
- Así preparado, se vuelve a poner al fuego y, cuando rompa el hervor, se agregan las zanahorias y los nabos, cortados en tiritas finas, y se deja cocer suavemente.
- Cuando todo esté tierno y en condiciones de servirse, se sazona y se le añaden unos costroncitos de pan tostado, cortados en la misma forma y tamaño que el resto de los componentes, y se espolvorea con un poco de perejil picado.

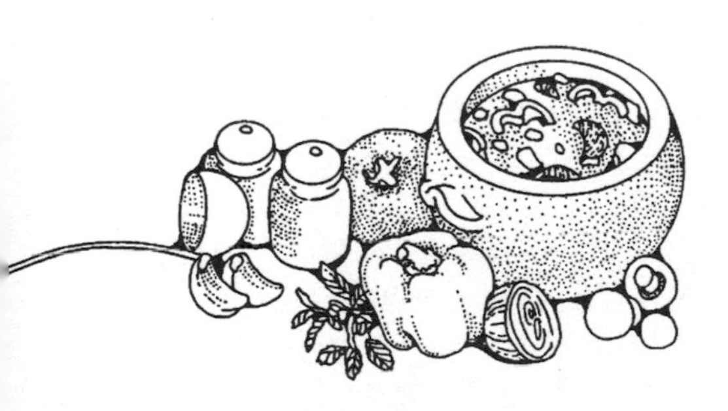

Sopa bejarana (Salamanca)

Tiempo 45 minutos
Comensales 6 personas
Dificultad media

Ingredientes

300 g de pan, 100 g de tocino
6 huevos, 3 dientes de ajo
4 cucharadas soperas de aceite
cominos, pimienta molida, sal

Preparación

- El pan del día anterior, se corta en rebanadas que se colocan en el fondo de una sopera, reservándolas.
- En una sartén se echa el aceite para freír el tocino, cortado en pequeños dados y, una vez fritos, se ponen también en la sopera.
- En el aceite que ha quedado en la sartén se fríen unos ajos, a los que se añade un poco de pimienta molida y, antes de que se quemen, un poco de agua.
- Cuando el caldo esté cociendo, se le agregan unos cominos machacados, se sazona y se vierte sobre las rebanadas de pan que de la sopera.
- Se reserva un poco de caldo y en él se cuajan los huevos que después, al servirla, se agregan a la sopa.

Sopa castellana

Tiempo 45 minutos
Comensales 4 personas
Dificultad media

Ingredientes

12 rebanadas
de pan fritas
100 g de jamón
4 huevos
1 tomate
1 cebolla
3 dientes de ajo
1 l de caldo
50 ml de aceite
pimentón, sal

Preparación

- Se rehogan en el aceite la cebolla y los ajos finamente picados, después se le añaden el tomate, sin piel ni semillas y triturado, el jamón en trocitos pequeños y una cucharadita de pimentón.
- Todo esto se vierte en una cazuela de barro con caldo o agua caliente.
- Cuando empiece a hervir, se añade pan del día anterior en rebanaditas; se reduce el fuego y se escalfan los huevos.
- Se sirven en la misma cazuela de barro.

Sopa catalana con butifarra

Tiempo 30 minutos
Comensales 6 personas
Dificultad media

Ingredientes

75 g de arroz
200 g de butifarra
2 zanahorias
2 cebollas, 1 rama de apio
pimienta negra
sal, agua

Preparación

- Se pelan las patatas, las cebollas, el apio y las zanahorias.
- Se cortan todas estas verduras en dados pequeños.
- Se quita la piel a la butifarra y se corta en trocitos.
- En una cacerola se pone agua y, cuando rompa el hervor, se añaden las verduras, la butifarra y el tronco de apio cortado en tiritas.
- Se sazona y se deja cocer 20 minutos, aproximadamente.
- Antes de servir la sopa, se agrega el arroz para que se haga.
- Se rectifica de sal si es necesario.
- Conviene hervir el arroz momentos antes de servir para que no se pase.

Sopa coruñesa

Tiempo 2 horas
Comensales 8 personas
Dificultad media

Ingredientes

1/2 kg de rape
1/2 kg de gambas
1/2 kg de almejas
1 kg de mejillones
8 langostinos
1 cebolla
2 dientes de ajos
1 cucharada de salsa de tomate
1 cucharada de harina
4 cucharadas de vino blanco
4 cucharadas de aceite
sal

Preparación

- Se lavan muy bien las almejas y los mejillones, y se ponen a cocer en agua fría con sal.
- Al calentarse el agua, se abren.
- Se retiran, se sacan de sus conchas y se cuela muy bien el caldo para que no tenga nada de arena.
- Se reservan.
- El rape se parte en trozos pequeños.
- Los langostinos y gambas se pelan y se dejan enteros.
- Las cabezas y cáscaras se ponen a cocer en el caldo de los mejillones y almejas.
- Aparte, se calienta el aceite en una cacerola y, cuando esté a punto, se estofa la cebolla con el ajo picado finísimo.
- Se deja hacer a fuego muy lento, se escurre la cebolla para que no tenga nada de grasa y este aceite no se utiliza para la sopa.
- Se vuelve a poner la cebolla en la cacerola y se agregan la salsa de tomate, el vino blanco y la cucharada de harina.
- Se rehoga el rape con las gambas y los langostinos y se moja con el caldo de cocción reservado anteriormente; se mueve despacio y se deja cocer 15 minutos.
- Al final, se ponen también en la cazuela las almejas y los mejillones para que todo dé el último hervor.
- Se sirve en sopera, acompañado, si se desea, de rebanadas de pan frito untadas de ajo y espolvoreadas de perejil picado.

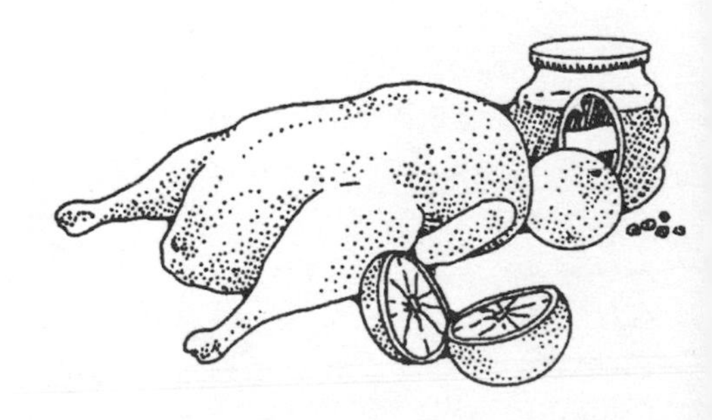

Sopa de ajo

Tiempo 30 minutos
Comensales 4 personas
Dificultad media

Ingredientes

250 g de pan, 4 dientes de ajo
4 cucharadas de aceite
1 cucharadita de pimentón
sal, agua

Preparación

- En una sartén con aceite bien caliente se sofríen los ajos hasta que estén bien dorados.
- Se incorpora el pan cortado en rebanaditas finas, se espolvorea con la cucharadita de pimentón y se deja rehogar durante unos minutos.
- Se añade un litro y medio de agua, se sala y se deja cocer a fuego lento durante un cuarto de hora.
- Se sirve inmediatamente.

Sopa de ajo a la castellana

Tiempo 30 minutos
Comensales 4 personas
Dificultad media

Ingredientes

200 g de pan del día anterior
5 dientes de ajo
50 g de jamón serrano, 4 huevos
aceite, 4 cucharadas de pimentón
sal, agua

Preparación

- Se calienta el aceite en una cazuela de barro.
- Una vez caliente, se agregan los ajos enteros.
- Cuando se empiecen a dorar, se echa el jamón cortado en dados y se deja freír un poco.
- Se añade el pan cortado en rebanadas y se deja freír un poco.
- Se espolvorea con el pimentón y, rápidamente, se añade el agua necesaria.
- Se sazona con sal y se deja cocer 5 minutos.
- Se echan los huevos enteros para que cuajen y se sirve muy caliente, en cazuelitas de barro individuales o en la cazuela de barro de la cocción.

Sopa de ajo a la riojana

Tiempo 45 minutos
Comensales 6 personas
Dificultad media

Ingredientes

4 dientes de ajo
300 g de pan candeal
3 tomates, 3 pimientos rojos
100 ml de aceite, pimienta blanca
sal, agua hirviendo

Preparación

- Se pone el aceite en una cazuela de barro y, cuando esté caliente, se fríen en él tres o cuatro dientes de ajo, hasta que estén bien tostados.
- Seguidamente se rehogan los tomates, pelados y picados, y los pimientos morrones, cortados en cuadraditos.
- Cuando todo se haya frito, se añade el pan, cortado en rebanadas lo más finas posibles y luego tostado, hasta que se haya dorado por igual.
- Se rehoga todo y se le añade un litro y medio de agua hirviendo.
- Se sazona con sal y pimienta blanca y se deja cocer durante media hora.
- Transcurrido ese tiempo, se sirve en la misma cazuela.

Sopa de arroz con menudillos

Tiempo 30 minutos
Comensales 4 personas
Dificultad media

Ingredientes

150 g de arroz
200 g de menudillos de pollo
1 puerro, 1 zanahoria
2 huevos cocidos
aceite de oliva, perejil
sal

Preparación

- En una cacerola se ponen a cocer, en agua con sal, las zanahorias y el puerro, finamente trinchados.
- En un recipiente aparte se doran los menudillos y se vierten en la olla con las verduras.
- Cuando el líquido rompa a hervir, se incorpora el arroz, que se aparta del fuego cuando el grano esté tierno.
- Entonces se añaden los huevos y el perejil picados, se remueve y se sirve.
- En lugar de huevos cocidos, para acompañar esta sopa también se pueden utilizar unas rebanadas muy finas de pan, tostadas en el horno o tostador.

Sopa de bacalao

Tiempo 45 minutos
Comensales 5 personas
Dificultad media

Ingredientes

200 g de bacalao seco
300 g de patatas
4 puerros, 2 dientes de ajo
4 cucharadas de aceite
pimienta negra, sal, agua

Preparación

- La víspera se pone a remojo el bacalao con la piel hacia abajo.
- Se coloca al fuego en una cacerola con agua fría y, cuando empiece a hervir, se retira.
- Se reserva parte del agua, se desmenuza el bacalao y también se reserva.
- Se fríen los ajos en el aceite.
- Se retiran y se echan los puerros, pelados y partidos en trozos.
- Se añaden las patatas peladas y cortadas en trozos regulares, se rehogan y se añade el bacalao. Se mueve bien el contenido de la cacerola y se moja con el caldo reservado.
- Se machacan los ajos fritos y se deslíe el majado con un poco de agua; se echa a la cacerola. Se agregan pimienta negra en polvo y sal.
- Si es necesario más líquido, se añade agua y se deja cocer hasta que las patatas estén tiernas.

Sopa de bodas asturiana

Tiempo 2 horas
Comensales 6 personas
Dificultad media

Ingredientes

150 g de arroz
1/2 gallina, 100 g de chorizo
2 menudillos de ave, 1 pimiento rojo
1 zanahoria, 1 cebolla
2 tomates, 1 puerro
2 huevos cocidos, perejil, sal

Preparación

- Con los trozos de ave, las rodajas de chorizo, los menudillos, el pimiento encarnado, la zanahoria, la cebolla, los tomates, el puerro y un poco de perejil, se prepara un buen caldo que se reserva hasta momentos antes de servirlo.
- Luego se añade el arroz y todos los demás elementos picados, más los huevos partidos en rodajas, o mejor, en trozos menudos.
- Se deja hervir el conjunto durante 20 minutos y se obtiene una sopa muy espesa y suculenta.

- Se le puede añadir, además, carne del cocido picada y unos trocitos de jamón.

Sopa de cebolla

Tiempo 60 minutos
Comensales 5 personas
Dificultad media

Ingredientes

3/4 kg de cebollas
12 rebanadas de pan
2 l de caldo de ave
(o agua con una pastilla)
100 g de queso rallado
75 g de mantequilla
pimienta blanca
sal

Preparación

- Se estofa la cebolla cortada en juliana muy fina en la mantequilla, que estará derretida.
- Tarda aproximadamente media hora.
- Una vez estofada, se moja con el caldo, se sazona con sal y pimienta, y se deja cocer lentamente hasta que esté muy blanda.
- El pan se corta fino.
- En cazuela de barro o fuente refractaria se pone en capas el queso y el pan, se incorpora el caldo de cocer la cebolla colado, se espolvorea con queso rallado y se añaden unas bolitas de mantequilla.
- Se gratina a horno fuerte.
- Si gusta el sabor de la cebolla, también se puede incorporar al caldo.

Sopa de chicurro vallisoletana

Tiempo 30 minutos
Comensales 6 personas
Dificultad media

Ingredientes

200 g de arroz
6 morcillas de arroz
100 g de manteca de cerdo, agua

Preparación

- Se cortan seis morcillas de arroz en rodajas gruesas y se fríen en la sartén con la manteca de cerdo.
- Una vez fritas, se colocan en una cazuela con un litro y medio de agua, en compañía de la grasa que ha servido para freírlas y del arroz.
- Se deja cocer este conjunto a fuego lento por espacio de unos 20 minutos.
- Pasado ese tiempo, se sirve la sopa bien caliente.

Sopa de Mahón

Tiempo 45 minutos
Comensales 6 personas
Dificultad media

Ingredientes

100 g de pan
4 huevos, 1/4 l de leche
50 g de mantequilla
1 y 1/2 l de caldo, sal

Preparación

- Desmigado el pan, que debe ser blanco y si es posible del día anterior, se echa en la leche, dejándole que se empape bien.
- Se derrite la mantequilla en una sartén al fuego y se rehoga en ella el pan, teniendo cuidado de que no se tueste ni se pegue.
- Después se deja enfriar un poco y se revuelve con dos claras de huevo y cuatro yemas, que se baten separadamente, sazonadas con un poco de sal.
- La masa resultante se va vertiendo a cucharadas sobre el caldo, que debe estar hirviendo a borbotones, y se deja cocer durante unos 10 minutos.
- La albúmina del huevo se coagula al contacto del caldo caliente y forma unas bolitas muy agradables.

Sopa de menudillos

Tiempo 60 minutos
Comensales 4 personas
Dificultad media

Ingredientes

400 g de menudillos de pollo
(higaditos, mollejas, etc.)
50 g de arroz, 1 cebolla mediana
4 cucharadas de salsa de tomate
1 vasito de vino blanco
2 huevos cocidos
6 cucharadas de aceite
sal, agua hirviendo

Preparación

- Se limpian bien los menudillos y se parten en trocitos pequeños; se ponen a cocer 10 minutos.
- Se calienta el aceite y se rehoga la cebolla finamente picada; se agregan los menudillos y la salsa de tomate.
- Se mueve bien, se riega con el vino y se añade el arroz.
- Se moja con un litro de agua hirviendo.
- Tiene que cocer muy lentamente.
- Siempre que lo necesite, se añade más agua.
- En el momento de servir, se pican los huevos duros muy finos y se mezclan con la sopa.

Sopa de moragas al estilo de la Sierra de Gredos (Avila)

Tiempo 60 minutos
Comensales 6 personas
Dificultad media

Ingredientes

1/4 kg de asadura y bazo de cerdo
150 g de hígado de cerdo
200 g de cebollas
2 cucharadas de unto de cerdo
1/4 kg de pan, sal

Preparación

- En una cazuela de barro, sobre el fuego, se pone el unto de cerdo y, en él caliente, se rehogan la asadura y el bazo de cerdo, cortados en trozos muy pequeños; según se están rehogando, se añade la cebolla picada.
- En cuanto esta última se haya dorado, se pone en la cazuela el pan, cortado en rebanadas, y se moja con agua hasta cubrirlo. Mientras cuece, se asan sobre parrillas unas lonchas gruesas de hígado de cerdo.
- Asadas y casi frías, se machacan en un almirez, se deslíen con un poco del caldo de las sopas y se echa por encima del contenido de la cazuela.
- Se le da un hervor y se sirve caliente.

Sopa de perdiz

Tiempo 1 hora y 45 minutos
Comensales 6 personas
Dificultad media

Ingredientes

1 perdiz
1 taza pequeña de caldo de carne
1 copa de jerez seco
50 g de manteca de cerdo
cuadraditos de pan frito
pimienta negra, sal, agua

Preparación

- Se asa la perdiz, limpia y entera, en manteca de cerdo durante una hora, aproximadamente; se deshuesa y su carne se machaca con el caldo de carne y el jerez.
- Se ponen a cocer los huesos que hayan quedado de la perdiz en un litro y medio de agua,aproximadamente durante media hora.
- Pasado ese tiempo, se cuela el caldo y se une a la pasta de la perdiz; se rectifica de sal y pimienta.
- Se sirve en sopera muy caliente con los cuadrados de pan frito por encima.
- Resulta un primer plato delicioso y exquisito.

Sopa de pescado con arroz

Tiempo 45 minutos
Comensales 4 personas
Dificultad media

Ingredientes

100 g de arroz
1/4 kg de rape
1/4 kg de almejas
1/4 kg de mejillones
2 dientes de ajo
1 cebolla
1 tomate
aceite de oliva
azafrán, laurel
perejil, sal

Preparación

- En una cacerola se ponen a cocer los pescados en agua con sal, laurel y perejil, se escurren y se reservan.
- Aparte, se prepara un sofrito con la cebolla y el tomate, se moja con el caldo de pescado y, cuando rompa a hervir, se añade el arroz.
- Seguidamente, se majan los ajos con un poco de perejil, se deslíen con unas cucharadas de caldo y se añaden a la sopa.
- Cuando el arroz esté tierno, se añade el pescado troceado, las almejas y los mejillones sin valvas y se sirve.

Sopa de pescado con mahonesa a la andaluza

Tiempo 45 minutos
Comensales 6 personas
Dificultad media

Ingredientes

1/2 kg de pescado de mar (merluza, pescadilla, gallo, etc.)
125 ml de mahonesa
sal

Preparación

- Se lava bien el pescado bajo el chorro de agua fría y se corta en trozos pequeños, que se ponen a cocer en agua con sal hasta que estén bien tiernos.
- Cuando estén hechos, se sacan, se quitan las espinas y se escurren.
- Gota a gota, sin cesar de remover, se le va añadiendo a la mahonesa, a través de un tamiz, el caldo de cocer el pescado, que debe estar hirviendo al echarlo.
- Se le añade el pescado y, a fuego lento, se deja que dé un hervor.
- Se sirve muy caliente.

Sopa de pescado y marisco

Tiempo 2 horas
Comensales 6 personas
Dificultad media

Ingredientes

300 g de rape
300 g de merluza
300 g de gallo de mar
6 langostinos
o gambas
3/4 kg de mejillones o almejas
2 cebollas, 2 tomates
2 zanahorias, 2 dientes de ajo
1 copa de vino blanco
1/2 copa de brandy
4 cucharadas de aceite
laurel, perejil, pimienta
sal

Preparación

- Se lava el pescado, se limpia y se corta en trozos.
- Se reservan las espinas.
- Se ponen en una cacerola los mejillones (o las almejas) y se cuecen al vapor junto con la mitad del vino blanco y el brandy, hasta que se abran.
- Se cuela el caldo y se quita una concha a los moluscos.
- Se calienta el aceite y se estofan una cebolla, las zanahorias picadas finamente y los tomates partidos en cuartos.
- Se moja con agua y la otra mitad de la copa de vino blanco, y se añaden las raspas de los pescados.
- Se hierve durante 30 minutos y se cuela el caldo.
- En una sartén aparte, se estofa la otra cebolla y el ajo picado; se añaden los pescados, los moluscos y los langostinos o gambas peladas.
- Se agregan los caldos, con el laurel, el perejil, la sal y la pimienta.
- Se deja hervir suavemente.
- Se sirve acompañada con rebanadas de pan frito.

Sopa de pimientos de Extremadura

Tiempo 45 minutos
Comensales 6 personas
Dificultad media

Ingredientes

3 pimientos rojos
200 g de pan
1 diente de ajo
100 ml de aceite
pimentón
sal

Preparación

- Se calienta el aceite en una sartén y se fríen los pimientos cortados en trocitos en compañía de un ajo.
- Cuando estén rehogados, se les añade un poco de pimentón y la sal.
- Se agrega el agua que sea necesaria y se deja cocer un rato.
- Se corta el pan en rebanadas muy finas y se tuesta.
- Se colocan en la sopera, echando por encima el caldo hirviendo.
- Esta sopa no debe quedar muy clara ni demasiado espesa.

Sopa de verduras

Tiempo 60 minutos
Comensales 4 personas
Dificultad media

Ingredientes

Un puñado de espinacas
2 puerros (sólo lo blanco)
2 coles, 300 g de guisantes
1 hueso de codillo casi sin carne
1 cucharada de maizena
1 cucharada de aceite
perejil, un pellizco de sal

Preparación

- Si las espinacas son frescas, hay que quitarles bien las hebras. Se pelan los puerros hasta dejar sólo la parte blanca.
- Se lavan las verduras y se pican muy finas (se pueden adquirir todas estas verduras en bolsas ya preparadas, pero se deben lavar muy bien).
- Se echan las verduras en una olla con litro y medio de agua fría, el hueso de codillo, el aceite y la sal, y se pone al fuego; en cuanto empiece a hervir, se mantiene media hora. Mientras, se deshace la maizena con un poco de agua fría y después con caldo de la sopa.
- Cuando haya pasado la media hora, se añade a la olla la maizena disuelta, removiendo con una cuchara de madera durante unos 5 minutos.
- Se retira el codillo y se sirve en sopera.

Sopa de yema lucense

Tiempo 1 hora y 30 minutos
Comensales 4 personas
Dificultad media

Ingredientes

4 yemas de huevo
4 cucharadas de harina
un cuarto de gallina cocida
1 l de caldo de ave
(o agua con una pastilla), sal

Preparación

- Se prepara una masa con las yemas y la harina, y se trabaja hasta que esté bien gramada. Entonces, se alarga con caldo templado hasta que se convierta en un líquido suelto.
- Seguidamente se cuela, deshaciendo bien los grumos que forma la harina, se sala y se pone a hervir, agitándola constantemente para que el huevo no se cuaje. Se pica la carne de gallina y se dispone en el fondo de la sopera; cuando el caldo esté bien cocido, se vierte sobre el ave y se sirve bien caliente.

Sopa del Mediterráneo

Tiempo 60 minutos
Comensales 5 personas
Dificultad media

Ingredientes

1 lenguado grande
1 pescadilla pequeña
400 g de salmonetes
2 cabezas de merluza
2 zanahorias
2 dientes de ajo
3 cucharadas de aceite
1 limón
azafrán
pimentón
perejil
pimienta negra
sal
pan frito

Preparación

- Se limpian los pescados y se ponen a cocer durante 10 minutos en un caldo que tendrá las zanahorias partidas, medio limón, el perejil y la pimienta negra.
- Se sacan los pescados, se limpian de piel y espinas, y se cortan en trozos no muy grandes.
- Se cuela el caldo y se reserva.
- Aparte, se calienta el aceite y se fríe el ajo entero; se saca a un mortero y se machaca junto con unas hebras de azafrán, un poco de perejil, sal y pimienta.
- Se refríe en el aceite media cucharada de pimentón y se echa sobre el caldo reservado, junto con el pescado y el majado del mortero.
- Se da un hervor y se sirve con tropezones de pan frito.

Sopa ibicenca

Tiempo 1 hora y 30 minutos
Comensales 6 personas
Dificultad media

Ingredientes

1/4 kg de pan
1 cebolla
2 tomates
ajo
2 huevos
1 y 1/2 l de caldo
4 cucharadas de aceite
sal

Preparación

- Se corta el pan, que debe ser candeal, en rebanadas muy finas que se tuestan hasta que tomen un color dorado.
- En una cazuela de barro se fríen la cebolla, los tomates y un diente de ajo, todo ello trinchado, y se rehogan hasta que la cebolla se ponga tan rojiza como sea posible, pero sin que llegue a quemarse; luego se añade el caldo o agua y se deja hervir largo rato.
- Después se pasa por un colador fino y se devuelve a la cazuela, dejándolo hervir de nuevo.
- Se adiciona el pan tostado para que absorba el caldo; se baten un par de huevos y se extienden por encima de las sopas; se ponen en el horno para gratinar.
- Cuando hayan cuajado, se sirven.

Sopa juliana

Tiempo 45 minutos
Comensales 6 personas
Dificultad media

Ingredientes

1/4 kg de repollo
1/4 kg de guisantes
200 g de zanahorias
1 cebolla
2 puerros
2 nabos
150 g de puntas de espárragos
200 g de jamón serrano
8 cucharadas de salsa de tomate
1 y 1/4 l de caldo
(o agua con una pastilla)
4 cucharadas de aceite
pimienta
sal

Preparación

- Se cortan en tiritas finas el jamón, las zanahorias, la cebolla, el puerro, los nabos y el repollo.

- Se rehogan en aceite.
- Se añade la salsa de tomate, el caldo, los guisantes y las puntas de espárragos.
- Se deja cocer lentamente media hora.
- Se sirve muy caliente, después de rectificar de sal y pimienta.
- A esta sopa se le puede añadir una tortilla francesa cortada muy fina.

Sopa mallorquina

Tiempo 60 minutos
Comensales 4 personas
Dificultad media

Ingredientes

1/4 kg de repollo
250 g de cebolletas
200 g de tomates
6 dientes de ajo
rebanadas de pan
2 cucharadas de aceite
perejil
pimentón
pimienta
sal

Preparación

- En una cazuela de barro se fríen 6 dientes de ajo y se retiran.
- A continuación, se sofríen en este aceite las cebolletas y el tomate picado, sin piel ni semillas.
- Cuando estén casi a punto, se añade el pimentón e inmediatamente el repollo cortado muy fino, se da una vuelta y se incorporan el agua necesaria y un majado hecho con los ajos fritos, perejil, sal y pimienta.
- Una vez tierno el repollo, se rectifica de sal y se agregan rebanaditas de pan.
- Se lleva a ebullición nuevamente, se retira y se sirve.

Tarta de almendra de Santiago

Tiempo 1 hora y 30 minutos
Comensales 6 personas
Dificultad media

Ingredientes

Para la masa:
100 g de harina
3 cucharadas de leche
3 cucharadas de aceite
1 vaso de agua, una pizca de sal
Para el relleno:
200 g de almendras crudas molidas
200 g de azúcar, 4 huevos
ralladura de limón
azúcar glas, canela en polvo

Preparación

- Se amasan los ingredientes de la pasta y se dejan en sitio fresco. Se extiende la masa en una capa muy fina y se forra con ella un molde redondo bajo.
- Para preparar el relleno, se baten los huevos con el azúcar, la ralladura de limón y la canela, hasta que estén esponjosos. Con una espátula se van añadiendo las almendras poco a poco.
- Se rellena la tartaleta con esta mezcla y se cuece a horno flojo.
- Se recorta en papel una cruz de Santiago o una vieira, se coloca en el centro de la tarta, ya horneada, y se espolvorea con azúcar glas, quedando el dibujo en oscuro.

Tarta de calabaza

Tiempo 1 hora y 15 minutos
Comensales 4 personas
Dificultad media

Ingredientes

1 kg de calabaza
1/4 kg de azúcar
4 huevos
50 g de harina
1/4 l de leche
5 cucharadas de nata líquida
50 g de pasas de Corinto
mantequilla, nuez moscada, canela
ralladura de limón, sal

Preparación

- Se corta la calabaza en trozos gruesos y se ponen a cocer en agua hirviendo con sal durante 10 minutos.
- A continuación se pela, se aplasta la pulpa y se pone a escurrir en un paño atado durante varias horas.
- Se baten los huevos junto con la leche, el azúcar, la harina y la nata.
- Se incorpora el puré de calabaza bien escurrido y las pasas remojadas.
- Se aromatiza la mezcla con ralladura de limón, nuez moscada y canela.
- Se vierte en un molde para tarta previamente engrasado con mantequilla y se cuece al baño María en el horno durante 40 minutos.
- Se deja enfriar y se sirve.

Tarta de frutos secos

Tiempo 60 minutos
Comensales 4 personas
Dificultad media

Ingredientes

30 g de almendras picadas

30 g de nueces picadas
30 g de avellanas picadas
50 g de pasas de Corinto
100 g de harina
100 g de azúcar moreno
4 huevos, la corteza rallada de un limón

Preparación

- Se separan las claras de las yemas y se baten estas últimas con la mitad del azúcar.
- Se añade la harina, la corteza de limón rallada, las claras batidas a punto de nieve y el resto del azúcar.
- Se mezcla todo muy bien y se incorporan las pasas, previamente remojadas, y los frutos secos.
- Se vierte la preparación en un molde engrasado y se cuece en el horno a temperatura media durante tres cuartos de hora.

Tarta de queso

Tiempo 60 minutos
Comensales 6 personas
Dificultad media

Ingredientes

100 g de requesón
1 yogur desnatado
150 g de bizcochos
1/4 kg de limones
1 paquete de gelatina de limón
100 g de mantequilla
80 g de margarina
80 g de azúcar moreno
2 vasos de leche
nata
virutas de chocolate

Preparación

- Se deshacen los bizcochos en migas y se mezclan con la mantequilla derretida y el azúcar. Con esta pasta se forra un molde de tarta y se mete en el frigorífico para que se endurezca.
- En un cazo se hierve la leche con la margarina; cuando esté, se echan en el vaso de la batidora, junto con el paquete de gelatina de limón y el zumo de los limones.
- Se bate hasta conseguir una mezcla suave. Luego se añaden el requesón y el yogur desnatado y se bate bien hasta que la mezcla esté espumosa.
- Se vierte la mezcla en el molde forrado con los bizcochos y se vuelve a meter en el frigorífico para que se afirme.
- Se puede adornar con nata batida y virutas de chocolate.

Tejas almendradas

Tiempo 45 minutos
Cantidad unas 40 tejas
Dificultad media

INGREDIENTES

3 claras de huevo
150 g de azúcar
150 g de almendras molidas
15 g de harina

PREPARACIÓN

- Se pasan las almendras por una sartén para secarlas, pero sin que tomen color.
- Se calienta el horno a 175 ºC.
- Se baten las claras con el azúcar hasta que suban a punto de nieve, se añade la harina despacio y, finalmente, las almendras previamente molidas.
- Se vierte esta masa sobre una placa de horno engrasada y se hornea 10 minutos.
- Pasado ese tiempo, y con rapidez, se da forma a las tejas ayudándose de un rodillo de cocina.
- Hay que hacerlo rápidamente, ya que la masa se enfría enseguida y queda dura.

Tejas de almendra

Tiempo 60 minutos
Cantidad unas 30 tejas
Dificultad media

INGREDIENTES

100 g de almendras fileteadas
120 g de azúcar
30 g de harina, vainilla
30 g de mantequilla, más un poco para engrasar
1 huevo entero
1 clara de huevo

PREPARACIÓN

- Se mezclan el azúcar y la harina; se bate el huevo entero con la clara, y se unen a la mezcla anterior.
- Se añaden también la mantequilla fundida y un polvillo de vainilla.
- Cuando la masa esté hecha, se añaden las almendras y se deja reposar hasta el día siguiente en recipiente tapado y sitio fresco.
- Si la pasta estuviera demasiado floja, se puede añadir un poco más de almendras molidas.
- Se engrasa una placa de horno con mantequilla y, con ayuda de una cucharilla de postre, se van poniendo encima montoncitos de pasta, que se extienden después con la espátula.

- Hay que colocarlos bastante separados, porque en el horno crecen.
- Se cuecen durante 7 u 8 minutos, hasta que se doren.
- Todavía en caliente, se les da forma de teja enrollándolos en un tarro vacío o en el rodillo de amasar.
- Se dejan enfriar y se espolvorean de azúcar glas.
- Las tejas cuanto más finas, son más exquisitas.

Ternera a la jardinera

Tiempo 60 minutos
Comensales 4 personas
Dificultad media

Ingredientes

1 kg de aguja de ternera
1/2 kg de guisantes
1/2 kg de alcachofas
200 g de zanahorias
100 g de espárragos
100 g de nabos
2 cebollas
1 vaso de vino blanco
200 ml de aceite
laurel, pimienta, sal

Preparación

- Se corta la carne en dados y se saltea en aceite bien caliente.
- Cuando esté dorada, se va pasando a una cazuela y se reserva.
- En el aceite que haya quedado, se saltea la cebolla muy menuda, hasta que esté dorada; entonces, se añaden las zanahorias y los nabos cortados en rodajas.
- Mientras tanto, se cuecen los guisantes (pueden ser congelados).
- Se preparan las alcachofas sin tallos ni hojas y los corazones se cuecen en agua con sal.
- Se hierven también las puntas de los espárragos.
- Mientras, se pone la carne a cocer con el sofrito de cebolla, zanahorias y nabos, con el vaso de vino blanco, laurel, sal y pimienta.
- Al cabo de 30 minutos, se añaden los vegetales cocidos y se dejan a fuego lento otros 10 minutos.
- Se prueba el punto de la carne y, si es necesario, se añade un poco del caldo de cocer los vegetales.
- El resto del caldo se guarda para una sopa.

Ternera a la montañesa (Santander)

Tiempo 45 minutos
Comensales 6 personas
Dificultad media

INGREDIENTES

1 kg de pierna de ternera
1 cebolla
1 vaso de vino blanco
1 cacillo de caldo de huesos
harina
100 ml de aceite
pimienta, sal

PREPARACIÓN

- Se corta la carne en pedazos de unos 4 centímetros, se sazona con sal y pimienta, se reboza con sumo cuidado en harina y se fríe en el aceite caliente.
- Una vez frita, se separa la carne, que se reserva y, en el mismo aceite, se dora la cebolla picada.
- Se añade después el vino y también el caldo, dejándolo hervir hasta que la cebolla se deshaga.
- Se cubre la carne con esta salsa y se coloca en una fuente para servirla bien caliente.

Ternera al asador con finas hierbas

Tiempo 2 horas
Comensales 15 personas
Dificultad media

INGREDIENTES

3 kg de ternera (contra, redondo, babilla, etc.)
200 g de tocino cortado en tiras gruesas, vino blanco, maizena
50 g de mantequilla
10 cucharadas de aceite
1 vaso de vinagre, 80 g de finas hierbas
1 rama de perejil, 1 rama de tomillo
20 g de pimienta negra, 15 g de sal

PREPARACIÓN

- Se escoge un buen trozo de ternera de la parte de la contra, babilla o redondo, se sazona con sal, pimienta y finas hierbas.
- Se mecha con el tocino y se pone a dorar en un recipiente con aceite.
- Se añade un poco de tomillo, perejil, vino blanco, pimienta negra machacada y un poco de aceite.
- Cuando haya tomado el gusto de todos estos ingredientes, se mete en el horno, echando por encima todo el condimento del adobo; se envuelve

bien con 2 hojas de papel blanco untado con mantequilla.

- Se asa a fuego lento, después se quita el papel y se levantan con un cuchillo todas las hierbecillas que han quedado pegadas entre el papel y la carne; estas hierbas se ponen en una cazuela con un poco del jugo del asado y se agrega un poquito de vinagre.
- Se liga bien con un poco de maizena desleída en vino blanco, que se agrega cuando el jugo esté cociendo.
- Se espuma la salsa, se rectifica de sal y pimienta, y se pasa por un colador muy fino.
- Se vierte el jugo en el fondo de la fuente y la ternera se coloca encima cortada en láminas gruesas.

Ternera guisada en sartén

Tiempo 1 hora y 15 minutos
Comensales 4 personas
Dificultad media

Ingredientes

3/4 kg de falda de ternera
3/4 kg de patatas
1/4 kg de cebollas, ajos
1 vaso de vino blanco, caldo
4 cucharadas de aceite
pimentón dulce
pimentón picante, sal

Preparación

- En una sartén grande se calienta el aceite y se rehogan la cebolla cortada en rodajas, la carne partida en trozos, un par de dientes de ajo, el vaso de vino blanco, una cucharada de pimentón, un cacillo de caldo, las patatas cortadas en trozos pequeños y un poquito de pimentón picante.
- Se tapa la sartén y se deja cocer a fuego lento, hasta que la carne está muy tierna; entonces, se sirve.

Terrina campera

Tiempo 2 horas y 15 minutos
Comensales 8 personas
Dificultad media

Ingredientes

3/4 kg de carne de ternera picada
350 g de tocino entreverado en lonchas
400 g de hígado de ternera
1 cebolla grande, 2 dientes de ajo
1 y 1/2 cucharadas de puré de tomate
1/2 vaso de vino tinto seco
120 g de mantequilla, 4 hojas de laurel, hierbas aromáticas (salvia, orégano, etc.)
pimienta recién molida
sal

PREPARACIÓN

- Se quitan la corteza y los huesecillos que pudiera tener el tocino y se estiran las lonchas con la hoja de un cuchillo.
- Con estas lonchas se guarnece el interior de una terrina de un litro de capacidad, de forma que queden colgando sobre los bordes.
- Se limpia el hígado, despojándole de las partes duras, y se pasa por la trituradora.
- Se pica la cebolla muy fina y se mezcla con el hígado y la ternera picada en un recipiente grande.
- Allí se añaden también los ajos majados, luego el puré de tomate, la salvia y el orégano, y se mezcla todo perfectamente con la mantequilla derretida y el vino tinto necesario para lograr una pasta jugosa, pero no encharcada; se sazona con sal y pimienta recién molida.
- Se pone esta mezcla en la terrina sobre las lonchas de tocino, luego se cubre con las hojas de laurel y se tapa todo con la parte colgante de las lonchas de tocino.
- Se cubre el recipiente con su tapa, o bien con una hoja de papel de estaño bien sujeta, y se mete en el horno a una temperatura de 180 ºC durante 2 horas.
- Luego se quita la tapa, se cubre con una nueva hoja de papel de estaño y se prensa poniendo un peso encima durante una noche.
- Pasada ésta, podrá servirse.

Terrina de caza

Tiempo 30 minutos
Comensales 6 personas
Dificultad media

INGREDIENTES

350 g de carne de caza
90 g de mantequilla
un ramito de mejorana
un ramito de tomillo
pimienta negra, sal

PREPARACIÓN

- La carne, que puede ser de cualquier pieza de caza, se corta en trozos pequeños y se pasa por la batidora.
- Una vez picada, se sazona con las especias, la sal y la pimienta negra, y se rehoga con unos 60 g de mantequilla durante 5 minutos; después, se deja enfriar en un pote de barro.
- Se calienta el resto de la mantequilla hasta que se forme espuma, entonces se pasa a través de una muselina y se vierte sobre la carne, enfriándola en la nevera.
- Este preparado se puede usar para relleno de emparedados o como pri-

mer plato, acompañado de unas tostadas de pan o también acompañado de una ensalada.
- Si no se consume entera, conviene cubrir la zona del corte con una lámina de plástico transparente.

Tocinillo de cielo

Tiempo 45 minutos
Comensales 4 personas
Dificultad media

Ingredientes

2 huevos enteros
3 yemas de huevo
250 g de azúcar
1 y 1/2 vasos de agua
caramelo líquidovainilla en rama

Preparación

- Con un trocito de vainilla, el azúcar y el agua se prepara un almíbar que se deja cocer a fuego lento aproximadamente durante 20 minutos, hasta que esté a punto de hebra fina.
- Se baten bien los huevos con las yemas, se incorpora el almíbar templado y se vierte la mezcla en un molde previamente caramelizado.
- Se mete el molde en el horno (cubierto por un paño) y se deja cocer al baño María durante 20 minutos.
- Una vez frío, se desmolda en una fuente y se sirve.

Tocino de cielo

Tiempo 60 minutos
Comensales 4 personas
Dificultad media

Ingredientes

6 huevos enteros
8 yemas de huevo
4 tazas grandes de azúcar
4 y 1/2 tazas grandes de agua

Preparación

- Se prepara un almíbar con el agua y el azúcar y, cuando rompa a hervir, se remueve y se deja al fuego durante unos 25 minutos, hasta que adquiera un punto consistente.
- Se deja enfriar.
- Se baten los huevos enteros con las yemas y se mezclan con el almíbar.
- La masa se vierte en un molde de aluminio previamente caramelizado.
- Se cuece al baño María hasta que cuaje.
- Se deja enfriar y se desmolda.
- Se sirve cortado en daditos colocados sobre papelinas, como las de las magdalenas.

Torrijas

Tiempo 45 minutos
Comensales 4 personas
Dificultad media

INGREDIENTES

12 rodajas de pan
de torrijas
1 l de leche
1/2 envase de leche
condensada
3 huevos
6 cucharadas
de azúcar
más un poco
para espolvorear
canela en polvo
aceite para freír

PREPARACIÓN

- Se calienta la leche y, cuando esté, se mezcla con la leche condensada.
- Se mantiene en el fuego hasta que comience a hervir.
- Se remojan las rebanadas de pan en esta mezcla durante unos 10 minutos.
- Una vez bien empapado el pan, se pone a escurrir.
- Se baten bien los huevos con el azúcar, se calienta abundante aceite en una sartén honda, se rebozan las rebanadas de pan con el huevo batido y se fríen.
- Una vez fritas, se espolvorean con azúcar y canela a voluntad.

Torrijas al vino blanco

Tiempo 60 minutos
Comensales 8 personas
Dificultad media

INGREDIENTES

1 barra de pan para torrijas
1 l de vino blanco
250 g de azúcar
1 palo de canela en rama
cáscara de limón
cáscara de naranja
huevo batido
aceite de oliva

PREPARACIÓN

- El pan especial para torrijas es preferible que sea del día anterior para evitar que, por estar excesivamente tierno, se rompa al mojarlo.
- Se cortan rebanadas gruesas.
- Se pone a cocer el vino con el resto de los ingredientes y se vuelca caliente sobre las rebanadas de pan.
- Se dejan empapar bien, se escurren y se pasan por huevo batido.
- Se fríen en abundante aceite hir-

viendo y, nada más sacarlas, se pasan por azúcar o por una mezcla de azúcar y canela.

- También puede mojarse el pan con medio litro de leche y tres cucharadas de azúcar y, después de fritas las torrijas, cubrirse con almíbar preparado.

Tortilla de bacalao y pimientos

Tiempo 30 minutos
Comensales 4 personas
Dificultad media

INGREDIENTES

8 huevos
400 g de bacalao desalado
2 pimientos verdes, aceite de oliva
perejil, sal

PREPARACIÓN

- En una sartén con aceite se fríen los pimientos cortados en juliana.
- Seguidamente, se incorpora el bacalao desmenuzado y perejil picado.
- Una vez rehogado el conjunto, se baten los huevos, se añade la preparación anterior y se forma una tortilla como de costumbre.
- Se decora con una rama de perejil y se sirve.

Tortilla de bonito

Tiempo 15 minutos
Comensales 4 personas
Dificultad media

INGREDIENTES

5 huevos
1 lata mediana de bonito
1 cebolla, aceite de oliva
perejil, pimienta, sal

PREPARACIÓN

- En una sartén con aceite se rehoga la cebolla, previamente pelada y picada.
- A continuación, se añade el bonito, escurrido y desmenuzado, y perejil picado, dejándolo rehogar unos minutos.
- Seguidamente, se baten los huevos, se sazonan con sal y pimienta y se vierten en una sartén con aceite.
- Cuando empiecen a cuajarse, se incorpora el guiso de bonito, se dobla la tortilla y se sirve enseguida espolvoreada de perejil picado.

Tortilla de patatas en salsa

Tiempo 60 minutos
Comensales 6 personas
Dificultad media

Ingredientes

8 huevos
3/4 kg de patatas
100 g de jamón serrano
1 cebolla
1 diente de ajo
1 cucharada de harina
1 copa de vino blanco
aceite de oliva
azafrán, perejil, sal

Preparación

- Se mondan y cortan las patatas en rodajas finas y se fríen en una sartén con abundante aceite hasta que empiecen a dorarse.
- Seguidamente, se sacan, se escurren y se mezclan con los huevos batidos, formando una tortilla redondeada y dorándola por ambos lados.
- En una sartén aparte se rehoga la cebolla picada y, una vez blanda, se añade el jamón cortado a dados y la harina.
- Se riega el sofrito con el vino y un tazón de agua y se añaden el ajo, perejil y hebras de azafrán majados en el mortero y diluidos con unas cucharadas de agua.
- Se deja cocer esta salsa aproximadamente durante un cuarto de hora y se vierte sobre la tortilla, previamente troceada y dispuesta en una cazuela (preferiblemente de barro).
- Se da un pequeño hervor y se sirve inmediatamente.

Tortilla española

Tiempo 45 minutos
Comensales 4 personas
Dificultad media

Ingredientes

6 huevos, 1/2 kg de patatas
1 cebolla pequeña, aceite, sal

Preparación

- Se pelan las patatas, se lavan y se cortan en lonchas finas.
- Se mezclan con la cebolla cortada en juliana y se fríen en aceite hasta que estén blandas.
- Se sacan y se escurren bien.
- Se baten los huevos, sin que se forme espuma, ya que al cuajarse se endurece y resta jugosidad a la tortilla.
- Se añaden las patatas, se mezclan y se sazona al gusto.

- Se calienta un mínimo de aceite en una sartén de base gruesa y, cuando humee, se vierte en ella la mezcla de patatas y huevos.
- Pasados unos instantes, se mueve la sartén para que la tortilla no se agarre, mientras se redondean los bordes con una espumadera.
- Se baja el fuego y, cuando la tortilla se deslice por la sartén, se coloca un plato hondo boca abajo sobre ella, dándole la vuelta con un golpe seco, de modo que la tortilla quede en el plato.
- Se vuelve a poner la sartén en el fuego, se engrasa de nuevo y se desliza en ella la tortilla por el lado crudo para que se dore, sacudiendo fuertemente la sartén para que la tortilla quede cuajada.
- Entretanto, se siguen redondeando los bordes con la espumadera.

Tortilla paisana con jamón

Tiempo 45 minutos
Comensales 4 personas
Dificultad media

Ingredientes

6 huevos, 2 patatas, 1 cebolla
100 g de guisantes cocidos
100 g de judías verdes cocidas
75 g de jamón serrano
1 zanahoria cocida
aceite de oliva
pimienta
sal

Preparación

- Se calienta una sartén con aceite y se fríen las patatas mondadas y cortadas en dados pequeños, junto con la cebolla picada.
- Cuando estén casi cocidas, se incorpora el jamón cortado en daditos, añadiendo a continuación los guisantes, la zanahoria y las judías, ambas troceadas.
- Una vez rehogado el conjunto se baten los huevos con un poco de sal y pimienta, se mezclan con las hortalizas y se vierte en una sartén con aceite, cuajando la tortilla.

Tortilla pirenaica

Tiempo 45 minutos
Comensales 4 personas
Dificultad media

Ingredientes

8 huevos, 4 patatas
100 g de jamón serrano
100 g de queso rallado, 1 pimiento
1 cebolla, aceite de oliva, sal

Preparación

- Se rehogan con aceite el jamón cortado en dados y la cebolla picada.
- Aparte, se fríen las patatas cortadas en rodajas y el pimiento troceado.
- Se baten los huevos junto con el queso y una pizca de sal; se añaden el jamón, la cebolla y las patatas.
- Se mezcla todo y se cuaja la tortilla.

Truchas al vino tinto

Tiempo 45 minutos
Comensales 6 personas
Dificultad media

Ingredientes

6 truchas, 1/2 l de vino tinto
2 zanahorias, 1 cebolla
4 cucharadas de vinagre
2 l de agua
10 ml de nata líquida
laurel
perejil
pimienta
sal

Preparación

- Se hace un caldo concentrado con el agua, el vino tinto, las zanahorias peladas y cortadas en juliana fina, la cebolla en tiras finas, el laurel, el perejil, sal y granos de pimienta.
- Las truchas se limpian bien y se rocían con el vinagre caliente para que se blanqueen. Se sacan y se cuecen en el caldo de vino.
- Se deben poner a cocer en una rustidera donde las truchas no estén una sobre otra. Deben cocer tapadas durante 15 minutos.
- Se sacan del caldo, se les quita la piel y se colocan en una fuente alargada, se cubren con una salsa que se hará con el caldo resultante de cocer las truchas, perfectamente limpio, al que se le añade un poco de nata líquida.
- Se sirven muy calientes, acompañadas de espárragos y patatas hervidas.

Truchas con jamón

Tiempo 30 minutos
Comensales 4 personas
Dificultad media

Ingredientes

4 truchas
4 lonchas de jamón curado
1 pimiento morrón
harina
salsa de tomate
aceite, sal

Preparación

- Se vacían, escaman y limpian bien las truchas.
- Se salan por ambos lados y se dejan en reposo durante 10 minutos para que la sal penetre bien.
- Transcurrido ese tiempo, se abren por el lado de la tripa y se pone una loncha de jamón en su interior.
- Para cerrarlas y que no se abran, se les clava un palillo pequeño.
- Se pasan por harina y se fríen en abundante aceite, hasta que queden bien doradas.
- Se escurren y se colocan en una fuente, sobre un lecho de salsa de tomate bien caliente, mezclada con las tiras de pimiento morrón.
- Se sirven bien calientes.

Truchas fritas a la orensana

Tiempo 30 minutos
Comensales 6 personas
Dificultad media

Ingredientes

12 truchas
1/4 kg de harina de maíz
200 g de unto de cerdo
limón
sal

Preparación

- Limpias y abiertas las truchas, que deben tener buen tamaño, se envuelven en harina de maíz, procurando que queden bien rebozadas.
- En una sartén se derrite y calienta el unto de cerdo hasta que alcance la temperatura adecuada y entonces, se fríen en él las truchas hasta que estén bien doradas.
- Se sirven acompañadas con rodajas de limón.

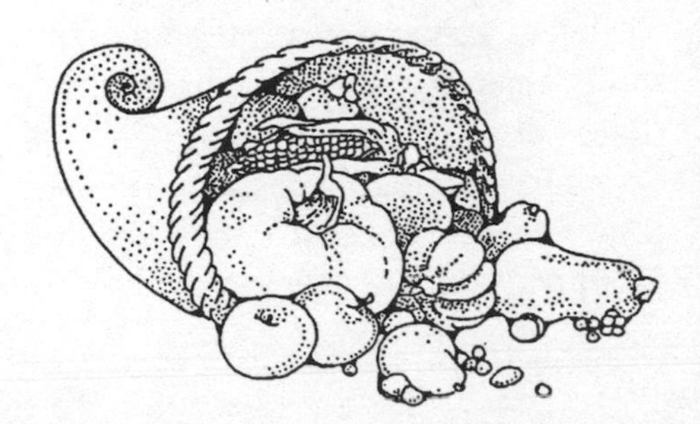

Turrón de almendras

Tiempo 60 minutos
Comensales 4 personas
Dificultad media

Ingredientes

1 kg de almendras crudas
1 kg de miel de romero
1/2 kg de azúcar
2 claras de huevo
ralladura de limón, aceite

Preparación

- Se forran unos moldes pequeños y planos con papel engrasado con aceite fino.
- Se pone el horno a calentar a fuego moderado y se meten las almendras, previamente peladas, en una bandeja para que se sequen.
- No hay que dejar que tomen color.
- Se pone la miel a cocer lentamente hasta que consuma el agua que pueda contener.
- Se añade el azúcar y se mezcla bien.
- Se montan las claras a punto de nieve denso y se van incorporando a la miel, dejando que cueza hasta que llegue al punto de caramelo.
- Se retira del fuego y se agrega la ralladura de limón, así como las almendras aún calientes.
- Se vierte esta masa en los moldes aceitados y se prensa, dejando que no sea demasiado gruesa, ya que es difícil de cortar.
- Para ello, una vez prensado, se coloca encima un papel engrasado, una tablilla del mismo tamaño que el molde y encima se coloca algo pesado.
- Se deja enfriar y listo para degustarse.

Turrón de Jijona

Tiempo 45 minutos
Cantidad una barra de 2 kg
Dificultad media

Ingredientes

500 g de azúcar
400 g de almendras peladas y tostadas
500 g de miel
400 g de avellanas peladas y tostadas
6 claras de huevo

Preparación

- Se trituran las almendras y avellanas hasta que se conviertan en polvo.
- Se baten las claras a punto de nieve y se añaden con cuidado las almendras y avellanas molidas.

- Se pone la miel en un cazo grande, se acerca al fuego y, cuando esté muy fluida, se añade el azúcar.
- En cuanto se deshaga, se deja hervir hasta conseguir un jarabe a punto de bola blanda.
- Se une este jarabe con las almendras, las avellanas y las claras de huevo y se mezcla bien.
- Se preparan unas cajitas de madera (para que se ventile por los laterales) forradas con papel (no de plata), o unas cajas de cartulina.
- Se llenan con la pasta y se deja reposar varios días.
- También se pueden recubrir las cajas con obleas.

Turrón de yema

Tiempo 30 minutos
Cantidad 1 barra de 2 kg
Dificultad media

Ingredientes

12 yemas de huevo
1 kg de almendras
1 kg de azúcar
2 g de crémor tártaro
1 limón
aceite de almendras dulces
(o aceite de oliva)
agua

Preparación

- Se escaldan las almendras para pelarlas, se extienden en una fuente amplia y se dejan secar bien.
- Se muelen muy finas.
- En un cazo grande se pone el azúcar y se cubre con agua hasta taparlo.
- Se añade el crémor tártaro y se hace hervir hasta conseguir un almíbar a punto de hebra.
- Se incorporan entonces las almendras molidas y la ralladura de limón.
- Se revuelve y se mezcla bien.
- A esta pasta de almendra se agregan las yemas de huevo, una a una y moviendo deprisa.
- Se vuelve a colocar al fuego y se cuece, removiendo constantemente, hasta que la pasta adquiera una consistencia tal que se desprenda de las paredes del cazo.
- Con esta mezcla se llenan unos moldes (sirven las bandejas del hielo de la nevera), previamente engrasados con aceite de almendras dulces o forrados con papel engrasado con aceite.
- Se cubren con una tapa algo más pequeña que el molde y se pone encima un peso para que lo comprima.
- Se mantiene en el molde unas 4 o 5 horas, se saca, se corta en barritas y se sirve. Si se desea mejorar la presentación del turrón, puede cubrirse la superficie con azúcar y quemarlo.

Txangurro

Tiempo 60 minutos
Comensales 4 personas
Dificultad media

Ingredientes

2 centollos
1 cebolla
1 puerro
2 zanahorias
1 diente de ajo
1/2 vasito de nata líquida
1 copa de jerez
salsa de tomate
pan rallado
mantequilla
perejil
pimienta blanca, sal

Preparación

- Txangurro es la denominación que recibe en el País Vasco el centollo y, por derivación, el plato que con él se prepara.
- El modo de cocerlo es el siguiente: en una olla se hierven con abundante agua salada la cebolla, el puerro y las zanahorias, todo partido en juliana.
- Cuando alcance la ebullición, se introduce el centollo, que debe cocer aproximadamente 25 minutos, según el tamaño y el peso.
- Después se saca y se deja enfriar.
- Hay que saber trocear el centollo para aprovechar bien la carne y no desperdiciar nada.
- Se quitan las barbas de la parte inferior y a la altura de la boca y, ayudándose de un cuchillo, se hace una pequeña hendidura y se presiona con las manos, de tal modo que se divida la pieza en dos.
- El caparazón limpio servirá para presentar el plato.
- Hay que saber limpiar las patas y después la carne de dentro, suprimiendo telillas y zonas cartilaginosas.
- En una sartén con aceite se echan el puerro, las zanahorias y la cebolla que ha servido para hervir los centollos.
- Se desmiga la carne de éstos y, junto al líquido que llevan dentro, se añaden a la sartén.
- Se le da vueltas y se mezcla, añadiéndole una copa pequeña de jerez, más la salsa de tomate y, poco a poco, la nata, hasta obtener una crema ni muy líquida ni muy espesa.
- Se reparte la salsa obtenida entren los dos caparazones limpios de los centollos, se vierte un poco de mantequilla derretida por encima y se mete en el horno a gratinar, añadiendo pan rallado y perejil muy picado.

Vaca con tomate

Tiempo 1 hora y 30 minutos
Comensales 6 personas
Dificultad media

Ingredientes

1 kg de lomo de vaca en una pieza
1 kg de tomates
50 g de puntas de jamón
100 g de cebolla
1 vaso de vino blanco
caldo
50 g de manteca de cerdo
hierbas
pimienta
sal

Preparación

- Se limpia la carne, quitándole cuanto no sea comestible, y después se le hacen numerosas incisiones en todos los sentidos; en cada una de ellas se pone una bolita de manteca, espolvoreada con una pizca de pimienta y tapando después con un trocito de jamón.
- Hecho este mechado, se espolvorea el trozo de carne con sal y se pone en una cacerola honda donde se rehoga con manteca hirviendo, al mismo tiempo que la cebolla partida en trozos.
- A los 5 o 6 minutos, se añaden los tomates pelados y partidos y, cuando estén fritos, se agregan el vino y la cantidad de caldo o agua caliente necesaria para que la carne quede cubierta.
- Se sazona con sal y pimienta y se añade el ramillete de hierbas.
- Se tapa bien la cacerola y se pone a cocer a fuego lento hasta que la carne esté tierna, lo que tardará por lo menos una hora.
- Para servirla, se parte en lonchas y se vierte por encima la salsa colada.

Vieiras a la gallega

Tiempo 45 minutos
Comensales 6 personas
Dificultad media

Ingredientes

12 vieiras
200 g de jamón serrano
1 cebolla grande
2 huevos cocidos
6 cucharadas
de pan rallado
1 cucharada rasa
de pimentón
el zumo de 2 limones
200 ml de aceite
perejil
sal gorda

PREPARACIÓN

- Se abren las vieiras crudas, como las ostras, con la punta de un cuchillo fuerte.
- Se separa la carne de la concha y se lava bien, retirando una bolsa oscura que tienen en su interior. Se deben lavar cuidadosamente las conchas, raspándolas si fuera preciso para que queden perfectamente limpias.
- Después de lavarlas bien, las vieiras se secan con un paño y se rocían con el zumo de limón y un poco de sal.
- Se colocan de nuevo en su concha.
- Se mezclan, en frío, la cebolla muy triturada, los huevos duros picados, el perejil, el jamón troceado pequeño, el pimentón y el pan rallado.
- Se reparte esta mezcla sobre las vieiras, apretándola bien.
- Se colocan las conchas con el relleno en una bandeja de horno, a la que se le habrá puesto un lecho de sal gorda, para evitar que se vuelquen.
- En el momento de cocerlas en el horno, se rocían con el aceite.
- Se deben hornear unos 20 minutos aproximadamente y se sirven muy calientes.

Vieiras gratinadas al estilo de Galicia

Tiempo 30 minutos
Comensales 4 personas
Dificultad media

INGREDIENTES

6 vieiras grandes
2 dientes de ajo
4 cebolletas
3 cucharadas de pan rallado
3 cucharadas de aceite
de oliva, nuez moscada
perejil, pimienta, sal

PREPARACIÓN

- Para hacer este plato se eligen vieiras con las conchas lo más grandes posible.
- Se abren con un golpe de calor en el horno y se saca la bolsa de tierra.
- En una sartén se calienta el aceite y se saltean las cebolletas con el ajo muy picaditos, hasta que estén transparentes y melosas.
- Con esta mezcla se cubre la carne de la vieira, previamente salpimentada.
- Se espolvorea con el pan rallado, perejil picado y un poco de nuez moscada, y se meten a horno fuerte durante 15 minutos.
- Se sirven muy calientes.

Yemas de coco

Tiempo 30 minutos
Cantidad unas 35 yemas
Dificultad media

Ingredientes

250 g de coco rallado fresco
250 g de azúcar
azúcar para rebozar
1 vasito de agua

Preparación

- Se pone al fuego un vasito de agua con el azúcar.
- Se mueve mientras se disuelve y se deja cocer 5 minutos hasta que se haga un almíbar a punto de hebra fuerte.
- Se añade el coco y se amasa bien.
- En caliente, se forman unas bolitas del tamaño de una yema de huevo, se rebozan en azúcar y se colocan en moldecitos de papel rizado.

Yemas de santa Teresa

Tiempo 30 minutos
Comensales 4 personas
Dificultad media

Ingredientes

12 yemas de huevo
200 g de azúcar
125 ml de agua, azúcar glas

Preparación

- Se prepara un almíbar con el azúcar y el agua hasta que esté bien mezclado y denso.
- Se baten las yemas y se van vertiendo, muy despacio, sobre el almíbar, siempre removiendo suavemente.
- Se pone al fuego, sin dejar de remover, hasta que esté bien caliente y espese.
- Se retira del fuego y se deja enfriar.
- Una vez fría la pasta, se trabaja con azúcar glas en la cantidad que admita; se van cogiendo pequeñas porciones de la pasta, se les da forma de bolita y se colocan sobre una placa de horno previamente engrasada.
- Finalmente, se pone un poco de azúcar encima de cada bolita y se meten al horno solamente unos minutos.
- Cuando se sacan, se colocan en moldecitos de papel rizados del tamaño adecuado.

- Para aromatizar el almíbar, se puede añadir un trozo de canela en rama y otro de corteza de limón. Ambas se retirarán cuando la pasta haya espesado.

Zarzuela de mariscos

Tiempo 45 minutos
Comensales 6 personas
Dificultad media

Ingredientes

250 g de langostinos
250 g de cigalas
1/2 kg de almejas
1/2 kg de gambas
1/2 kg de cangrejos
1 cebolla
3 dientes de ajo
1 cucharada de salsa de tomate
200 ml de aceite
perejil picado
azafrán
pimentón
pimienta, sal

Preparación

- Se pelan los langostinos, las gambas y las cigalas, y se reservan.
- Se ponen las cáscaras a cocer con muy poca cantidad de agua.
- Se limpian bien las almejas, frotándolas con sal, y se ponen en una cacerola al fuego para que se abran.
- Se les quita una cáscara y se reservan.
- Se cuela el caldo de cocer las cáscaras y el de las almejas, evitando que caiga arenilla.
- Se reserva.
- En una cacerola se pone el aceite a calentar y se le añade la cebolla muy picada y el ajo; se deja dorar, se añaden los cangrejos, se saltean y se dejan cocer un poco añadiendo un vasito del caldo reservado.
- Se agrega la salsa de tomate, el pimentón, las hebras de azafrán majadas en el mortero con sal y pimienta, y el perejil picado.
- Se añaden el resto de los mariscos troceados y se cubre con algo del caldo reservado.
- Se deja cocer, se prueba y se rectifica de sal si fuera necesario.
- Se sirve en cazuela de barro caliente.

Zarzuela de Navidad

Tiempo 60 minutos
Comensales 10 personas
Dificultad media

Ingredientes

1/2 kg de manzanas Golden
1/2 kg de peras

1/4 kg de ciruelas pasas
1/4 kg de orejones
1/4 kg de higos pasos
100 g de pasas
100 g de nueces
1 vaso grande de vino de Oporto
1 vaso de azúcar
1 vasito de agua
1 limón, 1 naranja
3 clavos de especia
una pizca de nuez moscada

PREPARACIÓN

- Se lavan las frutas secas y se ponen a remojo en el oporto.
- Se pelan las manzanas, se cortan en cuartos y se rocían de limón.
- Se hace lo mismo con las peras.
- Se prepara un almíbar con el agua y el azúcar, y se añaden los clavos, nuez moscada y ralladuras de piel de naranja y de limón.
- Cuando lleve 5 minutos cociendo, se retiran los clavos, se cuecen allí las peras y las manzanas, los higos enteros, los orejones, las ciruelas sin hueso y las pasas.
- Se hierve una media hora, hasta que todo esté tierno.
- Se añade el oporto de remojar y se pasan por la batidora dos o tres ciruelas, un orejón y media manzana.
- Se engorda la salsa con este puré.
- Se sirve frío con las nueces picadas por encima y se puede acompañar de nata montada o líquida.

a

b

C

d

e

f

m

n

o

p

q

r

s

Sopas y purés

Entrantes y ensaladas

Verduras

Legumbres y patatas

Arroces y pastas

Huevos

Pescados

Carnes

Salsas

Postres